DiAnn Mills

Als de Nijl
ROOD KLEURT

DEN HERTOG – HOUTEN

This book was first published in the United States by Moody Publishers, 820 N. LaSalle Blvd., Chicago, Illinois, 60610 with the title **When the Nile Runs Red**, copyright © 2007 by DiAnn Mills. Translated by permission.

© 2008 Den Hertog B.V., Houten (Nederlandse editie)
vertaling: Paul de Gier
ISBN 978 90 331 2117 3

Aan de lezer

*A*LS *de Nijl rood kleurt* speelt zich af in Soedan in juli 2005. Het conflict in Zuid-Soedan brak uit toen de noordelijke regering in Khartoem in het begin van de jaren tachtig een jihad of heilige oorlog verklaarde aan Zuid-Soedan. Het zuiden reageerde met de vorming van een rebellenleger om hun land en volk te beschermen. Sommige groeperingen en termen die in dit boek voorkomen, worden hieronder omschreven.

Dinka

De grootste etnische stam in Zuid-Soedan; voornamelijk een herdersvolk dat leeft in de gebieden Bahr al-Ghazal, Jonglei, Zuid-Kordofan en Boven-Nijl.

John Garang

John, een Dinka en een christen, werd opgevoed in de Verenigde Staten en in Tanzania. Hij keerde naar Soedan terug om in het leger dienst te nemen. Hij koos echter de zijde van de opstandelingen en werd leider van hun leger (de SPLA). Na het vredesverdrag met de Soedanese regering werd hij vice-president maar kwam in juli 2005 om bij een helikopterongeluk.

Regering van Soedan (Government of Sudan – GOS)

De moslimregering met hun regeringszetel in Khartoem; voerde twee decennia lang een jihad tegen Zuid-Soedan.

Regering van nationale eenheid (Government of National Unity – GNU)

De nieuwe regering van Soedan, gevormd na het vredesverdrag in januari 2005.

Janjaweed
Gewapende militie die zijn strijders ronselt uit Arabische stammen, Afrikaanse Arabieren. Berucht om hun racistische activiteiten, moord en verkrachting. Ze zijn actief in de strijd in Darfur (gebied in het westen van Soedan) en verzetten zich tegen zowel de SPLA als tegen de Gerechtigheid en Gelijkheids Beweging (Justice and Equality Movement), die de vervolgde mensen in Darfur helpt. De Soedanese regering (GNU) gebruikt de Janjaweed bij de behandeling van de geschillen tussen de stammen. Verscheidene leden van de internationale gemeenschap hebben hun activiteiten 'genocide' genoemd.

Verzetsleger van de Heer (Lord's Resistance Army)
Een rebellenleger, oorspronkelijk gevormd in Uganda. Deze opstandelingen zijn wreed en vallen vaak dorpen aan om kindsoldaten en seksslavinnen te werven.

Soedanese Bevrijdingsleger (Sudan People's Liberation Army – SPLA)
Het opstandelingenleger dat twee decennia lang vocht om Zuid-Soedan te verdedigen.

Soedanese Bevrijdingsleger/beweging (Sudan People's Liberation Army/Movement – SPLA/M)
Een verzamelnaam voor de combinatie van militaire en politieke leiders van Zuid-Soedan.

Soedanese Bevrijdingsbeweging (Sudan People's Liberation Movement – SPLM)
Politieke vleugel van SPLA.

Soedan, juli 2005
Regenseizoen

V*ERVELENDE vliegende beestjes.* Muskieten zoemden om Pauls hoofd, kropen in zijn oren en op zijn lippen. Ook als ze geen ziekten overdroegen, waren ze een ware plaag. 'Vertel mij nog eens dat Jezus vijfduizend mannen voedde met vijf vissen en twee broden.' De Dinka-hoofdman boog zich dichter naar hem toe. 'Soedan heeft zulke wonderen nodig.'

De man had diepe rimpels in zijn gezicht en zijn stem was schor van ouderdom. Maar zijn hart en geest deden Paul denken aan een kind dat de woorden van Jezus in zich opnam op een manier die zijn stam aanmoedigde om hetzelfde te doen. De twee mannen zaten voor de hut van de hoofdman voordat het die dag weer zou gaan regenen.

'Duizenden mannen, vrouwen en kinderen hadden zich op de heuvelhelling verzameld om naar Jezus te luisteren. Toen de uren verstreken...'

Er klonk geweervuur. Een vrouw gilde. Nog meer schoten verscheurden de vredige morgen.

'Vertrek nu, mijn vriend.' De hoofdman ging staan en strekte zich in zijn volle lengte uit. 'Moge God een weg voor je banen.'

Zonder iets te zeggen volgde Paul de instructies van de hoofdman op en pakte zijn rugzak uit de hut. Toen hij achter de hut geslopen was, zag hij op de weg regeringssoldaten en de gevallen lichamen van de dorpsbewoners. De GOS maakte geen onderscheid op basis van geslacht of leeftijd. Hij voelde even aan de 9 mm aan zijn riem. De hoofdman legde zijn hand op zijn schouder alsof hij zijn gedachten raadde. 'Ga nu maar. Ze zullen ons doden of ze jou nu wel of niet vinden.'

De waarheid drong tot Paul door. Hij zou voor allen van hen een buitenkansje zijn. Mannen, vrouwen en kinderen vluchtten in alle richtingen weg. Hij rende naar het hoge gras, maar een GOS-soldaat moest hem gezien hebben. Er floot een kogel langs zijn hoofd. Dichtbij. Heel dichtbij.

Ten slotte zonken zijn voetstappen in de rulle grond van het bos en liep hij de schaduwachtige maar onheilspellende koepel binnen. Even later liep hij om een paar bomen heen. Hij bleef staan en probeerde iets te horen en te zien. Toen hij er zeker van was dat hij niet gevolgd was, liep hij weer behoedzaam terug door het hoge gras.

Voorovergebogen tuurde Paul door de struiken links van hem. De zwarte soldaten waren nog niet vertrokken. Ze vuurden op alles wat bewoog. Hij was in ieder geval te voet... en alleen. Het pistool waarop zijn hand rustte, bood weinig bescherming tegen zo veel soldaten. Waarom zou de GOS in het gebied zijn als ze niet op zoek waren naar hem?

Hij hield zijn adem in. Er sloop een soldaat langs hem heen. Het bataljon soldaten dat op zoek naar hem was, had zich aanvankelijk buiten de jungle over zo'n honderd meter verspreid, maar toen ze Paul niet konden vinden, schenen ze het op te geven. Daar leek het in ieder geval op. Hoewel er een vredesverdrag getekend was, weerhield dat de regeringssoldaten er niet van om op zoek te gaan naar een man die van verraad beschuldigd werd. Evenmin als het zijn familie ervan weerhield hem dood te wensen.

Achter een paar rotsblokken en wat struiken bleef Paul in een greppeltje, dat een zekere beschutting bood, op zijn hurken zitten. Hij wilde niet aan slangen denken. Zijn knieën deden zeer maar dat stelde in vergelijking met wat de soldaten hem zouden doen als ze hem zouden ontdekken, weinig voor.

Pauls gedachten gingen terug naar het dorpje dat hij had achtergelaten, Xokabuc – 'We worstelen nog steeds' – waar hij medicijnen had afgeleverd en Larsons aanwijzingen had doorgegeven hoe ze het moesten toedienen aan de mensen die malaria hadden. Hij maakte zich zorgen over de benarde situatie van degenen die de overval zouden overleven. Ze zouden ondervraagd worden en zeer waarschijnlijk gemarteld of gedood als ze weigerden zich tot het moslimgeloof te bekeren of geen informatie wilden loslaten over de verblijfplaats van Paul. Loyaliteit had een prijs. Hij had grote moeite met de opoffering van deze dorpsbewoners en anderen zoals zij. Meer dan eens vroeg hij zich af of zijn dood hun lijden niet zou verminderen. Lang geleden had hij zich voorgenomen om de vervolgde Soedanezen te helpen en het evangelie van Jezus Christus te verspreiden. Dat was niet veranderd, alleen zijn idealen klonken edeler dan de vrees die door zijn ziel galmde.

Nu, zoals altijd wanneer hij in gevaar was, gingen zijn gedachten terug naar zijn vrouw. *Heere, zorg voor Larson als ik dit niet overleef.* Zijn vermetelheid joeg hem schrik aan. Maar als dokter waagde Larson vaak om dezelfde reden haar leven. Samen vormden ze een goed stel.

'Hij is verdwenen,' riep een soldaat in het Arabisch. 'Was het Farid?'

Als de soldaat direct naar het oosten zou kijken, zou hij Pauls schuilplaats kunnen zien. Door zijn witte overhemd en kakibroek zou hij onmiddellijk opvallen.

'Misschien. We hadden hem nu toch moeten vinden,' zei de commandant. 'Hij moet of in een put gevallen of weggevlogen zijn.'

De eerste soldaat liep naar Pauls schuilplaats toe, zijn aandacht op de grond gericht. Voetafdrukken. Paul bleef doodstil zitten. De soldaat wees naar plekken waar het gras platgetrapt was.

'Hij is de jungle ingegaan. Als het nacht wordt ontfermen de leeuwen zich wel over hem.'

De commandant kwam bij hem staan en bestudeerde het spoor.

Paul dacht dat hij hun hart kon horen kloppen en de stank van hun adem kon ruiken. Zouden zijn vrouw en vrienden veilig zijn als hij gepakt werd? Nizams brief zat in zijn rugzak. Paul had antwoorden nodig. Meer nog, hij wilde de waarheid weten.

'We zouden hem kunnen volgen, maar ik ben er niet zeker van dat hij onze man is,' zei de commandant.

'Een van de dorpelingen zei, net voordat ik hem doodschoot, dat het Paul Farid was.'

De commandant grinnikte. 'De ongelovige zei dat om zichzelf te redden. Hij zou beweerd hebben dat zijn eigen moeder Farid was.'

De twee mannen lachten.

De commandant ging weer rechtop staan en staarde naar de bomen. Pauls hart bonsde harder dan de drums die de nabijgelegen dorpen waarschuwden voor de naderende vijand. De twee mannen bekeken iedere plant en boom en tuurden zelfs in de richting van de rotsblokken en struiken waar hij achter zat.

'Ik zag Farid een paar jaar geleden bij de familie van de president in Khartoem. De man die het dorp uit rende leek op hem. Hij lijkt op zijn broers, zeker op Nizam.'

Mijn broer die mij graag dood zou zien.

'Moeilijk te zeggen,' zei de commandant. 'Geruchten gaan snel rond, maar ik zou hem graag vangen. Door de beloning zou ik een rijk man zijn.'

De soldaat tuurde nu rechtstreeks naar de rots en de struik waar Paul zich achter schuilhield. Hij tilde zijn geweer op en richtte.

❦

Larson Farid nam een grote slok water en liep het zonlicht in. Thuis: het dorp Warkou, provincie Bahr al-Ghazal, het district Aweil. Het onvergetelijke Soedan. De weelderige groene aarde met zijn overvloed aan watervogels langs de Lol Rivier en de magnifieke dieren in het wild – van de lange giraffen en de sierlijke gazellen tot de dikhuidige olifanten – vormden een prachtige omgeving. De bodem, rijk aan voedingsstoffen, verwachtte beplantingen. Maar de mantel van de natuur verborg de beroering.

Vanaf zonsopgang waren er patiënten naar haar kliniek gekomen die nu een eindeloze rij van wanhoop vormden. Ze voelde zich erg moe. Paul had gelijk, ze moest meer rust nemen. Haar rug deed zeer en ze kwam slaap tekort. Ze had een misselijkmakend gevoel in haar maag alsof ze op een vlot de stroomversnellingen van de Nijl was afgevaren. Maar voor dergelijke onzin had ze geen tijd. De mensen hadden haar nodig.

Larson sloot haar ogen en besteedde geen aandacht aan haar ongemak. Waarom was Paul nog niet thuis? *Hij bemoedigt ongetwijfeld mensen en brengt hun het evangelie.* Paul liet nooit een gelegenheid voorbijgaan om over Gods Woord te praten. Soms wilde ze wel dat hij voorzichtiger was; ze wilde dat haar man in leven zou blijven.

Larson perste haar lippen op elkaar. Ze moest aan het werk. Ze had zo veel te doen. Maar de ongerustheid en de misselijkheid die ze voelde, gaven haar een angstig voorgevoel.

Ze zette het van zich af en wenkte een vrouw die een naakt, slapend kind droeg – of misschien was de baby dood. Heel wat van haar patiënten moesten dagenlang reizen om haar te bereiken. Maar al te vaak werd het hun te veel. Ze weigerde stil te staan bij die ongelukkige Soedanezen maar concentreerde zich in plaats daarvan op degenen die herstelden. Zij waren de gelukkigen, de mensen die weer een dag van hoop op vrede en een betere toekomst konden beleven.

'Goedemorgen,' zei Larson in het Dinka. 'Bedankt dat je je baby naar mij toe brengt. Ik zal hem onderzoeken om te zien of ik je kan helpen.' Larson tilde het jongetje op. Ze constateerde geen pols of hartslag. Ze voelde een grote verslagenheid. Het uitgemergelde lichaam van de moeder vertelde het verhaal.

De dag kroop verder. Haar vermoeidheid werd steeds groter maar ze wilde niet opgeven. Misschien had ze wat antibioticum nodig. Maar het idee dat ze kostbare medicijnen voor zichzelf zou gebruiken, stond haar tegen. Rust. Met een paar uur slaap zou al die onzin wel verdwijnen.

'Larson,' zei haar assistente Sarah, 'je ziet er niet zo goed uit. Ben je ziek?' De vrouw legde een gerimpelde hand op Larsons arm.

'Alleen maar moe. Ik wil vanavond vroeg naar bed. Paul zal zo meteen wel terugkomen en als hij er is, helpt dat altijd.'

'Heb je ergens pijn?' Sarah keek naar haar op en haar zwarte gezicht glansde van het zweet.

Larson bracht de laatste hechting in de snee op het voorhoofd van een jongen aan. Sarah maakte haar werk af met een ontsmettingsmiddel. 'Ik ben alleen maar moe, Sarah, zo moe dat mijn maag van streek is.'

'Hoe lang voel je je al zo?' Sarah kuste de jongen op zijn wang en gaf hem een complimentje voor zijn dapperheid.

'Een paar weken.'

'En hoe staat het met je menstruatie?'

Larson verstijfde.

'Kinderen is niet verstandig voor ons. Althans, niet zolang het hier geen vrede is,' had Paul gezegd. Het bestrijden van allerlei ziekten was ook geen veilige omgeving voor een kind. 'Mocht je ooit zwanger worden dan sta ik erop dat je naar Nairobi gaat, of nog beter, naar de Verenigde Staten,' had hij vervolgd. 'Zolang mijn familie achter mij aan zit, kan er geen sprake van kinderen zijn.'

De woorden weerklonken in haar gedachten.

Larson pauzeerde even voordat ze haar volgende patiënt liet komen. Acht weken over tijd. Ze had gedacht dat het uitblijven van haar maandelijkse cyclus een gevolg was van oververmoeidheid en slaapgebrek.

Sarah glimlachte, haar gezicht getekend door lijnen van wijsheid. 'Een vrouw kent geen grotere vreugde dan een kind te dragen.' Ze wees omhoog. 'Het maakt Gods liefde en de liefde van je man tot een volledige cirkel.'

Larson huiverde. Ze zou een urine- of bloedtest doen om zekerheid te krijgen, maar niet weten leek beter dan de waarheid leren kennen. Ze kromp ineen bij de gedachte aan Pauls reactie. *Dit is vreemd. Een vals alarm. Ik kan mij maar beter op mijn patiënten concentreren.* 'Ik wil er niet over praten.'

'Misschien heeft God een ander plan.'

'Niet voor mij.'

Sarah keek haar aan alsof ze haar niet goed had verstaan.

'Het zou toch niet goed zijn als ik, in onze situatie, een baby zou krijgen?' zei Larson.

De oude vrouw grinnikte. 'We zullen zien wat de toekomst brengt.'

Uren later lag Larson op het houten bed dat ze normaal gesproken met Paul deelde. Hoewel ze niets liever wilde dan gaan slapen, maalden de gedachten door haar hoofd. Zwanger? Een baby zou haar werk ruïneren – en ze wilde er niet aan denken hoe Paul zou reageren. Terwijl ze nadacht over wat Paul allemaal gezegd had, wist ze dat Paul alleen maar het beste voor haar en zijn kind wilde. Soedan was geen oord voor kinderen.

Het knagende gevoel hield aan tot ze ten slotte opstond en naar de kliniek liep. Ze zou geen moment rust meer hebben tot ze een proef had gedaan om zekerheid te hebben. Zoals Sarah gezegd had, had God misschien wel andere plannen met hen. In gedachten zag Larson de donkere ogen en gebruinde huid van haar man... de vorm van zijn mond en zijn dikke, bijna zwarte haar. Ze waagde het zelfs even om zich af te vragen of het een jongen of een meisje zou zijn.

Nee, dit kon niet. Ze hadden al problemen genoeg. Pauls broer Nizam had weer een brief geschreven waarin hij had gezegd dat hij Paul wilde spreken. De gedachte maakte haar bang. De moslimfamilie van haar man wenste hem dood omdat hij zich tot het christendom had bekeerd.

Larson voltooide de test en voordat ze keek, bad ze in stilte om een negatief resultaat.

҉

Kolonel Ben Alier vernauwde zijn ogen om zich te concentreren op zijn bevelen van het hoofdkwartier van het Soedanese Volksbevrijdingsfront. Het waren kleine lettertjes, maar het was ook mogelijk dat zijn gezichtsvermogen minder werd nu hij de veertig was gepasseerd. Als dat zo was, hielp dat niet om zijn toch al grote zorgen te verminderen. Moeilijk te lezen lettertjes vielen in feite onder het hoofdstuk kleine irritaties. Het door de regering en het in moeilijkheden verkerende Zuid-Soedan getekende vredesverdrag was een heel andere zaak.

'Kolonel Alier,

Wij zijn bemoedigd door de ondertekening van het vredesverdrag, waardoor Noord- en Zuid-Soedan weer verenigd zijn. Khartoem belooft met het zuiden samen te werken door de bemiddelingspogingen van John Garang, als eerste vice-president en pleitbezorger van het zuiden. Het doet ons genoegen door onze zeer gerespecteerde leider vertegenwoordigd te worden. Slechts door bemiddeling kan het volk van Zuid-Soedan bevrijd worden van de onderdrukking en de vrijheid krijgen om onze eigen hulpbronnen te benutten. We hebben hard gevochten voor zelfbestuur en uiteindelijk gewonnen. Over zes jaar kunnen we stemmen om een onafhankelijke natie te worden. Vanaf 15 augustus is uw aanwezigheid in Juba vereist. Onze doelstelling is ons te concentreren op de onmiddellijke noden van het zuiden en de beste manier waarop we onze verantwoordelijkheden tegenover de lijdende en onderdrukte mensen kunnen vervullen. We stellen uw toewijding aan het

14

Soedanese Volksbevrijdingsleger/beweging en uw jarenlange opofferende dienst zeer op prijs. Uw bijdrage aan de opbouw van ons land is van onschatbare waarde.'

Ben keek op en sloot zijn ogen lang genoeg om een andere gedachte toe te laten. De voortdurende pijn in zijn rug onderbrak zijn overpeinzingen. Al die jaren in het veld hadden hem fysiek uitgeput en nu moest hij daarvoor de prijs betalen. Hij staarde naar de brief in zijn handen.

Hoe konden de leiders van Zuid-Soedan ooit geloven in blijvende vrede? Khartoem had, afgezien van de druk van de Verenigde Staten en de internationale gemeenschap, geen enkele reden om zich aan een wapenstilstand te houden. En de Verenigde Staten hadden nu hun handen vol aan Irak. Ze hadden nauwelijks aandacht voor Soedan.

Ben slaakte een diepe zucht. Voor zo lang als hij zich kon herinneren, hadden al zijn gedachten om een of ander aspect van de burgeroorlog gedraaid – het conflict tussen het zuiden en het noorden dat nu al twintig jaar voortduurde. Hij debatteerde over de oorlogspunten, plande strategische veldslagen of bestreed de GOS. Het driepuntige zwaard van religie, politiek en olie beheerste zijn hele leven.

Bij de belachelijke gedachte aan vrede voor een verenigd Soedan schudde Ben zijn hoofd en verfrommelde hij de brief in zijn handen. Hij was er trots op een Dinka te zijn, en zelfs nog trotser dat hij een lid van de grootste stam in Soedan was, de stam die de regering de grootste problemen gaf. Hij had net zomin de bedoeling om de strijd te staken als de liegende GOS.

'Arabische duivels. Ze zouden levend verbrand moeten worden.'

Commandant Okuk kwam de tent binnen. Na Ben met een respectvol saluut van zijn linker- en enige arm begroet te hebben, ontspande hij zich. 'De mannen zijn blij met het nieuwe vredesverdrag.'

Ben verstijfde en voelde een nieuwe pijnscheut in zijn rug. 'Laat ze er maar gelukkig mee zijn.'

'Kolonel Alier, hiervoor hebben we toch al die tijd gevochten?' Er klonk enthousiasme in zijn stem door. 'Sinds mijn moeder mij het leven gaf, heb ik geen dag zonder oorlog gekend. Toen mijn vrouw en kinderen vermoord werden, heb ik mij aangesloten bij en gevochten met de SPLA.'

Ben bedwong de neiging om Okuk in het gezicht te slaan. 'Ben je dan zo stom dat je het niet ziet? De laatste keer dat we bij je dorp waren, had de GOS alles platgebrand en hadden ze alle geiten en vee gedood. En wat er nog van je volk over was, hebben ze bijeengedreven in een vluchtelingenkamp zonder eten en medische zorg. En jij vertrouwt dat waardeloze stuk papier?'

Okuks gezicht verstrakte.

'Ik ben een realist,' zei Ben. 'Voor degenen die zich voor een vredesverdrag uitspreken, zullen de resultaten voor zichzelf spreken.'

De lange, slanke Okuk, nog maar net dertig, liet zich niet van de wijs brengen. Hij had zijn rechterarm verloren door een landmijn, maar dat had hem er niet van weerhouden om met zijn linkerarm te leren schieten. Hij had zijn land drie jaar met beide armen en vijf jaar met één arm gediend. Ben zag de pijn in zijn ogen.

'En ik droom ervan dat de vrije wereld Khartoem ertoe zal brengen een eind aan het bloedvergieten te maken,' zei Okuk.

'Dat doe ik ook, maar ik hecht weinig geloof aan het woord van een moslim.' Ben ging staan en torende boven de man uit, de verfrommelde brief nog steeds in zijn hand. 'In het verleden heb ik niets gezien dat erop wijst dat de regering bereid is concessies te doen.'

Hij haalde zijn schouders op. 'Maar wie weet? Misschien hebben de Verenigde Staten meer informatie over de banden van Osama bin Laden met Khartoem. Druk van de vrije wereld om over vrede te onderhandelen in ruil voor financiële steun is een andere factor om te overwegen.'

Okuk knikte. 'Wat zijn uw bevelen?'

Ben voelde de randen van het papier tegen zijn handpalm krabben. 'We gaan, zoals we van plan waren, morgen op weg. Als we de GOS tegenkomen, komen we er gauw genoeg achter of ze zich aan de wapenstilstand houden.'

De rimpels op Okuks voorhoofd werden dieper.

'Heb je problemen met mijn bevelen, commandant?'

'Nee, meneer. Ik zal de mannen uw bevelen overbrengen.'

Ben keek toe toen Okuk zich omdraaide en vertrok. Hij zou liever vechtend sterven dan de vijand de gelegenheid geven om degenen die in een Zuid-Soedan geloofden, te bedriegen. En wat zou hij moeten doen in het geval van blijvende vrede?

2

Paul sloot zijn ogen en bad voor Larson en voor het werk dat in Soedan nog gedaan moest worden. Hij hoopte dat de kogel rechtstreeks zijn hart zou doorboren, waardoor er aan het plan van iedere soldaat om hem terug te brengen naar Khartoem, een eind zou komen. Maar ze wilden hem levend, dacht hij. Herinneringen aan de gruwelijke marteltechnieken van de GOS gaven hem nachtmerries. Hij dacht weer terug aan de 'spookhuizen', het gegil, de verminkte lichamen, de executies en de ontkenning van de regering dat die plaatsvonden.

'Verspil je munitie niet aan een slang,' zei de commandant. 'De SPLA zit ongetwijfeld ergens voor ons uit en we willen hen verrassen.'

Vanuit zijn ooghoek zag Paul een groene mamba, nog geen drie meter van hem vandaan. Hij kreunde zacht toen de slang naar hem toe gleed. Als hij zich bewoog, zou hij zich blootgeven, maar de slang – een van de dodelijkste reptielen in Afrika – had een agressieve reputatie.

Er gingen een paar seconden voorbij waarin de twee GOS-soldaten niets zeiden. Ze keken ongetwijfeld naar de mamba die over de rots kroop.

Een beet van het reptiel was altijd fataal.

'Hij moet ergens op af gaan,' zei de commandant.

'Ik wil wel eens zien wat dat is.'

Pauls pistool hing op zijn heup en was gemakkelijk te pakken. Hij moest de mamba doden voordat die hem bereikte. Dat zou betekenen dat hij ook de twee soldaten zou moeten elimineren. Het geluid van de schoten zou de anderen van het bataljon, die nog steeds het gebied uitkamden, alarmeren. Maar hij die predikte

'Hebt uw vijanden lief', mocht niet doden – tenzij hij dat wel móést doen.

De slang kroop dichterbij.

'Kom mee, soldaat. We hebben nog heel wat kilometers af te leggen en ik denk niet dat de man hier is.'

'Hoe staat het met Farid?'

De commandant schudde zijn hoofd. 'Farid? Iedere bange dorpeling en op geld beluste man in dit land heeft hem gezien. We hebben geen tijd om al die geruchten na te trekken.'

'Ja, meneer.' Hij was even stil. 'Maar ik zag wel een man het dorp ontvluchten die aan zijn beschrijving voldeed.'

'Dat heb je al eerder gezegd. Maar we hebben de opdracht het kamp van de SPLA te overvallen.'

Daar zit Ben.

'Ja, meneer.'

Het gras ritselde tegen de broekspijpen van de soldaten en Paul keek hen na toen ze wegliepen. De commandant schreeuwde naar zijn mannen dat ze het zoeken moesten staken en weer op weg moesten gaan naar het oosten.

De slang kwam nog dichterbij en kronkelde over het kreupelhout en kleine takken. Hij was minstens drie meter lang. Paul had een mes in de zijkant van zijn laars. Als hij zou missen, zou de mamba toeslaan. Er verliepen nog twee seconden.

Paul pakte zijn mes, mikte en wierp het met een snelle polsbeweging naar de slang. Het lemmet zonk in de kop van het dier en pinde het vast aan de grond. Adrenaline golfde door Pauls lichaam. Zijn oren suisden en hij haalde diep adem om weer tot kalmte te komen. *Dank U, Heere.* Plotseling werd de tinteling in zijn knieën bijna ondraaglijk. Hij kon niet langer op zijn hurken blijven zitten en ging staan, waarbij hij zich bukte om niet de aandacht te trekken van de GOS-soldaten die van hem wegliepen.

Nadat hij er zich van verzekerd had dat de soldaten het gebied hadden verlaten, haalde Paul zijn satelliettelefoon uit zijn rugzak.

Hij moest Ben in het kamp van de SPLA waarschuwen. Het Neushoornbataljon had drie dagen rust genomen om nieuwe voorraden in te slaan. Sinds het vredesverdrag was hun taak officieel beëindigd – maar dat was een verhaal voor de kranten en de internationale politici, niet de waarheid. Hoe was de GOS de geheime locatie van het kamp te weten gekomen?

Ben nam op toen de telefoon voor de derde keer overging.

'Hé, Ben, ik heb wat nieuws voor je.'

'Als het iets te maken heeft met de nieuwe regering van Soedan bespaar het mij dan. Ik ben niet in de stemming.'

Paul zou de volgende acht uur gebruikt kunnen hebben om de waarde van vrede te bespreken, maar hij begreep de diepgewortelde problemen die zijn vriend had met de nieuwe regering. 'Dit is iets anders; meer jouw stijl.'

'Ik luister. Zit je in moeilijkheden? Alles goed met Larson?'

'Het gaat niet om ons maar om jou. Ik ben net een heel bataljon van de GOS tegengekomen dat naar jou op weg is. Ze zijn er op de een of andere manier achter gekomen waar je zit.'

Ben bleef even stil. 'Een mol. Er is al veel te veel informatie uitgelekt. En ik denk dat hij in Yar woont. Commandant Okuk zegt dat een neef van hem een man verdenkt die in dat dorp woont. Hoe ver zitten ze achter ons?'

'Zo'n dertien kilometer.'

'We zullen ons voorbereiden,' zei Ben. 'Bedankt. Tot wederdienst bereid.'

'Kom binnenkort eens een keer bij ons eten. We hebben je al een hele tijd gemist.'

'Oké. Ik kom gauw een keer.'

Paul verbrak de verbinding. Hij wist hoe moeilijk het voor Ben was om Larson en hem samen te bezoeken. Ze waren nu meer dan twee jaar getrouwd maar Ben liep nog steeds met een gebroken hart rond.

Wat een vreemd drietal vormden ze; een bewijs dat oorlog rare relaties creëerde – of beter, God bracht mensen samen met een bepaald doel. Paul hield het maar op dat laatste. Gedachten aan Larson duwden alle andere onderwerpen weg die door zijn hoofd gingen. God had hem met haar liefde gezegend. Haar helderblauwe ogen en zandkleurig haar stonden hem altijd voor ogen. Ze leek helemaal niet op een dokter uit de derde wereld. Ze klaagde ook niet over haar primitieve leefomstandigheden. Hij grinnikte. De man die haar in de weg liep of haar boos maakte, was te beklagen.

Hij haalde de brief van zijn broer Nizam uit zijn rugzak, de derde in de afgelopen vier weken.

'Mijn broer,
Het stelt mij teleur dat je niet naar Khartoem komt om mij in het Hilton te ontmoeten. Ik wil je zien, horen hoe het in je nieuwe leven gaat en je nieuwe geloof bespreken. Wij zijn altijd moslim geweest en ik ben er zeker van dat dit gewoon een misstap van je is. Ik begrijp niet waarom je van je familie bent weggegaan nu we ons als adviseurs van de nieuwe regering hebben gevestigd.

Ik mis je. Laten we weer broers zijn. Ik begrijp dat je bang bent en ik kan ervoor zorgen dat onze ontmoeting geheim blijft. Laten we elkaar bij Kibum in Dafur ontmoeten. Niemand daar zal achterdocht koesteren. Je hebt mijn vorige brieven niet beantwoord. Schrijf mij spoedig.

Nizam'

Paul schudde zijn hoofd, stak de brief weer in de envelop en sloeg ermee tegen zijn hand. Dacht zijn broer nu echt dat hij zo dwaas was? Hij wist hoe zijn familie dacht: dood de ongelovige en Allah zal verheugd zijn. Maar hij had erin toegestemd en zijn antwoord gemaild. Hoe zou hij kunnen weigeren nadat hij plechtig beloofd had het evangelie te brengen aan allen die wilden luisteren. Ook al zou dat zijn dood betekenen. Misschien had hij het met Larson of Ben moeten bespreken. Dit zou ook hun leven beïnvloeden. In feite had deze beslissing gevolgen voor allen met wie hij omging.

Niet in staat om nog langer te wachten om met haar te praten, toetste hij Larsons telefoonnummer in.

'Hallo, liefste,' zei hij. 'Hoe is het met de knapste dokter van het continent?'

'Goed. Ze mist haar man.'

'Dank je. Ik mis jou ook. Hoe is het in de kliniek?'

'Druk. Een paar van mijn patiënten vandaag zijn twee weken onderweg geweest.'

Paul zag in gedachten de rij zieke mensen voor zich. Hij zou in Warkou moeten zijn om haar te helpen. Ze kreeg steeds meer patiënten, of ze dat nu toe wilde geven of niet. 'Ik kom morgen weer thuis en dan blijf ik tot al die mensen behandeld zijn. Houdt Sarah zich goed?'

'Ze doet het prima.' Larson lachte en door het lieve geluid dacht hij dat hij vlak naast haar stond – om een kus vroeg en zijn armen om haar middel sloeg.

'Hoe is het met jou? Zit je missie erop?' In haar stem klonk bezorgdheid door.

'Natuurlijk. Ik heb de medicijnen in Xokabuc afgeleverd en de hoofdman bezocht. Het aantal bekeerlingen is nu nog meer toegenomen'

'Daar ben ik blij om.' Ze aarzelde even. 'Paul?'

'Ja.'

'Ben je weer Indiana Jones aan het spelen?'

Ze heeft mij door. 'Waarom vraag je dat?' Hij slikte de pijn in zijn hart om haar weg. En de vrees die nog maar even geleden door hem was heengegaan.

Ze zuchtte en hij wist dat ze het voor zijn bestwil deed. 'Omdat je mij altijd belt als je maar net aan een gevaar bent ontsnapt.'

'Kan een man zijn vrouw niet bellen om haar alleen maar te vertellen dat hij van haar houdt en haar mist?'

'Zeker. Maar jij hebt de gewoonte om 's morgens vroeg of 's avonds laat te bellen... of direct nadat je weer ternauwernood aan de dood ontsnapt bent.'

'Kom nou, Larson.'

'Is alles goed met je?' Er klonk grote ongerustheid in haar stem door en hij stelde zich voor dat de lijntjes om haar ogen zich verdiepten.

'Alles is goed met me. Een dode mamba gluurt naar mij. Maar wat betekent zo'n slangetje?'

'Waarom geloof ik niet dat je mij de hele waarheid vertelt?'

'Ik heb geen idee.' Paul haalde een keer diep adem en ging moedig verder. 'Ik heb Ben gesproken en hem uitgenodigd langs te komen.'

'Hij voelt zich nog steeds afgewezen. O, ik moet gaan. Bel mij later nog een keer.'

Voor hij antwoord kon geven, verbrak ze de verbinding. Waarom had ze zo'n haast?

Larson haastte zich naar Sarah toe die in de deuropening stond van het stenen gebouwtje dat als kliniek dienstdeed. Ze rende langs de rij patiënten heen terwijl de inhoud van haar maag in haar keel stroomde. Haar shirt was nat van het zweet en haar lichaam snakte naar slaap. Een uur in de middag. Zou ze het tot de avond vol kunnen blijven houden? Duizeligheid vervaagde haar gezichtsvermogen. Meteen daarop braakte ze het kleine beetje dat ze vandaag gegeten had uit.

Haar gedachten bleven bij Paul. Hij had ongelooflijk gevaar gelopen en zijn ontkenning sprak boekdelen. Dat had waarschijnlijk weinig met een slang te maken gehad, tenzij hij een slang op twee benen had bedoeld. Larson veegde met de rug van haar hand haar mond af. Ze had het gevoel dat ze een gevreesde ziekte onder de leden had in plaats van dat ze een levend kind droeg.

Een baby. Ze was door de uitkomst van de zwangerschapstest al van haar stuk gebracht en nu kwam daar haar misselijkheid nog bij terwijl de morgen al voorbij was. Ze hoopte dat ze er alleen de eerste paar maanden maar last van zou hebben. Sarah had het allemaal al begrepen, maar voorlopig mocht niemand het nog weten. Larson wilde eerst zelf aan de realiteit wennen. Wat moest ze met een baby? Hoe kon ze haar werk combineren met het moederschap? Was het verkeerd om te verwachten dat Paul haar wel zou helpen?

Hoe ellendig ze zich momenteel ook voelde met haar toenemende behoefte aan slaap en haar lege maag vol gal, ze voelde toch iets van vrede in haar hart. Ze zou moeder worden. Ze zouden spoedig met hun drieën zijn. Hoewel het gevaar om in Soedan een baby ter wereld te brengen haar grote zorgen baarde, moest ze erop vertrouwen dat God een beter plan had.

Maar er klopte allemaal niets van. Midden in de burgeroorlog in Soedan was ze zwanger geworden. Larson schudde haar hoofd. Het had geen zin om bij de pakken neer te gaan zitten. Haar geloof en haar gevoel voor humor zouden er haar ongetwijfeld doorheen helpen.

Larson masseerde haar slapen en ging rechtop staan. Haar rug deed zeer en ze moest nodig haar mond spoelen, haar handen wassen en weer aan het werk gaan. Ze moest voorlopig niets laten merken tot ze de tijd had gehad om na te denken. Paul wist nog van niets en ze zou het hem pas vertellen als haar buik eruitzag alsof ze een voetbal had ingeslikt.

'Voel je je nu wat beter?' vroeg een vertrouwde stem.

Larson draaide zich om naar Sarah die haar een vochtige doek overhandigde. 'Bedankt. En ja, ik voel mij nu beter.' Ze veegde haar gezicht en mond af. 'Wat stelt een beetje misselijkheid nu voor?'

'Wil je proberen de klei te eten tegen de misselijkheid?'

Hoezeer Larson ook van Sarah hield en haar waardeerde, het eten van zoute klei, zoals veel vrouwen in Soedan tijdens de zwangerschap deden, trok haar niet bijster aan. 'Nee, dank je. Ik kan wel zonder.'

Sarah keek van haar weg. 'Hoe wil je dit voor je man verborgen houden?'

Larson, dankbaar voor de discretie van de goede vrouw, dwong zich tot een glimlach. 'Ik bedenk wel wat. Misschien is dit wel de enige keer dat ik zo misselijk ben. Ik kan een zwakke maag wel verborgen houden.'

'Dit is niet de eerste keer. Ik heb je in de gaten gehouden. En hoe wil je dat met je maandelijkse ongesteldheid doen?'

Larson schudde haar hoofd. 'Sarah, Paul is zo vaak weg dat ik betwijfel of hij weet wanneer ik ongesteld moet worden.'

'Paul Farid is een slimme man.'

Larson sloeg haar arm om Sarah's schouders. 'Ik wil zijn of mijn werk niet onderbreken. En ik wil ook niet uit Soedan vertrekken.'

'Ik zou ook niet willen dat je vertrekt, maar wij denken niet als God.'

'Ik kan mij niet voorstellen dat Hij zou willen dat we de mensen die we liefhebben in de steek zouden laten.'

Sarah keek Larson doordringend aan. 'Ik denk dat Paul heel blij zal zijn.'

'Dat hoop ik.' Larson tuurde in de heldere middaglucht, blauw en zuiver.

Ze liepen samen terug naar de kliniek. Larson wilde niet meer over de baby praten, en zeker niet als ze de antwoorden niet had.

'Kom op, Sarah. Na die twee gevallen van guineaworm die we vanmorgen geconstateerd hebben, moeten we met die mensen over het vuile water praten. Als we geen maatregelen treffen, hebben we binnenkort nog meer gevallen van malaria en cholera.'

'Ik zal de mensen bijeenroepen.' Sarah knikte. 'We moeten hun heel duidelijk vertellen dat het vuile water gevaarlijk is.'

Ben staarde naar de talloze dode lichamen. Het bloed van de levenloze vijandelijke soldaten kleurde het weelderig groene gras rood. Armen en benen lagen over struiken heen en lege ogen staarden ontzet terug. Hij had het allemaal al zo vaak gezien. Geen gehuil van geliefden. Geen gekreun om hulp. Afgezien van de zoemende vliegen en muskieten heerste er een diepe stilte op het terrein. Boven hem vlogen gieren, de vleugels wijd gespreid alsof ze een ritueel uitvoerden voordat het feestmaal begon. De geur van bloed fluisterde een boodschap naar leeuwen en hyena's. Hoewel een deel van de wilde dieren van Soedan was uitgeroeid, vonden de roofdieren altijd hun prooi.

Ben ging op zijn andere been staan en probeerde geen aandacht te besteden aan de schrijnende pijn in zijn rechter onderarm. Een verdwaalde kogel was er dwars doorheen gegaan. Maar er waren in ieder geval vandaag geen mannen van Ben omgekomen. Bij andere vuurgevechten was dat vaak anders geweest. Het verrassingselement had de SPLA het voordeel gegeven om zonder enige waarschuwing toe te slaan. Ben keek toe toen zijn mannen de gevallen vijand plunderden. Alles wat zijn soldaten vonden, mochten ze houden voor eigen gebruik of voor ruilhandel. Op zekere dag zou het zuiden deze mannen misschien compenseren, maar dat zou nog maanden of misschien wel jaren kunnen duren.

Ben hoorde een man kreunen die een eindje verderop op de grond lag. De GOS-soldaat lag in een grote plas bloed. De helft van zijn linkerzij was weggeschoten. Ben boog zich over de man heen en hoorde hem een gebed tot Allah mompelen.

'Je hebt niets anders dan de hel te verwachten,' snauwde Ben de man in het Arabisch toe.

De soldaat reageerde niet. Ben draaide zich om en liep weg. Hoeveel Soedanese burgers had de stervende man gedood of verminkt? Hoeveel dappere SPLA-strijders waren gesneuveld om het zuiden van de tirannie van Khartoem te bevrijden? De alles vernietigende strijd ging verder, met of zonder vredesverdrag. Hij had nooit ge-

loofd dat de regering zich ook maar iets van al deze mensen aantrok.
Zelfs nu Khartoem zijn aandacht had verlegd naar de genocide in Darfur, Soedans meest westelijke provincie en het woongebied van zwarte Afrikaanse moslims, die de Arabische regering tegen zich in het harnas hadden gejaagd. Ben was van plan de strijd voort te zetten tot iedere GOS-soldaat het land had verlaten.

Hij moest over de volgende paar uur nadenken. Niets kon hem nu tegenhouden, zelfs niet de steeds weer terugkerende overlast van een aanval in de rug. De plannen waren veranderd. Ondanks hun overwinning bood de nabije toekomst hem en zijn mannen geen rust. En dan moest hij ook nog aandacht besteden aan zijn eigen verwonding. Bloed bedekte zijn gescheurde en kapotte arm en drupte op zijn broek en de grond. De pijn werd steeds heviger, maar hij was vooral bang voor blijvende schade aan zijn arm.

'Wat nu, kolonel?' Commandant Okuk verbond zijn arm met een vuil shirt.

'Warkou.' Ben haalde zijn satelliettelefoon uit zijn linkerbroekzak. Hij balde zijn linkervuist een paar keer voordat hij een poging deed om Larsons code in te toetsen.

'Ben, wat is er,' vroeg ze zonder hem te begroeten.

'Ik heb honger. Kook je vanavond? Gerookte vis lijkt mij heerlijk.'

'Wat is er?' herhaalde ze.

'Ik wil je een bezoek brengen.'

'Hoe ernstig ben je gewond?'

Haar bezorgdheid bracht herinneringen terug, herinneringen die hij liever wilde vergeten.

'Een schram.' De pijn trok door hem heen als een vijandelijke aanval uit alle richtingen. 'Er is een kogel door mijn arm gegaan. Ik denk dat je er even naar moet kijken.'

'Hoe gauw kun je hier zijn?'

'Met de truck tegen middernacht.'

'Ik zal op je wachten.'

Ben liet de telefoon weer in zijn broekzak glijden. Hij probeerde te blijven staan maar door de pijn zwaaide hij licht heen en weer. Hij proefde het zuur van te veel vuurgevechten en onbehandelde verwondingen. Hij sloot zijn ogen en probeerde zich te beheersen.

'Kolonel?' vroeg Okuk. 'Gaat het?'

Hij negeerde de pijn in zijn arm en haalde de telefoon weer uit zijn zak. Ze zouden onderweg Paul oppikken.

3

Paul en Ben hobbelden over de smalle weg naar Warkou in Bens verroeste en vuile truck. Commandant Okuk had het aan Paul overgelaten om Ben naar Warkou te brengen en was naar het bataljon teruggelopen. De versleten banden konden ieder moment klappen. De ruiten waren langgeleden al verbrijzeld en hun afwezigheid nodigde de kalmte van nachtelijke geluiden en een kort respijt van de hitte uit. Helaas ook muskieten en andere insecten. Uitputting scheen uit Pauls poriën te sijpelen, een normale bijkomstigheid van de dood onder ogen gezien te hebben. Hij wilde niets liever dan veertien uur aan een stuk slapen. Maar eerst moest hij Ben naar Larson brengen. Wat zelfzuchtig om aan zichzelf te denken terwijl Bens arm slap langs zijn zij hing. Paul hoopte dat ze hem zou kunnen helpen. Als dat niet het geval was, zouden ze Nairobi moeten bellen om hulp.

Paul was wel geen medische deskundige maar toen ze gestopt waren om het verband te verwisselen, had hij aandachtig naar de gewonde arm gekeken. Het zag ernaar uit dat het gapende gat meer nodig had dan wat ontsmetting en een paar hechtingen. Larson voerde in haar kliniek wel kleine operaties uit, maar het leek erop dat hier een plastisch chirurg voor nodig was. Bens hele leven draaide om het leiding geven aan zijn mannen in de oorlog. Wat zou hij moeten gaan doen als zijn arm niet meer bruikbaar was?

'Hoe gaat het?' Paul knipte het cabinelichtje aan en zag dat het bloed door het verband heendrong en van Bens arm drupte.

'Mijn arm zou beter voelen als ik hem eraf zou hakken.' Bens stem was zwak.

'Dat kun je maar beter niet doen, vriend. Het is wel de arm waarmee je schiet.'

'Je hebt te lang in de Verenigde Staten gezeten. Een echte held kan beide armen gebruiken, net als Okuk.'

Ben was zijn humor in ieder geval niet kwijtgeraakt.

'Wat heb je tegen de pijn ingenomen?' vroeg Paul.

Ben grinnikte. 'Niets. Misschien heeft een van mijn mannen het nodig.'

Paul wilde stoppen om hem door elkaar te schudden. 'Soedan reikt geen medailles uit aan zijn soldaten.'

'Ach ja, maar nu word ik in ieder geval door de knapste dokter in Soedan behandeld.' Ben kreunde en schonk Paul een zijdelingse grijns. 'Sorry. Dat had ik niet moeten zeggen.'

'Geeft niet. Ik begrijp je wel.' Niet dat Paul het leuk vond.

'Wil je nu een gat in mijn andere arm schieten?'

'Misschien.' Paul lachte. 'We kunnen er in ieder geval grapjes over maken.'

'Ik weet niet of ik er wel zo goed mee omga.' Ben ging wat verzitten. 'Waar ben jij eigenlijk mee bezig?'

Paul bedacht dat hij hem net zo goed over Nizam zou kunnen vertellen. 'Mijn broer heeft mij drie keer geschreven. Hij zegt dat hij mij wil ontmoeten en meer over mijn geloof wil horen.'

'Ik hoop dat je niet zo stom bent om daar in te trappen.'

'Dat ben ik niet. Maar ik maak mij zorgen dat ze Larson lastig zullen gaan vallen. Ze weten waar ik woon en de enige reden dat ze nog niet langs gekomen zijn, is dat jij hier met je bataljon in de buurt zit.'

Ben grinnikte – niet van harte. 'Ze zijn bang voor mij. Wees voorzichtig. Ik vertrouw geen enkele Arabier – behalve jou.' Hij legde zijn hoofd tegen de rugleuning. 'Ik heb een zoon.'

Paul vroeg zich af waarom hij daarmee plotseling op de proppen kwam. Tenzij... 'Wanneer ben je daar achter gekomen?'

'Bijna dertien jaar geleden. Ik heb hem nog nooit gezien. Ik betwijfel of hij weet dat ik zijn vader ben. Maar ik moet de laatste tijd voortdurend aan hem denken.'

De truck reed door een kuil in de weg heen en Ben hijgde even.

'Sorry. Ben je van plan contact met hem op te nemen?'

'Dat weet ik nog niet.' Ben begon steeds zachter te praten. 'Ik heb zoveel aan mijn hoofd om over na te denken. Ik heb zijn moeder niet meer gesproken sinds ik erachter kwam dat ze zwanger was. Maar soms vraag ik mij af hoe hij eruitziet, op wie hij lijkt.'

'Larson en ik vinden het niet goed om nu kinderen te krijgen. We weten wel dat er niets buiten Gods wil om gaat, maar... het is hier te gevaarlijk.'

'Dat is... verstandig van jullie.'

⁂

Larson bedwong de aandrang om te gaan slapen terwijl ze op Paul en Ben wachtte. Ze voelde zich slecht op haar gemak. Stel je voor dat Ben een operatie nodig had die haar capaciteiten te boven ging. Paul zei dat de wond er slecht uitzag, maar ze had meer informatie nodig. Wat een schande dat er een vredesverdrag getekend was met een nieuwe regering die was aangetreden, en dat Ben toch nog door een kogel getroffen was. Dat zei ongetwijfeld iets over de betrokkenheid van de GOS bij de vrede en het gaf grond aan het cynisme van Ben ten aanzien van de mogelijkheid van een verenigd Soedan.

Ze maakte zich grote zorgen over hem. Ben was gewoon geweest met haar over alles te praten – ook over dingen die ze niet wilde horen. Maar sinds zij en Paul getrouwd waren, was hij weggebleven. Het was nooit haar bedoeling geweest om Ben te kwetsen. Onder zijn humeurige uiterlijk ging een man schuil die van zijn land en van de mannen die onder hem dienden hield. Ze had hem na een vuurgevecht gewonde mannen, vrouwen en kinderen naar haar toe zien brengen, dikwijls met gevaar voor eigen leven. Hij was een man van plicht en eer.

Er kwamen herinneringen bij haar op... het verzorgen van zijn mannen, discussies over de oorlog, het zien van het verlangen in zijn ogen, het vermijden om met hem alleen te zijn en de beslissing om zijn tienerzus voor haar veiligheid en opleiding naar Californië te sturen. Larson wist dat hij nog steeds van haar hield, waardoor het vervelend was om Paul en Ben samen te zien. Misschien dat Bens gevoelens na verloop van tijd zouden verdwijnen.

In de ramen van de kliniek zag ze het licht van koplampen weerkaatst, gevolgd door het geronk van een truck. Ze greep een geweer en tuurde in het donker om er zeker van te zijn dat het de truck van Paul en Ben was en niet die van de GOS of andere overvallers. De Soedanezen konden dan wel over vrede praten, maar ze kon de Soedanese regering en zijn ondertekening van het zogenaamde vredesverdrag niet vertrouwen. Ze moest nu per slot van rekening ook nog eens aan haar baby denken.

'Niet schieten, Larson,' riep Paul.

Ze zette het geweer tegen de muur en haastte zich naar buiten om te zien hoe ernstig Ben eraan toe was. Paul deed het portier aan de passagierskant al open. Hij stak zijn armen uit om Ben te helpen uitstappen.

'Heb je hulp nodig?' vroeg ze.

'Nee, ik ben nog niet dood.' Ben probeerde met behulp van Paul te gaan staan, maar hij zakte tegen de truck aan en viel bijna.

'Ik houd hem wel vast,' zei Paul. 'Hij heeft veel bloed verloren.'

De vertrouwde klank van zijn stem, Engelse woorden die met een Arabisch accent werden uitgesproken, bracht troost – en een knagende angst over de zwangerschap. Maar dat kwam later aan de orde. Nu had Ben al haar aandacht nodig.

Ze haalde een keer diep adem en sloeg een arm om Bens middel heen. Hij gromde en het geluid weerklonk luid in het slapende dorp. Larson zag vanachter een hut een bewaker tevoorschijn komen. Ze knikte en hij verdween weer. Dit was de Ben die ze kende en die ze wel aankon.

Toen ze binnen waren, onder het licht van een paar gloeilampen die door een dieselgenerator werden gevoed, onderzocht Larson Bens arm. Ze schrok hevig toen ze de wond zag. Hij moest geopereerd worden. Ze keek Paul aan. Ze hadden nog geen woord tegen elkaar gezegd en elkaar nog niet aangeraakt. Aan zijn ernstige gezicht zag ze dat hij begreep dat hun vriend er slecht voor stond.

'Hoeveel brandstof zit er in de Hummer?' vroeg ze.

'Minder dan een halve tank. Maar in de schuur hebben we nog genoeg.'

Ben deed zijn ogen open. 'We gaan nergens heen, niet in jouw auto en niet in die van mij. Lap mij op, Larson. Doe wat je moet doen.'

Ze schudde haar hoofd. 'Als je niet door een echte chirurg geopereerd wordt, zal je je arm nooit meer kunnen gebruiken. Er moeten waarschijnlijk een plaat en een paar pinnen in.'

'Ik heb je al eerder zien opereren.'

'Je hebt ook een heleboel mensen zien sterven. Dit is geen ziekenhuis om zoiets te behandelen. Ik ben maar een gewone dokter, weet je.'

'Pak je instrumenten en doe wat je moet doen.' Aan Bens gezicht was duidelijk te zien dat hij heel veel pijn had.

'Wil je weten hoe groot de kans is dat je een infectie oploopt? Of hoe groot de kans is dat je die arm nog ooit zult kunnen gebruiken?'

'Dat risico neem ik dan maar.'

Larson draaide zich naar Paul om. 'Luister maar niet naar hem.' Ze pakte wat dingen om Bens wond schoon te maken en te verbinden.

'Ik moet weer terug...' Bens gezicht verstrakte.

'Houd je mond, Ben. Zoals je nu bent, kun je niets voor je mannen doen,' zei Larson.

'Je moet je vrouw eens wat begrip bijbrengen.' Ben keek Paul dreigend aan.

'Luister naar haar. Dan zal ze begrip voor je hebben.'

Ze lachte om maar iets te doen om de spanning weg te nemen die om hen heen opflakkerde als een bliksemflits die dor gras trof. Ben moest naar Nairobi gevlogen worden. 'Denk je dat een piloot van Africa Inland Mission hem op kan pikken?' Vraag of er misschien een verpleger mee kan. Ik zal hem inmiddels een infuus geven.' 'Whisky zou beter helpen.' Ben probeerde op de onderzoekstafel te gaan zitten, maar door bloedverlies was hij te veel verzwakt.

'Hé, als er eenmaal in Nairobi voor je gezorgd wordt, krijg je een hele fles Johnnie Walker Gold van mij.'

'Waar is jouw vliegtuig?' vroeg Ben.

'Ik heb het uitgeleend aan een piloot van Feed the World,' zei Paul. 'Ik krijg het pas over een week terug. Sorry.' Hij haalde zijn telefoon uit zijn rugzak en toetste een nummer in.

'Met Paul Farid. Hoe gauw kan ik een AIM-vliegtuig naar Warkou krijgen? Kolonel Ben Alier is neergeschoten.' Hij wierp een bezorgde blik op Larson. 'Niet voor zonsopgang? Goed. We zullen wachten. Een verpleegster zou van pas komen. Hij heeft veel bloed verloren... Ja, hij is bij kennis. Bedankt.' Paul legde de telefoon neer.

'Misschien moet je hem vasthouden terwijl ik de wond schoonmaak.' Ze pakte de fles met ontsmettingsmiddel.

Paul boog zich over Ben heen. Op het moment dat ze de wond schoon wilde maken, schokte Ben. Toen ze de wond weer aanraakte, werd hij slap.

'Goed,' zei ze. 'Ik begrijp niet dat hij het zo lang volgehouden heeft.' Ze keek haar man aan. 'Ik ben blij dat je er bent.' Ze aarzelde even. 'Was het echt een mamba of een van je familieleden?'

※

Om drie uur in de morgen maakte Paul koffie. Zonder cafeïne kon hij niet langer wakker blijven. Larson had Ben iets gegeven waardoor de ergste pijn werd weggenomen en nu sliep hij.

'Kun je niet een poosje gaan rusten?' vroeg Paul haar. Ze zat op de betonnen vloer naast Bens veldbed.

'Ik denk het niet. Ik ben bang dat hij wakker zal worden en iets nodig zal hebben.'

'Ik zou het toch maar proberen. Je ziet er uitgeput uit.'

Ze trok haar neus op. 'Bedankt, hoor.' Ik heb mijn man een hele week niet gezien en hij heeft niets aardigs tegen mij te zeggen.'

'Voor mij zie je er altijd geweldig uit.' Hij boog zich naar haar toe en kuste haar. 'Als ik niet uitkijk, pikt een of andere Dinka-hoofdman je nog in.'

Zijn hand raakte haar wang even aan en ze kuste hem. 'Vertel mij eens wat er gaande is in Xokabuc.'

Hij ging met zijn mok koffie naast haar zitten. 'Ik heb kans gezien om ook wat voedsel en voorraden naar de andere dorpen te brengen. De hoofdman in Xokabuc bedankt je voor de medicijnen.'

'Zijn er nog nieuwe gevallen van malaria?'

'Een paar.'

'Wat is er gebeurd, Paul? Je kunt het maar beter aan mij vertellen.'

'Het is niet belangrijk.'

'Luister eens, ik ben je vrouw, die je beter kent dan wie ook.'

Hij overwoog een smoesje op te hangen.

'De waarheid, alsjeblieft.'

'Oké. De GOS viel Xokabuc aan. Ik ben later teruggegaan om te helpen met de doden en gewonden. Ben heeft mij daar opgehaald, maar ik moet weer terug.'

'Ik ga met je mee.' Ze klopte op zijn borst. 'Als het vliegtuig komt om Ben op te halen, kan ik hier wel weg.'

'Dat dacht ik al. Nog een goede reden om wat te gaan rusten.'

'En hoe staat het met jou?'

'Ik heb andere dingen aan mijn hoofd. Er zullen een paar dingen moeten wachten tot later.'

Ze kuste zijn stoppelige wang. 'Je weet al dat we weinig privacy hebben.'

'Daar hebben we ons altijd weinig van aangetrokken.'

35

'En wat zijn momenteel de andere dingen die je uit je slaap houden?'
Er klonk bezorgdheid door in haar stem. Niet de gebruikelijke manier waarop ze met haar hectische leven omging.
'Mijn familie.' Hij haalde zijn schouders op. 'De genocide in Darfur. De Jajaweed-militie vermoordt links en rechts mensen en we weten allebei dat de regering er achter zit. Het lot van Soedan met deze kwetsbare nieuwe regering. Mijn vrouw die ik veel te veel alleen laat.'
'Ach, lieverd, moet je dit allemaal dragen? God is groter dan dit alles.'
Hij legde zijn arm om haar schouders en trok haar tegen zich aan.
'Ik moet mijn aandeel leveren. Hij heeft mijn huid gered en nu is het mijn beurt.'
'Oké,' fluisterde ze. 'Niet alles tegelijk. Wat heb je van je familie gehoord?'
'Niets nieuws. Nizams brieven baren mij nog steeds zorgen. Ik zou graag willen geloven dat hij echt belangstelling heeft voor het christendom, maar ik ben niet van plan om in die val te lopen. In zijn laatste brief ging hij niet in op mijn voorstel om de Bijbel te gaan lezen.' Hij was niet van plan iets over de voorgestelde ontmoeting te zeggen.
Ze hijgde. 'Alsjeblieft, Paul. Je bent toch zeker niet van plan om naar Khartoem te gaan?'
'Vandaag niet.'
'Je moet er nooit heengaan. Het zal een valstrik zijn.'
'Daar praten we later nog wel over. Ik denk erover om naar Darfur te gaan. Iedere keer als ik daar eten en voorraden breng, pikt de Janjaweed of een van de andere strijdende stammen die in.'
'Weer een gevaarlijke reis.'
'Maak je je ergens zorgen over?'
'Nee. Maar als jij gaat, ga ik met je mee. We horen bij elkaar, weet je nog. En we zijn er al eerder geweest.'
'Na mijn volgende reis gaan we er samen heen. En er valt niets te

discussiëren over de nieuwe regering. John Garang is de beste man voor die taak.'

'Ik hoop dat hij meer dan één lijfwacht bij zich heeft.'

'Ik weet zeker dat hij een heel stel grote, gemeenkijkende lijfwachten om zich heen heeft. Hij verdedigt al langer dan twintig jaar de rechten van Zuid-Soedan. Hij weet hoe hij voor zichzelf moet zorgen.'

'Door je vertrouwen voel ik mij beter. Heb je nog iets gehoord over de internationale gemeenschap? Ondernemen ze stappen om Khartoem te dwingen zich aan hun beloften te houden?'

'Nog niet.' Hij kuste haar bovenop haar hoofd. 'Ga wat slapen, habibi. Ik blijf wel bij Ben waken. Ik ga ervan uit dat de piloot van de AIM tegen het aanbreken van de dag hier zal zijn.'

Ze vleide zich tegen hem aan en hij nam een slok koffie. Hij was nu weer helemaal wakker en dacht aan alle dingen die hij nog moest doen. Maar er waren niet genoeg uren in een dag. En hij had ook nog eens een fantastische vrouw die hem nodig had. Ze maakte zich ergens zorgen over – misschien ging het niet goed met een van haar patiënten.

Nizam. Hij zou zijn broer graag weerzien. Als jongens waren ze dikke vrienden geweest. Maar dat was voordat Pauls familie hem dood wenste. Als hij en Nizam elkaar buiten het vluchtelingenkamp in Dafur zouden ontmoeten, zou Larson achter moeten blijven... voor het geval dat er iets zou gebeuren. Vroeger had hij er zich geen zorgen over gemaakt om roekeloze dingen in de naam van Christus te doen. Maar nu hij en Larson getrouwd waren, was dat veranderd. Zijn geliefde vrouw had zijn besluit om al het mogelijke te doen om de hongerigen in Soedan te voeden en hen over Jezus te vertellen wat verzwakt. Hij vroeg zich nu af of hij God teleurgesteld had door vandaag uit het dorp weg te vluchten.

Ben kreunde. Paul keek naar het verweerde gezicht van de man die zijn ogen gesloten had. Het moest moeilijk voor hem geweest zijn om hiernaartoe te gaan. Zijn verwonding. Larson weer zien. De ring aan haar vinger. Oorlog bracht vreemde mensen bij elkaar – verenigde vijanden en rukte families uit elkaar. *Genees hem, Heere. Er zijn zo veel mensen gedood en verminkt. Soedan heeft wanhopig behoefte aan duurzame vrede. Wanneer zal hier een eind aan komen?*

- 4 -

Ben zocht zich een uitweg uit zijn met pijn vervulde bedwelming. Hij moest waakzaam zijn. Zijn mannen hadden hem nodig. Een dikke mist hield hem gevangen in een surrealistische wereld die zijn greep op de realiteit bedreigde. Het vuurgevecht speelde zich voor hem af en hij herinnerde zich het moment waarop de kogel zijn arm doorboord had. Hij was zich vaag bewust van stemmen en hij hoorde het gezoem van een vliegtuigmotor. Had de GOS hem gevonden? Zouden ze eindelijk in staat zijn hem uit te schakelen door langzame marteling, die de verschrikkingen in de spookhuizen zou evenaren?

Een enkele stem riep zijn naam, lief, indringend zoals in zijn meest persoonlijke dromen. Als hij zich op die stem zou concentreren, zou hij het withete vuur in zijn arm niet voelen en zou hij niet speculeren over wat de vijand hem aan zou doen.

'Ben, kun je mij verstaan?'

Hij zocht zich een weg in de doolhof die hem gevangen hield. Op weg naar die stem worstelde hij zich terug naar bewustzijn. De GOS moest haar ook te pakken hebben gekregen. Hij moest sterk zijn om haar te beschermen. Hij knipperde met zijn ogen en probeerde zich te concentreren op Larsons gezicht.

'Ben, het vliegtuig is er om je naar een ziekenhuis in Nairobi te brengen.'

Hij likte langs zijn droge lippen en probeerde de reactie op haar stem weg te duwen. Ze wond hem nog steeds op en hij verachtte zichzelf om die zwakheid. Toen kwamen de details van het verleden weer terug en herinnerde hij zich zijn gewonde arm en de lange rit naar de kliniek. 'Dorst.'

Larson gaf hem een slok water. 'Er is een verpleegster om voor je te zorgen tijdens je vlucht erheen.' Ze raakte zijn niet-gewonde arm aan. 'Probeer stil te blijven liggen. Ik heb een infuus ingebracht. Je zult erdoor gaan slapen en geen pijn voelen.'

Hij knikte. Alles wat hij op dit moment zou zeggen, zou zijn gevoelens kunnen verraden.

'We zullen voor je bidden. Laat God en het medische team je arm herstellen,' zei Paul.

Ja, Paul was er ook. Nu herinnerde hij het zich weer. 'Bedankt. Dat... zal ik nodig hebben.'

'Probeer niet te praten.' Paul trok het laken recht dat over hem heen lag. 'Neem rust en kom weer gauw terug. We leggen je nu op een brancard en brengen je naar het vliegtuig.'

Ben sloot zijn ogen. Goede vrienden. Dat was, afgezien van zijn toewijding aan het volk van Zuid-Soedan, alles wat hij had overgehouden. Larson raakte zijn wang aan en hij hield zijn adem in. Haar aanraking betekende meer dan een dubbele injectie morfine.

Hij haalde moeizaam adem. 'Zeg tegen de hoofdman van Xokabuc dat ik wraak genomen heb... Voor wat de GOS zijn dorp heeft aangedaan. Zeg hem dat ik terugkom.'

'Natuurlijk kom je terug.' Larson streelde zijn wang. 'We hebben je hier nodig. En met wie zouden Paul en ik anders ruzie moeten maken? Aan wie zou ik mijn verhalen moeten vertellen?'

'Ik wil je verhalen graag horen,' fluisterde hij.

'Als jij weg bent, zal ik eraan werken.'

'Het Neushoornbataljon. Ik...'

'Ik heb al contact opgenomen met commandant Okuk,' zei Paul. 'Larson en ik zullen naar hen toe gaan als we op weg zijn naar Xokabuc en je truck terugbrengen.'

'Die man is nog niet in staat om mijn soldaten te leiden.'

Ben knarste zijn tanden toen de piloot en Paul hem op de draagbaar legden. De pijn werd geleidelijk aan minder en er kwam een knagende angst voor in de plaats. Een steeds weer terugkerende nachtmerrie dreigde hem te verstikken en hij vroeg zich af of het

40

een voorteken was.

Hij was bang dat hij zijn mannen nooit meer zou kunnen leiden en dat hij zijn zoon nooit zou leren kennen.

✳

Larson bleef staan kijken tot het vliegtuig in de met sterren bezaaide hemel verdwenen was en het motorgeronk in de verte vervaagde. Een aantal dorpsbewoners had de verrichtingen vanuit de verte gadegeslagen. Ze kenden de verschrikking van vliegtuigen die vol GOS-soldaten zaten. De vijandelijke aanvallen hadden voor hen allemaal grote gevolgen gehad en ze waren naar bunkers gerend die vol slangen zaten. Je wende nooit aan die aanvallen.

Vannacht had ze een kwetsbaarheid bij Ben bespeurd die ze nog nooit eerder had gezien. En hij had twee namen genoemd: Larson en David. Ze was op dat moment, eraan denkend hoe Paul zich moest voelen, ineengekrompen.

'Wie is David?'

'Geen idee,' zei Paul. 'Toen we hierheen op weg waren, vertelde hij mij dat hij een zoon had. Misschien is het zijn naam.'

'Het spijt mij dat hij mijn naam noemde.' Ze slikte haar tranen weg. Haar hormonen moesten haar parten spelen.

'Habibi, liefje, jij kunt zijn gevoelens niet beheersen.' Hij pakte haar hand. 'Je kunt liefde niet met een draai van de knop uitzetten als het niet werkt. Het komt wel weer goed met Ben. Tijd is een goede heelmeester.'

'Dat weet ik. Maar ik voel mij schuldig omdat ik zo veel van jou houd.'

'Dat is helemaal niet nodig. Ik ben blij dat hij ons gebeld heeft om onze hulp te vragen. Als hij zich weer beter voelt, zal hij ongetwijfeld weer de oude Ben zijn die over alles, van politiek tot gevechtsstrategie, ruziemaakt.'

Ze slaagde erin zachtjes te lachen. 'Ik kon geen enkel verhaal be-

41

denken om hem te vertellen.'

'Heb je al je verhalen over je leven op de boerderij in Ohio al verteld?'

'Waarschijnlijk wel.' Ze voelde zich plotseling vreselijk moe. 'Ik moet de kliniek schoonmaken. Overal zit bloed.'

'Ik zal je helpen als we wat geslapen hebben.'

'Ik houd van je, Paul. Maar ik kan niet nalaten mij zorgen over je te maken.'

'We zijn nu samen hier. God gaf ons deze dag en Hij zal ook morgen voor ons zorgen.'

Ze snikte zachtjes. *Ik huil anders nooit. Als ik niet uitkijk komt hij er vast achter dat ik in verwachting ben.* 'Ik ben blij dat we naar Xokabuc gaan. Ik voel mij zo alleen als je weg bent. Hoeveel mensen zijn er tijdens de aanval omgekomen?'

'We hebben negen mannen, vrouwen en kinderen begraven. En er zijn heel veel gewonden. Ik had haast en heb hen niet geteld. Ze hebben twee meisjes meegenomen.'

'Beesten.' Ze dacht terug aan de tijd dat Bens jongere zus was ontvoerd en hoe moeilijk het was geweest haar weer terug te vinden. Gelukkig was ze nu veilig in Californië, samen met een vijftienjarige jongen over wie Larson zich ontfermd had toen zijn beide ouders waren omgekomen. 'Heb je gedaan wat je kunt?'

Hij kneep in haar hand. 'Ik heb al iemand naar de slavenhandelaars gestuurd. We krijgen de meisjes wel weer terug. Met geld krijg je veel voor elkaar.'

Ze leunde tegen zijn schouder. 'Soms vraag ik mij wel eens af of het iets uitmaakt wat jij en ik doen.'

'Je bent moe en van streek door Ben en je vrienden in Xokabuc.'

'Ik klaag niet maar ik zeg gewoon hoe ik mij voel. En om alles nog erger te maken, je familie wenst je nog steeds dood.'

Hij trok haar tegen zich aan en kuste haar. 'Op zekere dag zal de echte vrede aanbreken voor Zuid-Soedan. Zolang het nog niet zo ver is, moet ik al het mogelijke doen om deze mensen te helpen.

Ik kan mij door angst niet tegen laten houden, net zomin als jij ermee kunt ophouden je leven te wagen door deze mensen medisch te verzorgen.'

'Mijn Indiana Jones,' fluisterde ze. Zou hij de gevaren vermijden als hij over de baby zou weten? Ze huiverde. Iedere afleiding zou ervoor kunnen zorgen dat hij niet de noodzakelijke voorzorgsmaatregelen zou nemen en fouten zou maken. Ze kon het hem niet vertellen voordat ze een soort plan had bedacht.

Hoe zou een baby hun leven veranderen? Zou Paul boos zijn? Zou hij wrok koesteren? Hen beiden wegsturen? Larson wilde wel dat ze de antwoorden op die vragen wist en de onzekerheid knaagde als een parasiet aan haar ziel.

Ze konden geen van beiden hun roeping ontkennen. Pauls gevaarlijke vluchten met Feed the World brachten hem in afgelegen streken in Soedan, waar noch de Verenigde Naties noch het Rode Kruis durfden te komen. Alleen de gedachte al vervulde haar met angst en trots. God had hen beiden tot nu toe beschermd en ze moest bidden dat Hij dat zou blijven doen. Toch was ze bang om Paul... bang dat ze hem zou verliezen.

✳

Paul werd wakker met een gevoel van urgentie. Dat gebeurde altijd als hij meer dingen te doen had dan de tijd hem toestond. Terwijl Larson sliep, reinigde en desinfecteerde hij de kliniek. Voor de met bloed bevlekte instrumenten en verbanden hoefde ze niet wakker gemaakt te worden. Hij keek op naar de pijp die naar het dak leidde. Een reservoir op het dak ving het regenwater op waarmee Larson alles waste voordat ze aan het werk ging. Nogal primitief maar ze hadden geen andere keus. Veel patiënten die op hun beurt wachtten, keken dikwijls toe als ze een operatie uitvoerde. Hij beëindigde de voorbereidende werkzaamheden voor de dag met het spuiten tegen muskieten.

Zijn gedachten gingen naar andere dingen waarvoor hij geen oplossing had: Bens verwonding, de onervaren commandant Okuk die de soldaten moest leiden, de verschrikkingen van Xokabuc, Larsons duidelijke oververmoeidheid, zijn verlangen om Christus te delen met zijn moslimbroeders en de vele werkzaamheden die ze vandaag te doen hadden. Geen wonder dat hij niet kon slapen. *Ben ik een slechte echtgenoot om mijn vrouw onder dergelijke omstandigheden te laten werken en leven?*

Hij bracht de medische apparatuur en medicijnen naar de Hummer en verzekerde zich ervan dat hij voldoende verbanden, hechtdraad, betadine en lidocaïne meenam. Toen pakte hij een fles paracetamol en voegde er nog wat extra antibiotica aan toe tegen de altijd weer oplaaiende malaria. Voor hun huwelijk had Larson altijd erg zuinig met haar voorraden moeten omgaan. Dit was tenminste iets wat hij voor haar kon doen – dat en de aankoop van een gepantserde Hummer HUT Lux en het bouwen van de kliniek. Toen hij ternauwernood uit Khartoem ontsnapt was, had hij kans gezien zijn vermogen naar de Verenigde Staten over te laten maken. Het was zijn droom om voor Larson op zekere dag een ziekenhuis te bouwen dat goed voorzien was van alles wat ze nodig had. Maar dat zou pas kunnen als het echt vrede was. De GOS zou het verwoesten, alleen al om het feit dat ze zijn vrouw was. Hebt uw vijanden lief terwijl soldaten ze doden...

Hij verzamelde de vuile verbanden en handdoeken die in een bleekoplossing hadden staan weken en waste ze in een emmer bronwater.

Toen ze gespoeld waren, hing hij ze op in de hoop dat ze droog zouden zijn voordat het zou gaan regenen. Een nederige taak waarvoor Sarah hem zou berispen, maar hij kon er niet tegen om zomaar te wachten zonder zich nuttig te maken. Larson was om deze tijd gewoonlijk ook op. Ze moest tijdens zijn afwezigheid de klok rond gewerkt hebben.

Paul nam het vertrouwde pad naar de rivier waar Sarah en een paar andere vrouwen kleren wasten en waar de kinderen speelden. De vrolijke geluiden waren een grote afleiding van gisteren – en van wat in het verschiet lag. De dorpsbewoners dronken gelukkig niet uit de rivier. Levend Water, een ontwikkelingsorganisatie uit de Verenigde Staten, had twee jaar geleden een goede put voor hen gegraven. En Larson had de vrouwen gezondheid en hygiëne bijgebracht. Sinds die tijd was het ziektepercentage in Warkou gehalveerd.

Paul zwaaide en begroette de vrouwen en kinderen.

Sarah, tot haar knieën in het water, ging rechtop staan. 'Hoe is het vanmorgen met Larson?'

'Ze slaapt nog en ik wil dat ze na vannacht zoveel mogelijk rust krijgt. Later op de morgen vertrekken we naar Xokabuc.'

'Zijn daar zieken?'

Hij schudde zijn hoofd. 'Een aanval van de GOS.'

Droefheid trok over haar zwarte gezicht. 'En kolonel Alier is ook nog eens gewond?' Ze klom de oever op.

'Houd dat alsjeblieft voor je. De GOS zal ongetwijfeld weer in actie komen als ze te horen krijgen dat hij gewond is.'

'Dat begrijp ik. Hoe ernstig?'

'Een schot door zijn rechterarm. Hij heeft behoefte aan meer hulp dan Larson hem kon geven. Dat was het vliegtuig dat je vanmorgen vroeg hoorde.'

'Ik zal voor hem bidden, ook al mag ik hem niet zo erg. En ik geloof nog steeds dat John Garang ons volk zal helpen. Hij zal er ongetwijfeld voor zorgen dat er een eind aan de gevechten komt.'

'Dat bid ik ook, Sarah. Als iemand dat voor elkaar kan krijgen, is hij het.' Paul zei niet hoe lang het zou duren voordat er sprake van echte vrede zou zijn, zeker na wat er gisteren was gebeurd.

Hij ging op de oever zitten en keek naar de spelende kinderen. Sarah kwam naast hem zitten. Hij voelde een grote verontwaardiging in zich opkomen. Deze kinderen verdienden het om op te groeien zonder angst voor soldaten en ziekten. Ze hadden recht op een goede ontwikkeling.

'Mijn neef Santino Deng dient onder kolonel Alier, maar hij is van plan er spoedig mee op te houden,' zei Sarah.

'Heeft hij genoeg van het vechten?'

'Nu het vredesverdrag getekend is, wil hij aan de Universiteit van Nairobi bestuurskunde en politicologie gaan studeren.'

Paul glimlachte en knikte. 'Goed. Soedan heeft een grote behoefte aan sterke leiders.'

'Eerst wil hij een poosje bij mij doorbrengen.' Ze sloeg als een opgewonden meisje haar handen ineen.

Hij nam Sarah op en voelde zich een beetje onzeker over hoe hij haar zijn bezorgdheid moest duidelijk maken. 'Larson ziet er nogal bleek en moe uit. Ze heeft zeker hard gewerkt?'

'Niet harder dan gebruikelijk.'

'Wil je erop toezien dat ze voldoende eet en rust als ik weg ben?'

'Dat doe ik altijd,' zei ze een beetje scherp.

'Neem mij niet kwalijk. Ik weet dat je dat doet. Maar ze werkt veel te hard.'

Sarah glimlachte. 'Dokter Larson is als een dochter voor mij. Ik zorg voor haar.'

'Heeft ze iets gezegd over dat ze zich niet goed voelde?'

Sarah lachte. 'Niet meer dan de meeste vrouwen.' Ze wees achter hem. 'Volgens mij ziet ze er goed uit.'

'Goedemorgen. Is iedereen al op behalve ik?' Larsons natte haar hing over haar schouders en haar blauwe ogen zonden een stille boodschap naar hem uit. Een boodschap die hem blij maakte haar man te zijn.

Ze is alleen maar moe, meer niet. Hij kon deze zorg van zijn steeds groeiende lijstje schrappen.

'Terwijl jij de dames gezelschap hield, heb ik gedoucht en het ontbijt klaargemaakt.' Haar ogen fonkelden. 'Sarah, bezorgt mijn man je problemen?'

'Nog niet. Maar hij dacht er wel over.' Sarah grinnikte. 'Ik wilde hem eigenlijk net in de rivier gooien.'

'Ik ben hier in de minderheid. Ik wilde alleen mijn lieve vrouw maar helpen.'

'En dat heb je gedaan.' Larson werd weer serieus en ging naast hem staan. 'Bedankt dat je alles schoongemaakt hebt toen ik nog sliep. Ik had je een kop koffie moeten brengen. Sorry.' Hij gaf zijn vrouw een kus op haar wang. 'Weet je zeker dat je vandaag wilt vertrekken? We kunnen ook tot morgen wachten.'

'Nee. Ik kan mij het aantal gewonden dat mijn hulp nodig heeft alleen maar voorstellen. Nog een dag wachten kan een kwestie van leven of dood zijn.'

'Ik zorg wel voor de kliniek,' zei Sarah.

'Dankjewel. Er zijn een paar patiënten die opnieuw verbonden moeten worden en ik heb een lijstje gemaakt van de mensen die medicijnen nodig hebben. We zijn over twee of drie dagen weer terug.' Larson keek Paul vragend aan.

Paul knikte. 'Drie dagen, denk ik. Ik ben nog steeds van plan om voedsel en voorraden naar Darfur te brengen als we weer terug zijn.'

Larson fronste haar voorhoofd, maar toen begon Sarah vragen over patiënten te stellen en hij luisterde naar hun gesprek. Als ze ergens anders dan in het door oorlog verscheurde Soedan waren geweest, zou hun rustige gesprek midden in dit tropische paradijs vredig zijn geweest. De eeuwenoude bomen schenen hun takken te verheffen om hen te beschermen, als een kloek haar kuikens. Zijn blik ging over de andere vrouwen en kinderen en over de tegenoverliggende oever. Nu de rivier door het regenseizoen gezwollen was, zou er in het water van alles schuil kunnen gaan.

'Het water uit!' schreeuwde hij plotseling in het Dinka. Wat hij voor een boomstam had aangezien, had uitpuilende ogen. Maar zijn revolver lag onder de stoel in de Hummer en zijn geweer stond naast dat van Larson tegen de muur in de kliniek.

Een vrouw met een kind aan de hand en een baby op haar arm worstelde zich door het water dat tot aan haar middel kwam, naar

47

de oever. Even tevoren hadden ze nog gelachen en elkaar nat gespat. Paul rende naar haar toe en schatte de afstand in tussen de krokodil en de vrouw. Hij voelde het bloed door zijn aderen pompen. Een andere vrouw gilde. Hij had zijn mes niet bij zich maar hij moest proberen de drie voor de kaken van de krokodil weg te grissen. De vrouw struikelde. Paul ving haar net op tijd op om haar overeind te houden, maar de krokodil had zijn grote bek al geopend. Hij stapte tussen de vrouw en het afschuwelijke reptiel in. Er klonk een schot. Of was het een alarm dat in zijn hoofd afging? De krokodil dook onder water. Nog een schot. Het water om hem heen kleurde rood. Het volgende moment dreef het reptiel weg. Zwaar hijgend keek hij naar Larson die het geweer nog steeds tegen haar schouder had. Ze dwong zich tot een glimlach en liet het geweer langzaam zakken.

'Sarah neemt altijd een geweer mee naar de rivier.'

5

Als ik niet gauw uit dit ziekenhuis ontslagen word, ruk ik dat infuus eruit.' Ben keek dreigend naar de dikke, moederlijke verpleegster. 'Ik wil mijn broek en mijn wapens. Dit is alleen maar een... een poel van wanhoop.' Alles rook hier naar ontsmettings-middelen en zieke mensen. En hij was niet ziek. Hij was hier alleen maar om te herstellen van de operatie die de kogel van de GOS noodzakelijk had gemaakt. Dat kon hij ook wel bij zijn mannen. En hij kon bovendien met zijn linkerhand schieten.

De verpleegster zette haar handen op haar brede heupen. 'Ik denk dat het tijd wordt dat u een eindje gaat wandelen, kolonel Alier. Zal ik u helpen uw badjas aan te trekken?'

'Dat zijn geen badjassen.' Ben keek haar met toegeknepen ogen aan. 'Dat zijn jassen die achterstevoren worden gedragen om mijn zwarte...'

'Nou, nou.' Ze zwaaide haar vinger naar hem heen en weer alsof hij een jongetje van vier was. 'Ik begrijp best dat je een beetje cha-grijnig wordt als je hier op bed moet blijven liggen, maar na een wandelingetje zul je je een stuk beter voelen.'

'Ik verafschuw deze plaats. En ik zou mij een stuk beter voelen als ik door een verpleegster van twintig verzorgd zou worden.'

Ze trok de la van het nachtkastje naast zijn bed open en haalde er een blauw met wit gestreepte badjas uit. 'Je moet mij zien als drie achttienjarige verpleegstertjes, dan zul je je een stuk beter voelen.' Ze grijnsde breed waardoor openbaar kwam dat ze een paar tanden miste. 'En bovendien, je zou nu toch geen raad weten met een vrouw.'

Hij wilde de grijns van haar gezicht slaan.

'Je hoeft mij niet zo boos aan te kijken. Volgens je kaart kun je die arm momenteel toch niet om een vrouw heen slaan. Hoe kom je er eigenlijk aan? Heeft een jaloerse echtgenoot je misschien te grazen genomen?'

Tegen deze vrouw was hij nauwelijks opgewassen. Hij lag in de noordelijke vleugel, de beveiligde afdeling voor belangrijke personen. 'Ik zou maar niet te zeker van jezelf zijn. Je weet helemaal niets van mij.'

'Je hebt gelijk, en dat wil ik graag zo houden. Maar je lijkt mij geen makkelijk mannetje.'

'Wanneer mag ik hier weg?'

'Geen idee. Maar ik zou maar geen haast hebben. Je gaat alleen maar terug naar Soedan en dan loop je grote kans weer zoiets op te lopen.'

'De vrouwen hebben daar in ieder geval meer respect voor mij.'

'Alsof ze een keus hebben.'

Ben wilde haar weer lik op stuk geven, maar in de deuropening verscheen een dokter, een nog jongeman die geaffecteerd Engels sprak. Waar waren toch al die jonge verpleegsters en grijsharige artsen gebleven? Hij was veel liever in Warkou gebleven waar Larson voor hem gezorgd zou hebben. Maar de kans was dan groot geweest dat Larson die gerimpelde, vervaarlijke Sarah als zijn verzorgster had aangewezen. En dan te bedenken dat een van zijn soldaten van plan was om een poosje bij haar te gaan wonen voordat hij naar de Universiteit van Nairobi zou gaan. Ben zou bang zijn dat ze hem zou vermoorden als hij sliep.

Ben wierp een blik op het naambordje van de arts. Dr. Phillip Khamati. Hij was zijn naam alweer vergeten.

'Ik zie dat u zich beter voelt.' De dokter wierp een blik op zijn kaart. 'Ik had verwacht dat u vaker om pijnbestrijders zou vragen.' Dr. Khamati dacht even na. 'Ik heb hier de uitslag van het onderzoek.'

'Mooi. Ik wil hier zo gauw mogelijk weg.'

De dokter knikte naar de verpleegster. 'Kunt u ons een paar minuten alleen laten? Doe de deur achter u dicht.'

Ze knikte en liet hen alleen.

'Het is ongetwijfeld goed nieuws.' Bens woorden kwamen niet overeen met wat er door zijn gedachten ging. 'Ik wil alleen maar weten wanneer ik weer naar huis kan en wanneer mijn arm weer helemaal hersteld is.'

De dokter trok een stoel bij. 'Ik ontsla u morgen nadat ik nog een paar onderzoeken heb gedaan. Uw arm herstelt zich goed. Geen infectie.'

'Wat is het probleem dan?'

Dr. Khamati sloeg een bladzij op zijn klembord om. *Te jong. Veel te jong.* Even later plakte de dokter een glimlach op zijn gezicht. *Geen goed teken. Helemaal geen goed teken.*

'Bent u nog van plan mij de uitslag van het onderzoek mee te delen of hoort dat niet tot de goede manieren?' vroeg Ben.

'Oké. Hebt u de laatste tijd veel rugklachten?'

'Niet meer dan welke andere man ook die de laatste vijfentwintig jaar in de wildernis gevochten heeft.'

'We hebben een probleem gevonden. Het lijkt op skeletal metastases.'

'Vertaal dat eens in woorden die ik kan begrijpen.' Ben wilde liever de baas van de dokter vragen of nóg liever hem een klap in zijn gladgeschoren gezicht geven.

'Ruggengraatkanker. Ik neem aan dat het erger wordt na zware inspanning.'

Een gebons in Bens hoofd dreigde zijn zelfbeheersing te vernietigen. 'Aangezien mijn hele leven uit zware inspanning bestaat, heb ik geen vergelijking.'

'Andere symptomen zijn dat de pijn 's nachts verergert en dat het door rust niet beter wordt.'

Dat was dus de verklaring voor de toegenomen pijn in zijn rug de afgelopen paar maanden. Kanker?

'Hoe ver gevorderd?'

'Ik moet nog een paar onderzoeken doen.'

Ben gromde. Hij pakte een plastic waterkan en gooide die door de kamer heen. De kan miste de dokter maar net en sloeg tegen de muur.

Dr. Khamati vertrok geen spier maar het water drupte van zijn gezicht. 'De diagnose verandert er niet door.'

'Maar het geeft mij wel een beter gevoel. Hoe ver gevorderd is de ziekte?'

'Alles wijst erop dat de ziekte zich snel verspreidt.'

'Hoe lang heb ik nog?'

'Ik houd er niet van om een tijd te noemen. Statistisch blijkt dat de patiënt hierdoor gedeprimeerd raakt. Maar we moeten plannen maken voor bestraling, chemotherapie en orthotische stabilisatie van de ruggengraat.'

'Ik ben niet van plan mijn dagen te laten vergallen door al dat soort dingen alsof ik een proefkonijn ben. Ik heb nog veel te doen en ik zal al die dingen moeten doen in de tijd die ik nog heb.'

Dr. Khamati zuchtte. 'Op zijn hoogst... zes maanden.'

'Dank u. Ontsla mij nu maar zodat ik hier weg kan.'

'Dat kan morgen. Ik zal u iets voorschrijven tegen de pijn. Als u het regelmatig inneemt, zal de pijn dragelijk zijn. Gaat u weer terug naar Soedan?'

'Wat dacht u dan? Dat is mijn leven.'

De dokter schudde zijn hoofd. 'Het spijt mij. Ik had graag beter nieuws gebracht.'

'Dat begrijp ik maar ik red mij wel.'

'Als u een second opinion wilt, de onderzoeksresultaten zijn al doorgenomen door een aantal andere artsen.'

Wat goed van de dokter om anderen te consulteren over zijn leven.

'Ik zei dat ik mij wel zal redden. Ik heb een verzoek.'

'Ik zal al het mogelijke voor u doen.'

'Niemand, ook dr. Larson Farid en haar man Paul niet, mag hier iets van weten. En ze mogen ook niet weten wanneer ik ontslagen

word. Ik wil in feite dat mijn medische kaart vernietigd wordt.'
'Ik zal uw conditie vertrouwelijk houden, maar we vernietigen
hier geen rapporten.' De dokter wierp een blik op de natte muur
achter hem. 'Dr. Farid heeft het ziekenhuis gebeld om naar u te
informeren.'
Ben duwde zich op een elleboog omhoog. 'Verzin maar iets. Niemand mag hier iets van weten. Begrepen?'
'Ja, kolonel. Maar bedenk wel wat u zegt. Uw vrienden en familie
zullen graag bij u willen zijn om u zo veel mogelijk te helpen.'
'Dat beoordeel ikzelf wel. En ga nu weg en laat mij alleen.'
Toen de deur achter de dokter dichtging, greep Ben de blauwge-
streepte jas, die dat vreselijke mens zijn 'badjas' had genoemd. Hij
moest nog veel dingen doen en zijn dagen waren geteld.

❀

Paul en Larson waren urenlang op weg naar Xokabuc. De Hummer
reed met gemak door water heen en over modderige wielsporen in
gebieden waar nauwelijks een weg te onderscheiden was. Boom-
takken en struiken zwiepten tegen het voertuig aan waardoor ze
slechts langzaam vooruitkwamen. Twee keer, toen het leek of de
weg voor hen was weggespoeld, overwoog hij om te keren. Als de
motor onder water kwam, zouden hij en Larson in de problemen
komen. De overvloedige regenval had wat er van de weg was
overgebleven vrijwel helemaal verwoest. De terugtocht zou nog
moeilijker worden.
De ruitenwissers zwiepten ritmisch heen en weer, als om hen eraan
te herinneren dat ze zich in een vergeten land bevonden, waarin
van alle kanten gevaren dreigden.
'Als ze ons niet nodig hadden, zou ik voorstellen om terug te gaan,'
zei Larson.
Hij keek haar even aan en knikte. 'De apostel Paulus zou ons ver-
wijten dat we geen geloof hadden.'

'Ik vraag mij af of hij te maken had met moslimsoldaten, ziekten, wilde dieren, hitte en opkomend water.' Ze wierp een blik uit het raampje.

Dit was niet zijn optimistische, alles trotserende vrouw. De beroemde dokter Larson Kerr Farid trotseerde de uitdagingen van een derdewereldland, dat onder een burgeroorlog gebukt ging, om zijn bevolking medisch te verzorgen. Haar gevoel voor humor en niet-aflatende energie waren ongeëvenaard. Hij nam haar op. Bleek. En ze had vanmorgen en tussen de middag niets gegeten.

'Habibi, wat heb je?'

Ze ging wat rechter zitten en haalde een keer diep adem. 'Niets. Ik ben boos op de internationale gemeenschap dat ze Khartoem er niet toe dwingen zich aan het vredesverdrag te houden. En de SPLA houdt zich er al evenmin aan. De mensen in Darfur zijn te midden van genocide hun waardigheid kwijtgeraakt. Ze hebben zo veel nodig en ik zou graag een educatieprogramma voor vrouwen en kinderen willen opzetten. En wat doen we? We zijn op weg naar een dorp om medische hulp te verlenen en wat mensen te verbinden die eigenlijk naar een ziekenhuis zouden moeten gaan. Waarom heeft de GOS hen eigenlijk aangevallen? Hebben we daar enig idee van?'

Hij wilde haar niet laten schrikken en formuleerde zijn antwoord zorgvuldig. Beter dat ze de waarheid van hem zou horen dan van de dorpsbewoners van Xokabuc. 'Naar wat ik gehoord heb toen ik mij voor de soldaten schuilhield, hebben ze bericht gekregen dat ik in het gebied was. Hoe dan ook, ik was hun doel. En iemand moet hun ook verteld hebben waar het Neushoornbataljon zich schuilhield. Ik denk dat je kunt zeggen dat de aanval mijn schuld was.'

'O, Paul, dat spijt me. Jij loopt nu met een groot schuldgevoel rond en ik zit te klagen.' Ze wreef hem over zijn schouder. 'Ik was erg egoïstisch. Vergeef mij alsjeblieft.'

'Er valt niets te vergeven. Je bent ook maar een gewoon mens en het is hier nog steeds een grote bende.'

Beelden van het door oorlog verscheurde dorp dat baadde in het bloed van onschuldigen kwamen hem voor de geest. Waarom had hij de moed niet gehad om zichzelf aan te geven? Was hij een lafaard geworden? Welke man liet anderen sterven om zijn eigen hachje te redden? Hij kreeg een grote afkeer van zichzelf. Het deed er niet toe dat de hoofdman erop had aangedrongen dat hij weg moest gaan.

'Paul, praat met mij. Je maakt mij bang als je dit allemaal voor jezelf houdt en die blik op je gezicht staat mij niet aan.'

'Ik voel mij nogal ellendig. Ik had moeten blijven en het dorp verdedigen.'

'Denk je soms dat jouw dood een eind gemaakt zou hebben aan wat er allemaal in Zuid-Soedan gebeurt?' Ze schudde haar hoofd. 'De GOS zou dat als een teken van Allah beschouwen om door te gaan met het moorden. Gewoon om het breekbare vredesverdrag te vernietigen.'

'Je maakt mij veel belangrijker dan ik in werkelijkheid ben.' De heen en weer zwiepende ruitenwissers hielden hem even in een hypnotische verdoving vast.

'Ik veracht de vrije wereld die vanaf de zijlijn alleen maar toekijkt – als toeschouwers van een of ander gruwelijk spel,' zei ze. 'Zoals we al verwacht hadden, is het vredesverdrag niet meer waard dan het papier waarop het geschreven is. Ik wil dat er een eind komt aan al dit vechten en dat deze mensen de kans krijgen om een normaal leven te leiden. We bidden en we bidden en het lijkt wel of God niet luistert. Ik bedoel, hoort Hij het gehuil dan niet van de mensen die geliefden verloren hebben? Ziet Hij de mannen dan niet die voor hun gezinnen moeten zorgen zonder dat ze eten of medische verzorging hebben?' Zweet drupte van haar voorhoofd.

'God heeft in Zijn voorzienigheid een plan.'

Ze knikte en er gleed een traan over haar wang. Dit was helemaal niets voor Larson. Hij begon zich ongerust te maken. Had ze misschien een of andere ziekte onder de leden?

'Ik bid om Gods plan, Paul. Het lijkt wel of we te vechten hebben tegen een vijand die niemand kan tegenhouden. Jij, ik en alle mensen van wie we houden, schijnen in een situatie te zitten waarover we geen enkele controle hebben. Iedere keer als we afscheid van elkaar nemen, ben ik bang dat ik je nooit meer terug zal zien.'

'Maar je ziet mij weer terug.'

Weer gleed er een traan over haar wang. 'Op de hemel wachten om jou weer te zien terwijl ik hier in deze aardse hel leef, is niet geruststellend.'

'Denk je soms dat ik af en toe daar ook niet bang voor ben?'

'Jij doet veel gevaarlijker werk dan ik. Bovendien ben jij veel moediger en sterker.'

'Nee, dat ben ik niet. Ik kan alleen mijn gevoelens beter verbergen. Denk eens aan al die keren dat je een geweer hebt opgepakt en gebruikt. Denk eens aan al die keren dat je als eerste de bunker uit was om voor de gewonden te zorgen. En denk eens aan al die keren dat je door het water waadde, veel dieper dan dit – vol slangen en krokodillen – om medicijnen tegen malaria en gele koorts naar een ziek dorp te brengen. Jij bent degene die door *Time Magazine* werd geïnterviewd, niet ik.'

Ze lachte. 'Ik heb jou voortdurend nodig om de moed erin te houden. Ik heb het gevoel dat ons geloof voortdurend wordt beproefd en ik ben het moe.'

Paul begreep plotseling waardoor ze zo van streek was. 'Larson, met Ben komt het heus wel weer goed.'

Ze schudde haar hoofd. 'Het gaat niet alleen om Ben. Het gaat om alles. Soedan heeft hulp nodig.'

'Wat stel je dan voor? Moet de vrije wereld Khartoem soms bombarderen?' Hij keek haar met een bedroefde glimlach aan. 'Dan worden alleen maar onschuldige mensen gedood en wordt er niets opgelost. De hele Arabische wereld zou op de stoep van de vrije wereld zitten.'

Larson leunde achterover tegen de stoelleuning. 'Natuurlijk niet,

Paul. Ik denk dat ik probeer een poosje te gaan slapen voordat we in het dorp zijn.'

Zijn dappere vrouw was ziek. Hij wist het en hij hoefde geen arts te zijn om de diagnose te stellen. Werd haar lichaam aangevallen door een of andere parasiet? Hij raakte haar voorhoofd even aan. Op het moment dat zijn hand haar koele huid aanraakte, glimlachte ze. 'Lieverd, ik ben alleen maar moe. Je hoeft je heus geen zorgen te maken.'

Hij pakte haar hand en hield die vast tot haar lichaam zich ontspande en hij haar regelmatige ademhaling hoorde. Ze werkte veel te hard, dikwijls vierentwintig uur, zeven dagen van de week, allemaal om zieken en gewonden te verzorgen. Hij verdiende haar niet. Hij had haar nooit verdiend. En zeker niet met de doodsbedreigingen van zijn familie op de achtergrond. Maar andere moslims die zich tot het christendom bekeerd hadden, kregen met diezelfde problemen te maken. Waarom zou dat bij hem dan anders zijn?

Uren later hobbelde de Hummer het dorp binnen. Naakte kinderen begroetten hen en sloegen lachend tegen de zijkant van de auto. Larson werd wakker uit haar diepe slaap.

Ze zwaaide naar hen en heel even was er op haar gezicht, noch op dat van de kinderen, iets te zien van de pijn van ziekte en dood. Die uitwerking had ze op hem ook.

In de daaropvolgende dagen zou zijn geliefde vrouw een poging doen de zieke lichamen van de dorpsbewoners te genezen terwijl hij een poging zou doen hun geestelijk welzijn te bevorderen. Ze vormden een goed team. Een aantal hutten waren verbrand. Deze mensen konden maar net overleven en nu waren ze ook hun huis nog eens kwijt. Woede laaide weer in hem op – een heel normaal gevoel de laatste tijd. En dan te bedenken dat hij een van degenen was geweest die het zuiden vervolgd had.

6

D<small>RIE</small> dagen geleden had Larson een klein meisje behandeld dat een snee in haar been had opgelopen tijdens haar vlucht uit het dorp Xokabuc toen het door de GOS werd aangevallen. De snee had gehecht moeten worden, maar tegen de tijd dat Larson met Paul in het dorp aankwam, was er te veel tijd verstreken. Deze morgen zag het been er beter uit: de zwelling was afgenomen en de vurige rode kleur van de wond was verbeterd. Larson desinfecteerde de wond en blies erop om het steken te verkoelen. Iedere keer als het meisje schreeuwde, hield haar moeder haar stevig vast en sprak sussende woordjes tegen haar.

Larson zette de fles met ontsmettingsmiddel en de verbanddoos opzij en pakte de hand van de moeder. 'Het been van je dochter is veel beter. Je hebt mij goed geholpen.' Larson werd plotseling door een onbekend gevoel aangegrepen: een gevoel van bescherming tegenover haar ongeboren kind. Stel dat haar eigen baby ziek zou worden of gewond zou raken. Zou ze in staat zijn haar eigen kind medische verzorging te geven?

Larson legde haar hand beschermend op haar buik. In het verleden had ze alle zorgen over het gevaarlijke leven dat zij en Paul leidden, snel terzijde geschoven. Maar die luxe had ze niet meer. Zolang ze in Soedan zou blijven, kon ze niet om wijdverspreide kindersterfte heen. En wie zou haar kind opvoeden als haar en Paul iets zou overkomen?

Ze moest te veel beslissingen nemen.

'Wat moet ik doen?' vroeg de moeder van het meisje alsof ze Larsons dilemma verwoordde.

'Ik zal wat medicijnen voor de wond achterlaten.' Larson kuste het kind op het voorhoofd en veegde de tranen weg die over haar gezichtje liepen. Dit meisje was de toekomst van Soedan. Larson rechtte haar pijnlijke rug en wierp een blik op de rij patiënten die in de stromende regen voor de hut stonden waarin ze haar tijdelijke kliniek gevestigd had. De regen kletterde op het rieten dak en spetterde op de grond, waardoor het gevoel dat haar blaas zou barsten nog verhevigd werd. In de hele provincie Bahr al-Ghazal heerste hongersnood en de regen was een zegen – ook al voelde ze zich bij het zien van al die mensen die in de regen stonden te wachten ellendig. Ze had erop aangedrongen dat zoveel mogelijk mensen de hut binnenkwamen om te schuilen. Alle mensen hoopten dat ze voor hen of voor iemand die ze liefhadden, genezende krachten bezat.

Voor degenen die wanhopig verlangden naar medische zorg die haar deskundigheid te boven ging, had ze geen tovermiddelen beschikbaar en ze had ook geen antwoord op het probleem van haar onverwachte zwangerschap. God had haar en Paul een kind gegeven om een bepaalde reden. Maar Hij had haar die reden niet verteld.

Terwijl de aandrang om naar de wc te gaan steeds groter werd, zette ze alle zorgelijke gedachten van zich af. Ze zou nog één patiënt behandelen en dan naar de wc gaan.

Een man van middelbare leeftijd stapte naar voren. De achterkant van zijn oor en zijn nek waren opgezwollen tot de grootte van een sinaasappel. Een onbehandelde oorinfectie. Larson vroeg zich af hoe hij de pijn kon verdragen.

'Goedemorgen, meneer,' zei ze in het Dinka. 'Hebt u erge pijn?'

De man staarde haar aan.

'Meneer, ik moet wel weten hoe zeer het doet.'

De man haalde een keer diep adem.

Larson klapte bij het goede oor in haar handen. Geen reactie. Ze zou iets aan de infectie kunnen doen, maar ze zou zijn gehoor niet kunnen herstellen.

Door frustratie kreeg ze tranen in haar ogen. Voor ze zwanger was, had ze de ernstige conditie van haar patiënten met een vriendelijk woord en professionaliteit weten te maskeren. Nu huilde ze. Larson knipperde met haar ogen en haalde een keer diep adem. Als ze in staat was geweest de man eerder te behandelen, zou hij waarschijnlijk niet doof zijn geworden. Door het kleine beetje wat ze voor deze mensen kon doen, vroeg ze zich wel eens af waarom ze eigenlijk zo haar best deed het werk voort te zetten. Maar voor de mensen die ze wel kon helpen, maakten haar pogingen een groot verschil. Andere internationale medische teams die persoonlijke offers brachten om de mensen in Soedan te helpen, hadden ongetwijfeld datzelfde gevoel.

Er gleed een vertrouwde arm om haar middel. 'Hoe voel je je?'

Zwanger en bezorgd. 'Goed. Zodra ik met deze patiënt klaar ben, moet ik naar de wc.'

Paul grinnikte. 'Je wordt oud. Vroeger duurde het acht uur voor je weer moest en nu moet je om de paar uur.'

Ze keek hem fronsend aan. 'Ik ben nog steeds jonger dan jij en word gauw geïrriteerd. Met al die martelwerktuigen onder handbereik zou ik maar voorzichtig zijn.'

Hij lachte.

'En hoe gaat het met jou?' vroeg ze.

'Beter dan verwacht. Ik was bang dat de hoofdman en de dorpsbewoners teleurgesteld over God zouden zijn na die aanval, maar in plaats daarvan geloven ze dat Hij het enige antwoord op hun problemen is.'

'Goed. Ik weet dat je bang was dat ze God of jou de schuld zouden geven.'

'Ze geven mij de schuld wel niet, maar ik...'

'Paul...'

'Je kunt maar beter even pauze nemen zodat ik weer aan het werk kan. De GOS heeft weer grond in de put van het dorp gegooid en ik moet helpen om de pijp eruit te trekken om hem schoon te maken. Ik heb de hoofdman gevraagd of je vanavond een bijeenkomst met de vrouwen kunt hebben. Ik heb hem gezegd dat je de vrouwen wilt leren hoe ze de ziekte in het water moeten bestrijden.'

'Bedankt.' Ze veegde met een schone doek het zweet van haar voorhoofd. Hoe was het mogelijk dat haar donkerharige man er altijd uitzag of hij zich niets van de hitte aantrok? Het moest minstens vijfenveertig graden zijn. 'Ik houd van je.' Ze drukte een kus op zijn lippen.

✻

Er waren vier dagen verlopen sinds Paul en Larson weer teruggekeerd waren naar Warkou en noch Ben noch de dokter hadden teruggebeld. Ze had voor beide mannen berichten achtergelaten zonder enig resultaat.

'Kolonel Alier neemt rust.'

'De dokter is op dit moment niet bereikbaar. Belt u later nog eens terug.'

'Ik ben in staat om naar Nairobi te gaan.' Larson liep over de aangestampte vloer in hun hut heen en weer. 'Ik heb Ben eerst behandeld en hij heeft nog niet eens de beleefdheid om even gedag te zeggen of te vertellen hoe het met hem gaat.'

Paul keek op van zijn lijst van wat hij mee moest nemen naar Darfur. Op de grond naast hem lag een hele stapel munitie. 'Zal ik eens proberen om na te gaan wat er aan de hand is?'

Ze schudde haar hoofd. 'Als zijn dokter niet terug wil bellen en Ben weigert met mij te praten, betwijfel ik of jij iets zou kunnen doen. Ik denk dat hij kwaad op mij is omdat hij daar is en het mij kwalijk neemt dat ik zijn arm hier niet behandeld heb.'

'Hij leeft voor zijn mannen en voor het volgende vuurgevecht. Zijn prioriteiten en methoden zijn voor mij dikwijls niet te begrijpen.'

'Ben – de onoverwinnelijke, koppige kolonel Alier – gelooft dat hij eigenhandig Zuid-Soedan kan leiden in zijn gevechten tegen het onrecht van de regering. Hij trekt zich er niets van aan dat er een vredesverdrag is getekend.'

Hij raakte haar arm aan. 'Op zekere dag komt hij hier wel weer opduiken en dan zal blijken dat hij weer helemaal de oude is.'

'Ja, dat zal wel. De dokters en de verpleegsters zullen daar heel wat met hem te stellen hebben.'

Paul lachte. 'Hij doet mij aan een oude leeuw denken.'

'Beter nog, hij doet mij aan een stier denken die mijn opa op de boerderij had.'

'Heb ik dat verhaal gehoord?'

'Waarschijnlijk wel, maar ik wil het nog wel een keer vertellen. Opa had een stier die niemand kwaad deed totdat je minder dan vijftien meter van hem vandaan was. Ik bedoel, die stier had een cirkel met een straal van vijftien meter om zich heen en als je daar overheen stapte, kon je maar beter hopen dat je harder kon rennen dan die stier.'

'Kon je dat?'

'Je weet dat ik een litteken heb aan mijn rechterbeen. Dat heb ik opgelopen toen ik onder het prikkeldraad door kroop om weg te komen.'

'Dus Ben is net zo gemeen als die stier?'

'Ik bedoel net zo territoriaal. Hij heeft een lijn om zich heen getrokken die je maar beter niet kunt overschrijden.'

'Dat heb ik een paar keer gedaan en daar moest ik voor betalen.'

Ze fronste haar voorhoofd. 'Dat weet ik nog. Wie had ooit kunnen denken dat we op zekere dag nog eens vrienden zouden worden – of dat jij en ik zouden trouwen?' Ze dacht even terug aan de dag dat Paul voor het eerst buiten Warkou was geland met een vliegtuig vol medicijnen van de FTW.

Ze had de beroemde Arabische christen niet vertrouwd ondanks alle goede geruchten die ze over hem had gehoord. Hij behoorde tot een rijke familie in Khartoem, die er trots op was 'ongelovigen' te martelen en te doden. Toen Pauls vader hem eropuit had gestuurd om een oude man te doden die weigerde zich tot de islam te bekeren, had Paul dat niet kunnen doen. Iets in de ogen van de oude man had Paul tot in zijn ziel geraakt. Na nog een paar bezoeken was hij christen geworden en had hij de oude man bevrijd. Kort daarna had Paul zijn vermogen naar de Verenigde Staten overgemaakt en was hij het land ontvlucht. Sinds die tijd zat zijn familie achter hem aan.

Meedogenloos.

'Waar denk je aan?' vroeg Paul.

'Aan jou en mij in het begin.'

'Ja, ik wist niet wie als eerste zou schieten – jij of Ben.'

Hij was even stil en ze wist dat hij terugdacht aan de aanval van de GOS kort nadat hij geland was. De soldaten hadden hem bijna gedood bij hun poging om Bens zusje te ontvoeren.

'Maar jij hebt Rachel gevonden en Ben zal je er altijd dankbaar voor blijven.'

Paul grinnikte. 'Ik zal hem er de volgende keer aan herinneren als we ruziemaken over de manier waarop we vrede moeten maken in Soedan of hoe we over de situatie in Darfur moeten onderhandelen.'

Voor ze antwoord kon geven, ging zijn telefoon. Hij glimlachte naar haar en pakte de telefoon.

'Hoe gaat het met je, Ben? We wilden eigenlijk het volgende lijntoestel naar Nairobi nemen. Houden de verpleegsters je zo bezig dat je vergeet je vrienden te bellen?' Paul lachte. 'Dat verbaast mij niets. Een paar dagen? Weet je het zeker? Wat zei de dokter?' Hij haalde de telefoon van zijn oor en Larson kon Bens mening over Nairobi's ziekenhuis en medisch personeel horen. 'Ik ben het met ze eens. Waarom blijf je daar niet tot je arm volledig hersteld is?' Paul schudde zijn hoofd naar Larson. 'Wil je met Larson praten voor wat medisch advies?'

'Ik zal hem eens goed op zijn nummer zetten.' Ze keek dreigend.

'Hij hoorde je,' zei Paul. 'Hij zegt dat een goede vrouw naar de ellende van een man luistert.'

'Zeg hem dat hij in het ziekenhuis moet blijven en een paar kilo moet aankomen.' De laatste keer dat ze hem gezien had, was hij erg mager geweest.

Paul zei niets maar luisterde. 'Ik begrijp best dat je wilt weten hoe het met je mannen staat, maar dat kun je toch ook telefonisch doen? O... Nou ja, ik ga morgen naar Darfur, dus ik zie je wel weer als ik terugkom.' Hij stak de telefoon weer in zijn zak.

Larson lachte. 'Hij is niet veranderd.'

'Kennelijk niet. Hij is van plan om over een paar dagen Nairobi te verlaten en weer hier naartoe te komen.'

'Geweldig. Ik zal van zijn slechte humeur genieten.'

'Hij wil een goed maal. Het leven in een ziekenhuis staat hem niet zo erg aan, lijkt mij.'

Ze kon zich helemaal voorstellen hoe Ben over de mishandeling in het ziekenhuis tekeer zou gaan. 'Alsof slapen op de harde grond in de wildernis, zonder goed eten zoveel beter is. Hoe lang is hij van plan te blijven?'

'Niet meer dan een dag. Hij wil weer zo snel mogelijk terug naar zijn bataljon.'

'Dat is niet verstandig,' zei ze geërgerd. Ben was ernstig verwond. Hij had behoefte aan rust, niet aan een vuurgevecht.

'Vertel het hem maar.'

'Dat zal ik zeker doen.' Ze stak haar kin in de lucht. 'Maar ik wil met je mee naar Darfur. Sarah kan Ben wel aan.'

'Het is te gevaarlijk, zeker voor een dokter die hier nodig is.'

'Ik ben een goede dokter en de mensen daar hebben ook medische verzorging nodig. Wat is het probleem? Ik ben daar toch al vaker geweest? Andere medische teams gaan toch ook naar Darfur.'

'Dat is waar. Maar het gevaar wordt steeds groter.'

'Zo slecht is het er niet.'

'Vertel mij dan maar eens waarom de tolk van Kofi Annan door de autoriteiten werd lastiggevallen nadat hij een interview had gehouden met vrouwen die verkracht waren. De situatie is daar zo slecht dat Annan de internationale gemeenschap vroeg of ze Darfur een tweede Rwanda lieten worden.' Paul boog zich naar haar toe en kuste het puntje van haar neus. 'Nee, je kunt morgenochtend niet met mij mee. In Kibum zit al een team artsen. Discussie gesloten.'

Larson voelde zich erg gefrustreerd. Voor ze Larson Farid was geworden, had ze haar leven talloze keren gewaagd en ze hield er niet van dat nu een ander de beslissingen voor haar nam. 'Dus jij kunt je leven wel wagen maar ik niet?' Als om haar woorden te accentueren begon het buiten de hut plotseling hard te regenen. 'Ik ben daar nodig. Dat weet je best en we zijn er bovendien al vaker samen heen geweest.' Ze sloeg haar armen over elkaar. 'Ben je van plan goederen af te werpen of ga je landen?'

'Landen met een heleboel voorraden. Je hebt de laatste VN-rapporten gezien. De helft van de bevolking zit zonder eten.' Paul tilde een zak munitie op.

'En ze hebben ook grote behoefte aan medische verzorging.'

Hij bleef even roerloos zitten. Paul liet haar zelden merken dat ze hem irriteerde. 'Als het weer wat veiliger is, gaan we samen.'

'Beloof je mij dat?' Ze legde een hand op haar buik en bedacht te laat dat ze zulke gebaren moest vermijden.

'Goed. Ben je ziek? Problemen met je maag?'

Als ze het hem zou vertellen, zou hun gesprek onmiddellijk gaan over waar ze de eerstkomende zeven maanden zou doorbrengen. 'Nee meneer, ik voel mij prima. Maar je moet niet vergeten dat ik die mensen in Darfur wil helpen.' Ze kuste hem, niet alleen maar om verdere vragen te voorkomen, maar ook omdat ze van hem hield.

✳

De hele dag en avond begon Paul zich steeds meer zorgen over

Larson te maken. Ze sliep meer dan hij zich kon herinneren en haar bleke gezicht maakte hem ongerust. Maar ze bleef volhouden dat alles goed met haar was.

De volgende ochtend aarzelde hij om het onderwerp ter sprake te brengen. Hij wist maar al te goed hoe eigenzinnig zijn vrouw was. Hij zou haar goed in de gaten blijven houden en zijn zorgen kenbaar maken aan God – en aan Sarah.

'Ze heeft iets,' zei hij tegen de vrouw met het gerimpelde gezicht terwijl ze bezig was de kliniek te vegen. 'Ik heb haar nog nooit zo moe gezien en ze eet bijna niets. En ik vind het ook vreemd dat ze zomaar midden op de dag in slaap valt. En hoewel ze het ontkent, heeft ze gisteren ook gebraakt.'

'Geef het wat tijd.' Sarah klopte hem op de arm. 'Het komt wel weer goed en ik zal ervoor zorgen dat ze voldoende rust neemt als je weg bent.'

'Bedankt. Mijn lieve vrouw luistert beter naar jou dan naar mij.'

'Ach ja, ze is nu eenmaal koppig.' Sarah lachte. 'Net als jij. Wanneer ben je van plan naar Darfur te vertrekken?'

'Over een uur. Ik moet er zo gauw mogelijk heen.'

'Voor Feed the World?'

Feed the World wilde alleen maar dat hij erheen vloog om voedsel en medicamenten in het vluchtelingenkamp Kibum te brengen en dat hij dan weer zou vertrekken, maar hij voelde de bekende aandrang om er te landen en te helpen – en zijn broer op te zoeken. De nieuwe rapporten over de voortgaande wreedheden in Darfur werden alleen maar erger en Khartoem verbloemde schaamteloos de lelijke waarheid. De situatie zette hem er dag en nacht toe aan om meer te doen... altijd maar meer om te helpen.

'Waarom werp je het eten niet gewoon af en kom je weer terug naar ons?' vroeg Sarah.

Hij nam haar wat nieuwsgierig op. 'Waarom?'

'Ik maak mij zorgen over je, net als je vrouw. Je wilt eigenlijk in Darfur blijven en dat betekent dat je gevaar loopt. Ik weet dat die vervolgde mensen – mijn volk – je zeer ter harte gaan.'

'Vreemd dat je hen jouw volk noemt, in aanmerking genomen dat...'

'Ze deelgenomen hebben aan de jihad die ons in Zuid-Soedan probeerden allemaal uit te roeien?' Er was geen spoor van boosheid op haar gezicht te zien. 'Ik vergeef, zoals Jezus zegt. Sommigen kunnen dat niet. Maar ik denk terug aan hoe we geleden hebben en hoe we nog steeds lijden. Dat wens ik niemand toe. Vrouwen worden slecht behandeld... Ik kan er alleen maar om huilen.' Ze schudde haar hoofd. 'Mijn herinneringen zijn nachtmerries. Ik wil ze vergeten en geloven dat iedere dag beter zal worden.'

'Dat willen we allemaal, Sarah. En daar moeten we voor blijven bidden.'

'Maar je vliegt naar gebieden waarin de GOS dreigt je neer te schieten en dat maakt Larson erg bang.'

Hij grinnikte. 'Zo ben ik nu eenmaal.'

'Je weet al hoe ik daar over denk.'

Een martelaarssyndroom. Hij had het al van meer mensen gehoord. 'Je zou mijn geplaag missen.'

Er trok een brede, tandeloze glimlach over haar gezicht. 'Ik denk het wel, ja. Maar wees voorzichtig. Larson zou heel lang verdriet hebben als je vermoord zou worden.'

'Toen we trouwden wist ze hoezeer ik bij Soedan betrokken was zoals ik haar betrokkenheid kende. Daarom vormen we zo'n goed team.'

Sarah perste haar lippen op elkaar en richtte haar aandacht op een zwarte slang die over de betonnen vloer kronkelde. Ze veegde het giftige beest naar buiten.

'En niet meer terugkomen,' zei ze.

Paul zag de slang nu ook en liep ernaar toe om hem te doden. Sarah trok aan haar rechteroor toen hij langs haar heen liep – een duidelijk teken dat ze ergens over nadacht.

'Houd je soms informatie voor mij achter?' Hij bleef in de deuropening staan. 'Heeft mijn vrouw je misschien gevraagd mij iets niet te vertellen?'

Sarah wikkelde Larsons instrumenten in een schone doek. 'Mannen willen altijd antwoorden en ze denken dat ze dingen weten die ze niet weten.'

Hij wilde haar vragen wat ze bedoelde, maar ze draaide zich snel om en verliet zonder verder iets te zeggen de kliniek. Sarah boos maken loste niets op en hij hield te veel van haar om haar onder druk te zetten. Larson werkte hard. Misschien had ze gewoon wat meer rust nodig als hij weg was. Zodra de werklast voor de FTW wat minder werd zou hij haar mee terugnemen naar de Verenigde Staten om haar familie te bezoeken. Dan zou ze weer wat kleur op haar wangen krijgen.

7

B<small>EN</small> staarde uit het raam van de Mitsubishi MU2, hetzelfde model tweemotorige turboprop waarin Paul vloog voor de FTW. Paul had twee toestellen verloren toen de GOS geluk had gehad, maar hij had ze vervangen door hetzelfde model.

Soms vroeg Ben zich af hoeveel geld Paul uit Khartoem had overgemaakt toen hij uit de klauwen van zijn moslimfamilie was ontsnapt. Hij moest miljoenen naar de States hebben overgemaakt, waarvan hij het meeste gebruikte voor de aankoop van voedsel en medicamenten voor de zwaar beproefde mensen in Zuid-Soedan en Darfur. Gedachten die nooit bij een man op zouden komen, hadden hem sinds er kanker bij hem was vastgesteld niet meer losgelaten. Was er misschien een geneesmiddel? Hoeveel zou dat kosten? Was er misschien een middel dat nog niet voldoende onderzocht was? Hij haalde zijn schouders op. Wanhoop deed vreemde dingen met een man. Maar hij had Paul nooit om geld gevraagd – en zeker niet voor een geneesmiddel voor een harde krijgsheer zoals hij. Het leven had een begin en een eind, en het zijne druppelde weg zoals zand dat door de zee wordt weggespoeld, of hem dat nu aanstond of niet.

De landingsstrip naast Warkou kwam in zicht. De regens hadden de grond doordrenkt zodat het hele gebied modderig was. Het afgelopen jaar had de provincie Bahr al-Ghazal weinig regen ontvangen en de ontstane droogte had veel dorpen hongersnood gebracht. Als de regering hen nu met rust zou laten, zouden ze weer kunnen planten en het volgende seizoen overleven. Sommige dorpen hadden van hulporganisaties en zendelingen zaaigoed gekregen om een begin te maken met hun eigen voedselproductie. Ben hoopte dat de nieuwe regering zich wat sommige dingen betrof werkelijk aan zijn beloften zou houden. Het idee dat dorpsbewoners weer tomaten, bonen, kool en maïs zouden kunnen verbouwen zonder bang te hoeven zijn dat ze onder vuur genomen zouden worden, klonk hem als muziek in de oren. Maar veel vruchtbare percelen grond waren natuurlijk bezaaid met landmijnen.

Een paar dorpsbewoners zagen het vliegtuig rondcirkelen en toen de landing inzetten. Ze waren nieuwsgierig maar niet bang. Dit zendingsvliegtuig had altijd hulp gebracht. Ben grinnikte. Ironisch genoeg bracht dit vliegtuig nu een stervende man.

Na zijn gesprek met Paul gisteren had Ben een zendingspiloot zo ver kunnen krijgen om hem naar Warkou te vliegen. Commandant Okuk zou hem daar opwachten en hem terugbrengen naar zijn mannen. Ben speurde de grond af maar kon de met kogels doorzeefde truck van Okuk nergens zien. Hij mompelde een aantal verwensingen. Hij had er een grote hekel aan om tijd te verspillen en met onverantwoordelijke mensen te maken te hebben. Hij haatte het beperkte aantal dagen en uren die zijn door kanker geteisterd lichaam restte nog meer. De pijn waaraan hij vroeger nauwelijks aandacht besteedde, viel hem nu nog harder aan en herinnerde hem aan zijn eindige toekomst.

Hij kon de kwelling verdragen, maar niet het idee aan de dood. Zijn vader had hem eens gezegd dat iedere man zijn huis op orde moest hebben zodra hij zich bewust was van het verschil tussen hemel en hel. Ben had alle veranderingen uitgesteld en nu had hij geen tijd meer over om te overwegen zijn leven recht te zetten. Na al het bloed en alle verminkte lichamen die hij had gezien, geloofde hij niet meer in God. Niet zoals zijn ouders, die dachten dat het christendom het enige geneesmiddel voor de problemen van de wereld was. Waarom tijd verspillen en pogen met de dood te onderhandelen over dingen die hij toch niet kon veranderen? Hij had zichzelf altijd als onoverwinnelijk gezien – een superheld zoals ze in de Verenigde Staten zeiden. Wat een aanfluiting.

Bij iedere ademtocht zonk hij dieper weg, maakte hij zich meer zorgen en werd hij overstelpt door wat nog tot stand moest worden gebracht. Misschien zou hij geluk hebben en zou een kogel van de vijand aan alles een eind maken. De glorie van die dood was een betere erfenis om David na te laten – maar eerst moest zijn zoon zijn vader nog leren kennen. De waarheid vrat aan hem. Ben verlangde hevig naar een relatie met zijn zoon en zijn zoon had een vader nodig. Maar zou de jongen deel uit willen maken van Bens nog resterende dagen? David was door een goede vrouw opgevoed en Ben wilde haar bedanken. Na zijn heengaan zou hij hun slechts weinig kunnen nalaten. Het grootste deel van zijn geld ging naar zijn jongere zus Rachel in Californië voor haar opleiding. Als ze klaar was met haar verpleegkundige opleiding en ze eenmaal een goede baan gevonden had, zou ze misschien David en zijn moeder kunnen helpen.

Davids moeder heeft een naam. Daruka. Je nam haar toen ze nog maar net vijftien was, lokte haar in je armen en liet haar in de steek toen ze zwanger bleek te zijn. Hoe kon hij zichzelf verdragen? Hoe had hij ooit zo gemeen kunnen zijn?

Als hij commandant Okuk eenmaal zijn verantwoordelijkheden als SPLA-leider had bijgebracht en hem had opgeleid om Zuid-Soedan te dienen, zou hij naar Daruka en David toe gaan. Okuk hoefde niet eerder te weten hoe hij ervoor stond tot het eind.

Te veel te doen. Te weinig tijd.

Ben was in de tijd dat hij moest wachten tot de dokter de hechtingen verwijderd zou hebben tot het besluit gekomen dat hij moest kiezen voor de dingen die hij in de resterende maanden nog kon doen.

Ben had meer dan eens met de gedachte gespeeld om terug te keren tot God en Hem alles te beloven als Hij hem meer tijd zou geven – zoals hij er ook aan gedacht had om Paul om hulp te vragen. Maar het bloed aan zijn handen en de nachtmerries die hem wakker hielden, waren er voldoende bewijs van dat God, ook als Hij zou bestaan, geen enkele reden had om hem genadig te zijn – of medelijden met hem te hebben. De dood had gewonnen, zoals iedere man op zekere dag zou moeten toegeven. Hij ging het hiernamaals met het optimisme tegemoet dat de hel geen plaats van eeuwige kwelling zou zijn. En bovendien, veel erger dan een leven in Soedan kon het niet zijn. *Ik had zo veel dromen dat ik maar bleef uitstellen.* Hij verstijfde. Nu was het te laat. Hoe dapper, onverschrokken, verheven om een heldendood te sterven in plaats van weg te kwijnen van pijn tot zijn lichaam om de laatste ademtocht vocht. Ben had altijd gedacht dat hij aan de kant van de goede mensen stond, maar zouden zijn offers de mensen die hij achterliet ten goede komen? In het beetje geweten dat hij nog had overgehouden klonken nog een paar idealen. Larson en Paul verdienden meer dan wat hij hun kon geven. Larson had in ieder geval een gezonde echtgenoot die haar kon beschermen – zolang Paul niet roekeloos werd. Hongerigen voeden en je ervan verzekeren dat ze voldoende medicijnen hadden was dan wel mooi, maar de uitgehongerde mensen maakten zich niet druk over God maar wel over de pijn in hun maag. En de regering zag Paul graag dood. Niet alleen dood, ze wilden hem martelen en verminken als een voorbeeld voor degenen die dachten dat het christendom beter was dan de islam. Ben hoopte dat Paul zo verstandig zou zijn om geen contact op te nemen met zijn familie. Door zijn moedige pogingen zou hij gedood kunnen worden.

Ben moest ook zijn militaire kameraden nog iets duidelijk maken: een verenigd Soedan was onmogelijk en het vredesverdrag was niet meer dan een waardeloos stukje papier. Het noorden zou zich nooit aan de overeenkomst houden en het werd tijd dat de leiders van het zuiden dat gingen inzien. Hij schudde zijn hoofd. Misschien was hij te koppig. Als er iemand was die verzoening tot stand zou kunnen brengen, was het John Garang. John was meer dan een gerespecteerd leider van het zuiden; hij was zijn levensbloed. Hij had tijdens de oorlog eigenhandig krijgsplannen ontwikkeld en hij zou weten hoe hij alle stammen zou kunnen verenigen. John had vijfentwintig jaar de banier voor Zuid-Soedan gedragen. Ben had al die tijd onder hem gediend zonder ooit aan zijn beslissingen te twijfelen. Tot nu toe, nu hij zo dwaas was om te geloven dat het Noorden echt zou ophouden het zuiden te vervolgen.

'Wat gaat de nieuwe regering aan Darfur doen?' vroeg de piloot. 'Het aantal doden is al groter dan het aantal mensen dat door de tsunami in de Indische Oceaan is omgekomen. Ik vraag mij wel eens af of het vredesverdrag met het zuiden alleen maar een slimmigheidje was om de internationale gemeenschap af te leiden van de vernietiging van Darfur.'

Ben snoof. Hij zou allerlei relevante feiten hebben kunnen noemen, maar hij zag er geen heil in zijn visie met een man van de zending te delen. 'Khartoem is gewoon met de voorwaarden akkoord gegaan zodat ze weer verder kunnen gaan met het bevoorraden van de Janjaweed.'

De piloot knikte. 'Ik denk dat ik de situatie daar wel begrijp, maar het lijkt allemaal bijzonder ingewikkeld.'

Dat is het ook, maar ik ben niet in de stemming om het uit te gaan leggen. 'Dat hangt af van de dag van de week of uit welke hoek de wind waait of welke stam bereid is om te moorden voor weidegrond.'

'Mij zus woont in de Verenigde Staten, in Lousiana. Als ik haar vertel wat er hier aan de hand is, zegt ze dat de GOS net kakkerlakken zijn. Als je ze van de ene plaats verdreven hebt, duiken ze op een andere plek weer op.'

'En iedere keer worden ze sterker en overmoediger.'

'De ene dag bid ik dat Jezus spoedig terugkomt om aan alle ellende een eind te maken en de andere dag wil ik de gelegenheid hebben om het evangelie nog aan een paar wanhopige mensen te verspreiden.'

De piloot praatte net als Larson en Paul. Hoe zouden ze praten als zij degenen waren die kanker hadden?

Ik ben verbitterd en het kan mij niet schelen. Of misschien toch een beetje.

Het vliegtuig kwam hard op de modderige grond neer. De klap trok

73

door Bens ruggengraat heen en hij knarste zijn tanden en greep zijn knieën vast. Het werd tijd dat hij weer wat pijnstillers nam.

'Een slechte landing,' zei de piloot. 'Sorry.'

'Ik ben gewend aan ruwe tochtjes.'

Toen de piloot de landingsprocedure voltooid had, stapten beide mannen uit in de drukkende hitte.

Ben schudde hem de hand. 'Heel erg bedankt.' Hij kon zich de naam van de piloot niet meer herinneren. 'Het beste met je.'

'Met u ook. Ik hoop dat de nieuwe regering alles in Soedan anders zal maken. Ik weet zeker dat John Garang als vice-president zijn uiterste best zal doen.'

Ben vond het maar beter geen commentaar te leveren. Johns redevoering en beëdiging had plaatsgevonden toen hij in het ziekenhuis lag. Kofi Annan kon al zijn mooie redevoeringen houden over de hereniging van het hele land en het toelaten van allerlei hulporganisaties in Darfur – en de Verenigde Staten konden blijven beweren dat ze vastbesloten waren een eind aan het moorden te maken, maar als het stof opgetrokken was, was er helemaal niets veranderd. Khartoem had zijn eigen agenda.

De piloot klom weer terug in zijn cockpit. 'O, u bent uw rugzak vergeten.'

Geweldig. Nu werd hij nog vergeetachtig ook. Ben liep weer naar het vliegtuig toe en pakte zijn rugzak. Hij voelde weer een pijnscheut door zijn ruggengraat. Moest hij er dan voortdurend aan herinnerd worden?

Het vliegtuig reed met grote snelheid over de strip heen om op te stijgen en het geronk van de motoren overstemde het gejuich van de omstanders. Ben herkende de gezichten en wuifde. Toen Rachel bij Larson had gewoond, had hij hier heel wat tijd doorgebracht. Rachel. Zou hij zijn zus vertellen dat hij kanker had of zou ze daar vanzelf wel achterkomen? Hij werd steeds gemener en kon ook geen beslissingen meer nemen.

Sarah liep op hem toe. Te bedenken dat dat afschuwelijke mens hem zou overleven. Ze glimlachte en knikte. 'Hoe maakt u het, kolonel?'

'Ik ben bijna weer normaal.'

'Ik neem aan dat dat goed is.'

'Hoe bedoel je?'

'Uw normale manier van doen is soms moeilijk te begrijpen.'

'Sarah, zou je mij misschien met een beetje respect kunnen behandelen? Kijk eens naar alles wat ik voor je gedaan heb.'

'Ik waardeer uw werk, kolonel Alier, maar ik kan nog steeds voor uw ziel bidden en om een verandering in uw houding.'

Daar had je ze weer. 'Doe maar geen moeite. Is commandant Okuk hier?'

'Hij was hier gisteren, maar hij is nu weg.' Ze liep naar de kliniek en hij liep met haar mee.

'Waar is hij heengegaan? Nou ja, dat doet er niet toe. Is Larson in de kliniek aan het werk?'

'Zij is er ook niet.'

Hij had moeten bellen om zich ervan te verzekeren dat mensen begrepen wat er van hen verwacht werd. 'Waar is ze?'

'Ze is op weg naar Noord-Darfur.'

'Heeft Paul haar naar Darfur meegenomen? Ze hebben toch hier hun werk.'

Sarah bleef staan en nam hem op. Er was geen enkele emotie op haar gezicht te zien.

'Wat is er?'

'Paul is daar vanmorgen voor de FTW heen gevlogen. Ik weet niet hoe lang hij weg zal blijven. Larson is hem in haar Hummer gevolgd. Ik weet niet of hij al weet dat ze hem gevolgd is.'

Bens hoofd klopte nu net zo hevig als zijn arm en rug. Hij wierp een blik op de kliniek en wilde wel dat Larson eruit zou komen en naar hem zou zwaaien. 'Ze zijn niet goed wijs. Paul wilde haar zeker niet meenemen en daarom besloot ze maar op eigen houtje te gaan. Waar zijn ze precies heen?'

'Het vluchtelingenkamp Kibum.'

'Ze zijn daar samen al eerder geweest. Waarom was deze tocht anders?'

'Dat weet ik niet, maar ik maak mij zorgen over Larson.'

'Ik ook. Het is dwaasheid om daarheen te rijden. De Janjaweed zou haar maar al te graag te pakken willen nemen.' Hij wilde er verder niet aan denken. 'Nou ja, ze weet dat ze voorzichtig moet zijn. Wie is er met haar meegegaan?'

'Uw commandant Okuk.'

'Dus mijn mannen zitten zonder commandant?'

'Zodra ze Paul gevonden hebben, keert hij weer terug. Ik hoorde hem met uw mannen bellen.'

'Goed, Sarah. Ik zal Okuk bellen en hem vragen of alles in orde is. Misschien kan hij ervoor zorgen dat Paul en Larson niet vermoord worden. Maar hij krijgt er wel van langs omdat hij mij hier heeft laten zitten. Hoe haalt hij het in zijn hoofd om mijn mannen zonder commandant achter te laten?'

'Wat zou u gedaan hebben als Larson u om hulp had gevraagd? U zou hetzelfde gedaan hebben.'

'Ik heb meer ervaring dan Okuk. En sinds wanneer moet ik jou verantwoording afleggen?'

Irritatie wedijverde met de pijn in zijn lichaam. Hij had dit niet verwacht. Lijfwacht spelen behoorde niet tot zijn prioriteiten. Aan zijn missie om over Larson te waken was een eind gekomen toen ze met Paul was getrouwd en Ben zijn kansen verkeken waren. Sinds Paul zich tot het christendom had bekeerd, leek het wel of hij erom vroeg om vermoord te worden. Hij had in Californië moeten blijven en van zijn geld moeten genieten in plaats van gevaarlijk werk voor Feed the World te gaan doen en te proberen aan iedere niet-christen in Soedan het evangelie te brengen. Er stond een prijs op zijn hoofd en iedereen in het land zocht hem. En nu zat Larson hem in die hel die Darfur werd genoemd vlak op de hielen.

Ben liep de kliniek binnen. Alle flessen, voorraden en instrumenten waren keurig opgeruimd en schoon. Alleen Larson was er niet – Larson met haar brede glimlach en rare verhalen over haar leven in de Verenigde Staten. Larson met haar grote blauwe ogen en lichtblonde haar dat ze naar achteren borstelde in een paardenstaart. Larson die voor een Arabier had gekozen boven hem. Ben draaide zich om en pakte zijn rugzak om er een pijnstiller uit te halen.

Sarah stond met haar armen over elkaar geslagen in de deuropening.

'Ik dacht dat je wegging,' zei hij.

'Hebt u Larson en Okuk al gebeld om hen te vragen of alles goed met hen gaat?'

'Waarom? Ze hebben toch wapens.' De pijn werd erger. Hij haalde de fles uit de rugzak en haalde de dop eraf die op de betonnen vloer viel.

Ze raapte de dop op en gaf die aan hem. 'Er zijn dingen die u niet weet.'

Hadden Larson en Paul ruziegemaakt? Was Pauls familie hen op het spoor gekomen? 'Wat is er gebeurd?'

'Dat kan ik u niet vertellen.'

Nu wilde hij echt op haar schieten. 'Hoe kan ik helpen als je mij het hele verhaal niet vertelt?'

Sarah wierp een blik uit de openstaande deur. 'Ik heb mijn woord gegeven.'

'Aan Larson of aan Paul?'

'Aan Larson.'

Ben stopte de pillen in zijn mond en slikte ze door. Hij liet zich in een stoel vallen en sloot zijn ogen. 'Ik zal Okuk bellen en dan ga ik terug naar mijn mannen.'

77

8

Paul had heel wat missies boven Darfur gevlogen. In gebieden waar hij niet kon landen, wierp hij voedsel en voorraden af en op de grond had hij hulporganisaties en medische teams geassisteerd die hun best deden om de mensen te helpen die in het web van genocide verstrikt zaten. Larson was heel vaak met hem meegegaan, waarbij ze mensen inentte tegen cholera, malaria, mazelen en gele koorts en ook zieke kinderen behandelde. De vrouwen en kinderen leden het meest. Paul herinnerde zich de alarmerende cijfers: volgens sommigen stierven er ieder half uur tienduizend vluchtelingen. Bij het zien van het vluchtelingenkamp Kibum wilde hij wel dat hij Larson had meegenomen om te helpen. Maar niet vandaag. Dat was onmogelijk.

Sommige mensen hielden een kaart omhoog die was uitgegeven door de Hoge Commissaris voor Vluchtelingen van de Verenigde Naties. In een poging om alles zo eerlijk mogelijk te verdelen, stempelden de medewerkers van UNHCR de kaarten af om aan te geven wat er was uitgedeeld. In de grote hitte stonden twee rijen mensen. De ene rij liet zich inschrijven voor voedsel en de andere rij voor water. Helaas konden de mensen niet in beide rijen tegelijk staan. Dus hoe moesten ze kiezen? Sommigen van hen hadden ezels bij zich waarop ze laadden wat ze gekregen hadden, maar anderen worstelden met water- en voedselcontainers, blij met wat ze nu hadden.

Paul rook de stank van ongewassen en zieke mensen, nog verergerd door het gebrek aan sanitaire voorzieningen. Larson zou aan de vrouwen voorlichting over gezondheid en hygiëne gegeven kunnen hebben, zoals ze al zo vaak had gedaan, waarbij ze hun liet zien hoe ze het weinige dat ze hadden konden gebruiken om hun families gezond te houden.

Bij het zien van de conditie van de kinderen draaide zijn hart om, zoals steeds weer als hij voorzieningen naar de kampen bracht. Ze stierven door ziekte of ondervoeding, wat door een juist dieet en medische verzorging voorkomen had kunnen worden. Onwetendheid speelde een belangrijke rol en meer dan eens overwoog hij een voorlichtingscursus voor de vrouwen op te zetten. Bij de gedachte dat zijn familie de vervolging van de stammen van Darfur door de Janjaweed steunde, zoals ook hij eens had gedaan, werd hij innerlijk verscheurd. Een van zijn broers was een GOS-officier; hij zou beweren dat deze verschrikkelijke omstandigheden de wil van Allah was.

Het was meer de wil van satan.

Paul zette de emotie van zich af. Hij dacht niet dat hij ooit zou begrijpen waarom God naar hem omgezien had. Tot op de dag van zijn dood zou Paul alles voor deze mensen doen wat in zijn vermogen lag. Larson had hem van wetticisme beschuldigd, totdat hij haar had uitgelegd dat hij gedreven werd door de liefde van God. Hoewel hij het begrip ontferming en genade wel nooit helemaal goed zou begrijpen, begreep hij wel wat vrijheid in Christus betekende.

Een meisje, niet ouder dan twaalf, dat een huilend, naakt jongetje droeg, liep langs hem heen. De ribben van het jongetje waren duidelijk zichtbaar en zijn opgezwollen buik vormde er een duidelijke aanwijzing voor dat zijn organen, waarschijnlijk door parasieten, geïnfecteerd waren.

'De tent van de dokter is daar.' Paul wees naar de kliniek.

Het meisje kreeg tranen in haar ogen.

Paul pakte het kind van haar over en liep met haar naar de rij die voor de tent stond te wachten. Het jongetje woog bijna niets. Een paar dokters van Artsen zonder Grenzen, van wie Paul er een herkende, behandelden verscheidene patiënten tegelijkertijd, maar de rij strekte zich eindeloos uit. Larson had hier ook moeten zijn. Hij verdrong zijn gevoel van schuld en liep verder door het kamp, waarin voornamelijk vrouwen in kleurige vodden gehuisvest waren en kinderen die alleen maar in hoop gehuld waren. Heel veel vrouwen hadden hun kinderen begraven; hoe konden ze nog verder leven?

Hij en Larson hadden de juiste beslissing genomen om zelf geen kinderen te hebben. Als ze deze mensen wilden helpen, moesten ze vrij zijn van banden die hen zouden hinderen.

Een hulpverlener, een jongeman met een Amerikaans accent, deelde zakjes graan uit. Paul ging naast hem staan om hem te helpen. Hij had nog tijd genoeg om naar zijn bestemming te gaan.

'Hebt u een Koran?' vroeg een man toen Paul hem een zakje graan gaf.

'Nee, ik ben christen.'

De man keek naar het graan en toen weer naar Paul. 'Wat u ook hebt, ik wil het hebben.'

Paul trok zijn rugzak voor zijn borst en overhandigde hem een Nieuw Testament in het Arabisch. De man bedankte hem en liep weg. Paul ging op weg naar de rand van het kamp. Zodra hij zijn zaken gedaan had, zou hij terugkeren om te helpen.

Hij liep alleen over het kale land en overzag het terrein. Bij het zien van het landschap raakte hij gedeprimeerd. FTW wilde een volledig verslag voor zijn maandelijkse publicatie dus hij nam foto's en maakte aantekeningen. Op het land waar eens mensen hadden gewoond en gewerkt, lagen nu talrijke graven. Het land waarop mensen eens voedsel hadden verbouwd, was door de Jan-jaweed platgebrand. Het pad dat hij volgde, bracht hem bij een stapel verkoolde beenderen, waar de weinig overlevende dieren in het gebied waarschijnlijk waren bezweken, en de dorpsbewoners de overblijfsels hadden verbrand om ziekten te voorkomen. Hij ademde de geur van ellende en wanhoop in.

Hij verachtte de miserabele excuses van de regering voor het eli-mineren van deze mensen: van de openlijke afkeer van sommige bewoners van Darfur ten aanzien van de politiek van de regering, tot hun zwarte Afrikaanse etniciteit en het probleem van de voort-durende conflicten tussen sommige stammen. De slachtoffers van de genocide waren voornamelijk moslimboeren die vee en geiten fokten op dezelfde manier als hun voorvaders. Paul vroeg zich wel eens af of de regering misschien een verborgen agenda had. Bevatte de grond onder zijn voeten misschien grote voorraden ruwe olie? Waarschijnlijker was dat alle ellende een politieke noodzakelijkheid was om de machthebbers in het zadel te houden.

⚜

Misschien had hij het vluchtelingenkamp niet moeten verlaten om Nizam te ontmoeten. Hij kreeg een naargeestig gevoel over zich. Hij zou gedood kunnen worden om de kleren die hij aanhad of om het eten dat een of andere arme drommel misschien zou denken dat hij bij zich had. Hij zou alles geven wat hij had als hij daarmee een lijdend persoon nog een dag in leven zou kunnen houden. Maar hij had een andere reden voor zijn tochtje.

Paul speurde de horizon af. Geen levende ziel te zien. Geen briesje wind. Geen vogels. Niets. Alleen aarde en vliegende insecten bij een temperatuur van achtenveertig graden. Zelfs een gier zou hier niet kunnen overleven – tenzij je de vluchtelingen als aas beschouwde. Links van hem strekte een acaciaboom zijn kruin naar de wolkenloze hemel uit alsof hij om hulp bad. Rechts van hem lagen de restanten van een verbrand dorp. Hij dwong zichzelf foto's te nemen om zijn geest bezig te houden.

Hij haalde een opgevouwen stuk papier uit zijn rugzak waarop de instructies van Nizam stonden. Zijn broer had gezegd dat hij hem 's middags zou ontmoeten, vijf kilometer ten noordwesten van Kibum in een verlaten dorp. Nizam beweerde dat hij Paul alleen maar wilde zien en meer over het christendom wilde horen, maar alleen op voorwaarde dat de ontmoeting strikt geheim zou blijven. Als hun familie of de regeringsautoriteiten achter hun ontmoeting zouden komen, zou hun beider leven gevaar lopen.

Ik hoop dat ik niet gek ben.

Hoe dichter hij bij de ontmoetingsplaats kwam, hoe banger hij werd dat hij in een val zou lopen. Bij zijn dood zouden ze in Khartoem feestvieren en ze zouden degene die de trekker had overgehaald met eer overladen. Hij liep naar het in de as gelegde dorp. Naast een vernietigd irrigatiesysteem lag het rottende karkas van een ezel. Huizen waren tot de grond toe afgebrand, tezamen met de schamele bezittingen die de dorpsbewoners misschien hadden gehad. En de mensen... Dit was een boerengemeenschap geweest, het thuis van dorpsbewoners die geen kwaad in de zin hadden, wat de regering dan ook mocht beweren. De holle ogen van de hongerige kinderen in Kibum achtervolgden hem. Ze hadden de stank van de dood geroken en het geschreeuw van in doodsnood verkerende vrienden en geliefden gehoord. Het was niet eerlijk – niet voor de onschuldige kinderen of de moeders die hen gedragen hadden.

Zijn eigen familie had bevel tot het doden gegeven. *En jij bent niet beter dan een van hen die dit gedaan hebben. Je keurde de genocide van al diegenen die zich tegen de regering of zijn islamitische opvattingen verzetten goed.* Hoe vaak werd hij door deze gedachten niet achtervolgd? De beschuldiging die zijn hart vaak veroordelend aangreep, was niet de stem van God. Een tekst uit de Psalmen kwam in zijn gedachten: 'Want U bent geen God Die lust heeft in goddeloosheid.' Hij moest meteen aan een ander vers denken dat hij voor deze gelegenheden, als het gewicht van zijn zonden uit het verleden hem krankzinnig dreigde te maken, uit zijn hoofd had geleerd: 'Ontzondig mij met hysop en ik zal rein zijn; was mij en ik zal witter zijn dan sneeuw.'

God zag Paul nu door de ogen van Jezus. Die troostende gedachte verlichtte zijn gevoel van schuld en hij wilde wel dat iedere inwoner van Soedan die vrede zou kennen.

'Abdullah Farid.'

Paul verstijfde. Het was niet de stem van Nizam of van een van zijn andere broers.

'Draai je langzaam om.'

Terwijl commandant Okuk achter het stuur zat, hobbelde Larson in de Hummer verder. Normaal gesproken stond ze niemand toe om haar gepantserde, verplaatsbare hospitaal te besturen, maar dit was Darfur. Ze kende de weg naar Kibum niet zo goed en iedere minuut was kostbaar. En de GPS op haar satelliettelefoon bood haar onvoldoende bescherming als ze in moeilijkheden zou komen. Maar ze begon steeds meer te twijfelen aan de deskundigheid van de commandant toen ze hem met zijn knie zag sturen en met zijn ene arm zag schakelen. Paul had de Hummer twee jaar geleden gekocht en ze was er zuinig op.

Diep vanbinnen voelde ze dat Paul in moeilijkheden verkeerde. Deze tocht was niet alleen maar een aflevering van goederen. Ze had niets om haar vrees op te baseren, alleen een huivering in haar geest. Hoe ze ook bad voor wat ze zijn martelaarssyndroom noemde – de behoefte om zijn zonden uit het verleden goed te maken door zichzelf in gevaarlijke situaties te begeven – waren de symptomen er nog steeds. Kon Paul zijn rust maar vinden in Gods liefde in plaats van zich door schuldgevoelens te laten voortdrijven. Had Nizam hem er toe overgehaald iets roekeloos te doen?

Paul. Hij had de naam gekozen toen hij christen geworden was wegens de overeenkomsten tussen zijn leven en dat van de apostel Paulus. Maar dat betekende nog niet dat hij een martelaarsdood hoefde te sterven.

Het troosteloze landschap gleed langs de Hummer heen en wierp een verstikkende stofwolk op die hun keel droogmaakte. Vanuit de regenbuien waren ze dit landschap binnengereden dat schreeuwde om een druppel water. Evenals de vorige keren dat ze in Darfur was geweest, werd ze overvallen door een onverklaarbaar gevoel van behoedzaamheid – een verstikkende neerslachtigheid. Aanvankelijk had ze geen aandacht besteed aan het gevoel. Het was haar taak haar medische kennis te gebruiken om zo veel mogelijk mensen te behandelen, niet om na te denken over bijzondere gevoelens. Ze zou later wel een verklaring proberen te vinden voor haar gevoel van hopeloosheid en wanhoop, maar toen was de waarheid langzaam tot haar gaan doordringen. Het was angst. Ze voelde de angst van een vervolgd volk, de voortdurende vrees dat de vijand hen zou vinden. Of die vijand nu bestond uit een rivaliserende stam of uit de door de regering gesteunde Janjaweed, deze verschrikking was een onderdeel van hun leven geworden.

Ze bestudeerde Okuks gezicht. Geen littekens van stam inwijdingsrituelen, dus ze nam aan dat hij jonger was dan dertig. Maar hij had een groot, diep en lelijk litteken in zijn nek. Was die wond ontstaan toen hij zijn arm was kwijtgeraakt? Het was een wonder dat de man nog leefde.

'Heb je een vrouw en kinderen?' vroeg ze.

'Niet meer.'

'Het spijt me.' Ze slikte onverwachte tranen in. Een hormonale overdosis.

'Ik probeerde hen te beschermen. De GOS dacht dat ik ook dood was.'

Stilte. Zou ze moeten proberen hem aan het praten te krijgen of moest ze gewoon wachten tot hijzelf weer het woord nam?

'Sinds die tijd heb ik mij aangesloten bij kolonel Alier. Hij gaf mij een reden om verder te leven.'

'Ik ben je dankbaar voor wat je vandaag doet. De GOS zou niets liever willen doen dan ons opblazen.'

Hij grinnikte. 'Sommige dingen veranderen nooit.'

In het daaropvolgende half uur reden ze zwijgend verder. Hij wilde kennelijk niet meer vertellen over de tragedie die hem had getroffen. Ze staarde uit het raam. Zij wilde er ook niet over praten. De droogte had het terrein ontvolkt. Ze probeerde zich de tijd voor te stellen toen de bevolking gelukkig was geweest en er voldoende regen was gevallen. Ze bad in stilte om Gods zegeningen voor allen die de pijn van tragische herinneringen moesten dragen.

'Ben je ooit in de Verenigde Staten geweest?' vroeg ze.

'Nee. Ik ben een Dinka. Ik heb hier mijn hele leven gewoond.'

'Darfur doet mij denken aan een bepaalde plaats daar.'
Hij wierp haar een nieuwsgierige blik toe maar zei niets.
'Er is een oud slagveld in Pennsylvanië, dat Gettysburg heet. Lang geleden, in 1860 woedde er een burgeroorlog in ons land.'
Okuk knikte. Hij wist maar al te goed wat een burgeroorlog was. 'Er werden meer dan een half miljoen soldaten gedood. Heel veel jonge jongens,' zei Larson. 'Een van de bloedigste veldslagen werd bij Gettysburg gevoerd. Mijn ouders namen mij mee ernaartoe toen ik vijftien was. Ik denk dat ik toen gezien heb wat er gebeurt als broeders tegen broeders vechten.'
'Waardoor ontstond die oorlog?'
'De noordelijke staten wilden geen slavernij en de zuidelijke staten beweerden dat ze slaven nodig hadden om hun plantages te laten functioneren. Toen het Zuiden zich wilde afscheiden van het Noorden brak de burgeroorlog uit.'
'Net als in Soedan?'
'Er vonden tragische gebeurtenissen plaats door mensen die door haat gedreven werden, maar niet op een schaal als hier. Ik hoop tenminste van niet. Oorlog is altijd verschrikkelijk, wat de aanleiding ook mag zijn, maar voor sommige acties bestaat geen enkel excuus. Hoe dan ook, ik herinner mij dat ik in Gettysburg uit de auto stapte en langs de plaatsen liep waar soldaten gekampeerd en gevochten hadden en gesneuveld waren. Er kwam een vreemde kilte over mij. Het was alsof de doden om hulp huilden.' Ze hield haar hoofd een beetje schuin bij de herinnering. 'Ik dacht dat ik het geschreeuw van duizenden soldaten hoorde. Zo erg dat ik dacht dat ze uit hun graven zouden opstaan en weer zouden gaan vechten. Ik legde mijn handen tegen mijn oren – maar ik bleef het geschreeuw van de stervenden om mij heen horen. Mijn ouders namen mij weer mee terug naar de auto en we reden weg. Ik had wekenlang nachtmerries.'
'Soedan is zo'n zelfde nachtmerrie,' zei hij. 'Ik hoor mijn vrouw en zonen.'

'Ben je christen?'

'Waarom zou ik?'

'Omdat God alleen je vrede kan geven.'

'Ik zie net zoveel christenen als niet-christenen sterven.'

'Maar de christenen leven voor eeuwig bij God in de hemel.'

Zijn gezicht verstrakte en hij gaf geen antwoord.

'Ik neem aan dat Ben nu wel in Warkou aangekomen is,' zei ze ten slotte. 'Hij zei een paar dagen, maar dat betekent vandaag. Hij zal waarschijnlijk wel bellen.'

'En ik neem aan dat hij boos op mij is. Erg boos.'

'Het is mijn schuld. Ik heb je gevraagd mee te gaan voor het geval ik in moeilijkheden zou komen.'

Hij grinnikte. 'We zullen wel zien.'

Okuks satelliettelefoon op het dashboard ging. Hij pakte hem op. 'Hallo, kolonel Alier. Hoe gaat het met u, meneer?'

Larson kon Bens stem in de ontvanger horen. Okuk vertrok zijn gezicht en haalde de telefoon een eindje van zijn oor. 'Laat mij maar met hem praten,' zei ze.

Okuk knikte, zijn gezicht gespannen alsof Ben recht voor hem stond. 'Ja, meneer. Dat begrijp ik, meneer. Ja, Santino is bij de mannen.'

Ben had kennelijk de energie om allerlei vragen op hem af te vuren. Het was ook mogelijk dat hij pijn had en te koppig was om pijnstillers te nemen. Ze vroeg zich af waarom hij geweigerd had haar inzicht te geven in zijn medisch dossier. Ze zou het hem vragen als ze hem weer zou zien.

'Ik breng dokter Farid naar Kibum, waar ze haar man hoopt te ontmoeten. Ja, meneer, ik kom meteen weer terug als we hem gevonden hebben.'

Deze keer raakte Larson Okuks schouder aan. 'Ik wil kolonel Alier spreken.'

'Meneer, dokter Farid wil u spreken. Ja, meneer. Dat begrijp ik, meneer.' Hij gaf haar de telefoon.

Ze glimlachte naar Okuk. Hij was zichtbaar opgelucht nu zij de telefoon had. 'Hei, Ben. Waar zit je?'

'Warkou. Ik probeer erachter te komen wat er allemaal gebeurd is sinds ik hier ben weggegaan.'

'We hebben ons best gedaan om het zonder jou klaar te spelen.'

'Ik ben niet in de stemming voor grapjes. Ik ben boos en dat heeft alles met jou te maken.'

Ze kromp een beetje in elkaar. Ben was bijna gestorven en nu probeerde ze hem te plagen. 'Het spijt me. Ik heb commandant Okuk gevraagd met mij mee te gaan naar Noord-Darfur. Paul is daar eerder op de dag naartoe gevlogen en nu ga ik daar ook heen. Zodra we hem gevonden hebben, is alles weer in orde.'

'Waarom heeft Paul je niet meegenomen?'

'Dat weet ik niet.'

'Waarom ga je er dan heen? Hij is kennelijk met iets gevaarlijks bezig.'

Haar hart begon sneller te kloppen. Dat had ze ook al gedacht. 'Ik kan mij ongetwijfeld nuttig maken in het vluchtelingenkamp.'

'Dat kunnen de soldaten in Khartoem ook, maar ik zie niet in dat jij daar naartoe moet gaan.'

'Ik wil niet tegen je liegen, Ben. Ik maak mij zorgen over hem.'

'Wat kun je doen? Moet ik je er soms aan herinneren wat er gebeurt met vrouwen die door de regeringstroepen of de Janjaweed gevangen worden?'

Nee, daar hoefde ze niet aan herinnerd te worden. Tijdens haar gevangenschap was Bens zus door een nachtmerrie heengegaan. Misschien was het wel stom wat ze deed, maar ze wilde haar plan om haar man te vinden toch niet opgeven.

'Zeg iets,' zei hij. 'Je gedachten kan ik niet lezen.'

'Ik denk dat het iets met zijn broer Nizam te maken heeft. Ze hebben elkaar brieven geschreven en Nizam kan erg overtuigend zijn.'

'Als het om zijn familie gaat, heeft Paul evenveel verstand als de grond onder mijn voeten. Hij houdt geen enkele rekening met de cultuur – hun opvattingen. Ga je nu proberen hem tegen te houden?'

'Ja. Hij zal wat tijd nodig hebben om alle voedsel en voorraden uit te laden. Ik hoop dat de hulpverleners hem daar lang genoeg bezig zullen houden om hem nog op tijd te bereiken.'

'Sarah maakt zich ernstige zorgen over je.'

'Ze maakt zich veel te gauw zorgen over mij. En jij had in het ziekenhuis moeten blijven. Blijf maar een paar dagen in Warkou, dan kan Sarah voor je zorgen.'

'Die laat de GOS opdraven. Die vrouw haat mij.'

Ze lachte. 'Ze haat je helemaal niet. Ik zou maar wat meer respect voor haar hebben.'

Hij gromde als een kwaadaardige hond. 'Ze heeft geen greintje respect voor mij. Nou ja, Sarah zei dat er wat problemen tussen jou en Paul zijn ontstaan, maar ze wil niet vertellen wat die zijn.'

En dat zou zij ook niet doen. 'Och, je kent Sarah. Ze heeft misschien begrepen dat Paul zijn familie wil gaan opzoeken.'

'Je bent een slechte leugenaarster, Larson. Maar als je mij niet wilt vertellen wat er echt aan de hand is, is dat jouw zaak.'

'Bedankt. Waarom heb je mij niet teruggebeld?'

'Jij hebt je geheimen, ik de mijne.' Hij was even stil. 'Het is twaalf uur. Ik moet mijn mannen gaan controleren en zien of ik een truck kan krijgen die mij terug kan brengen. Zeg Okuk dat hij voorzichtig moet zijn en dat hij moet bellen als jullie in het vluchtelingenkamp aankomen.'

Hij belde af. Ben zou rust moeten nemen om zijn arm te laten genezen – niet terug moeten gaan naar zijn mannen. Daar had ze aan moeten denken toen ze commandant Okuk had gevraagd om met haar mee te gaan. Nu had ze twee problemen. Of eigenlijk drie.

9

Paul draaide zich langzaam om en vroeg zich af met hoeveel mannen hij te maken zou krijgen. Er was alleen een zwarte Arabier te zien die op zo'n elf meter afstand een kalashnikov op hem gericht hield. Vlak bij de man lag een omgevallen aarden vat dat de dorpsbewoners eens gebruikt hadden om extra voedsel of water voor noodgevallen in op te slaan. De man moest zich daarachter verborgen hebben gehouden. Paul was vlak langs hem heen gelopen.

'Laat je rugzak vallen en steek je handen in de lucht,' schreeuwde de man in het Arabisch.

Paul liet de rugzak van zijn schouders glijden die met een plof op de droge grond terechtkwam. Hij stak zijn handen op en nam de man op terwijl hij berekende hoe snel hij zijn 9mm vanonder zijn overhemd zou kunnen halen.

'Waar is Nizam? Ik zou hem hier ontmoeten.'

'Hij vroeg mij na te gaan of je alleen zou komen. Gebruik nu je linkerhand om je revolver te trekken en gooi die naar mij toe.'

Paul voelde er niets voor om zich gewonnen te geven maar er zat weinig anders op. 'Je ziet dat ik alleen ben, dus waar is hij?'

'Hij wacht op een veilige plaats.'

'Moet hij zich tegen mij beveiligen? Kom nou. Roep hem en zeg dat ik er ben.'

'Ik heb andere orders.'

Paul liet zijn armen zakken.

'Houd je handen omhoog.'

'Wanneer zie ik mijn broer?'

'Over drie dagen.'

'Waarom nu niet? Ik ben van heel ver gekomen.'

'We hebben je zien aankomen in je vliegtuig vol eten voor al die mensen in Kibum.'

Het sarcasme in de stem van de man werkte Paul op zijn zenuwen. 'Ik doe alles wat ik kan voor onze mensen. Meer dan de regering voor hen doet.' Hij overwoog hem de huid vol te schelden voor de steun van de regering aan de Janjaweed, maar de man hield nog steeds zijn geweer op hem gericht.

'Je hebt wel een grote mond voor iemand die zou kunnen sterven voor zijn volgende ademtocht.'

'Ik weet waar ik heen ga als ik sterf.'

'Allah zendt de ongelovige naar de hel.'

'God zendt Zijn volk naar de hemel.'

De man tilde zijn geweer op. 'Ik weet waar ik jou heen moet zenden.'

'Heeft mijn broer je dat bevolen?' Paul hoopte dat zijn stem vaster klonk dan hij zich voelde. Hij was dom geweest om op Nizams verzoek in te gaan.

De man aarzelde.

'Heeft mijn broer je opdracht gegeven mij te doden?'

'Daar heb jij niets mee te maken.'

Paul keek hem strak aan. 'Laat dat geweer dan zakken en vertel mij waarom het gaat.'

'Alles wat je moet weten, heb ik je al verteld. Je ontmoet je broer over drie dagen. Blijf in Kibum tot je gebeld wordt.'

'En hoe dacht je dat te doen?' Er waren een stuk of zes mensen die zijn nummer hadden, maar Nizam was daar niet bij.

'Nizam heeft zo zijn manier van doen. Draai je om.'

'Waarom?' Wie had hem verraden?

'Doe wat ik zeg.'

'Hoe heet je?' Paul treuzelde terwijl hij overwoog hoe hij zijn pistool zou kunnen pakken dat op de grond lag.

'Muti.'

'Oké Muti. Misschien neem ik de telefoon op, misschien ook niet.'

'Je moet je broer niet willen zien.'

'Misschien wil mijn broer mij niet zien.'

'Hij is erg voorzichtig. Genoeg gepraat.'

'Ik heb mijn pistool nodig.'

Muti keek hem dreigend aan. 'Ga je gang. Je kunt het zelfs op mij richten. Ik zou je met plezier doden.'

Paul betwijfelde of Muti alleen werkte, maar als dat niet zo was, hadden de anderen zich goed verscholen. Hij raapte zijn wapen op, knikte even naar de man en begon terug te lopen naar Kibum. 'Heere, vergeef mij dat ik zo eigenzinnig ben. Maakt U mij duidelijk wat ik moet doen. Larson mag geen weduwe worden omdat ik de noodzakelijke voorzorgsmaatregelen niet neem.'

❀

Ben lag onder een muskietennet in een hangmat buiten de kliniek in Warkou met zijn telefoon op zijn borst. Als er niet zo veel gedachten door zijn hoofd gingen, zou hij in slaap gevallen zijn. De pillen tegen de pijn waren de reden dat hij moest vechten tegen de slaap, maar hij had geen andere keus dan ze in te nemen. Met gesloten ogen ging hij opnieuw na wat er de eerstkomende maanden allemaal moest gebeuren en hoe lang iedere gebeurtenis zou duren zodat hij nog voldoende tijd zou hebben om wat tijd met David door te brengen. Hij zou Daruka vragen met hem te trouwen. Dan zou zijn zoon een naam krijgen. Hij veroorloofde het zich om in slaap te vallen, een welkome verlichting van een wereld vol pijn.

Het gerinkel van zijn telefoon wekte hem weer uit zijn door medicijnen ingegeven verdoving. Hij ging twee keer over voordat hij de telefoon van zijn borst op de grond liet vallen. Toen hij hem weer probeerde te pakken, viel hij bijna uit zijn hangmat.

'Kolonel Alier, er is een jeep voor u onderweg naar Warkou,' zei een man.

'Dankuwel meneer. Wanneer kan ik hem verwachten?'

'Vroeg in de morgen. U wilt toch weer teruggebracht worden naar uw mannen, hè?'

'Ja meneer.'

'Wat is er met de auto's van het Neushoornbataljon gebeurd?'

Als de jeep niet van een belangrijke politieke leider was geweest, zou Ben hem gezegd hebben dat hij zijn voertuig mocht houden. 'Ik heb redenen om aan te nemen dat dr. Larson Kerr Farid en haar echtgenoot in gevaar verkeren. Daarom is commandant Okuk in een van de auto's naar een vluchtelingenkamp in Noord-Darfur gereden. De andere truck is bij mijn mannen.'

'Goed. Ik vertrouw erop dat u goed herstelt. Ik wilde wel dat ik een helikopter had om u te vervoeren.'

'Ik stel ook een jeep zeer op prijs, meneer. Nogmaals bedankt.'

De telefoonverbinding werd verbroken en Ben probeerde weer te gaan slapen. Het zou nog een hele tijd duren voordat de jeep zou aankomen en hij moest zo veel mogelijk rust nemen om weer helder te kunnen denken. Bij het aanbreken van de dag werd hij wakker door Sarah's stem.

'Kolonel Alier, er zijn hier twee mannen voor u.'

'Met een jeep?' vroeg hij, nu helemaal wakker.

'Ja, en hij zit niet vol kogelgaten.'

Ben vond het maar beter niet te reageren. Hij wist nooit wat Sarah vervolgens zou zeggen. Toen hij zijn benen uit de hangmat zwaaide protesteerde zijn rug. 'Als je een ontbijt voor mij klaar kunt maken, ga ik zo snel mogelijk weg.'

'U hebt erg lang geslapen.' De rimpels in haar gezicht werden dieper.

'Wat is er Sarah? Maak je je zorgen over mij?'

Ze sloeg in een vertrouwd gebaar haar armen over elkaar. 'Ja, dat deed ik zeker. Als u hier zou sterven, zou ik een graf voor u moeten graven.'

'Wat ben je toch een lief, zorgzaam vrouwtje. Maar als ik je vraag om mijn ontbijt klaar te maken hoef ik mij er in ieder geval geen zorgen over te maken dat je er vergif in zult doen.'

'Deze keer niet.'

Hij lachte, niet zozeer om haar als wel om de pijn in zijn rug van zich af te schudden. Hij draaide zich om naar de beide mannen. De chauffeur van de jeep was een SPLA-man, sergeant Thomas Jok, een goede man die eens onder Ben had gediend. Dat Jok een militair was, was alleen te zien aan de patroongordel die hij over zijn schouder droeg. De andere man was een SPLA-soldaat. Ze vormden een ruig stel, maar ze waren moedig. Thomas en Ben schudden elkaar krachtig de hand en de andere man salueerde.

'Herstelt u goed?' vroeg Thomas.

'Er is meer voor nodig dan een kogel in mijn arm om mij uit te schakelen.'

'Niets kan kolonel Alier van de strijd afhouden.' Hij glimlachte breed waardoor zichtbaar werd dat hij een paar ondertanden miste die door een stamritueel waren verwijderd.

'Jullie moeten wat eten voordat we vertrekken.'

Thomas knikte. 'Dank u; we hebben inderdaad honger. Het is een eer u te dienen. Iedereen heeft groot respect voor kolonel Alier. Ik begrijp dat uw commandant de Farids in Darfur assisteert?'

'Ja. Ik ben bang dat ze daar moeilijkheden zullen krijgen.'

'Ik bid God dat Hij uw vrienden veilig zal bewaren. Vice-president Garang zal ons lijden spoedig verlichten. Zuid-Soedan mag zich gelukkig prijzen dat hij nu voor ons opkomt. Onze soldaten nemen nu rust en we hopen dat ze spoedig naar hun huizen kunnen terugkeren.'

Welke huizen? Vanaf het begin jaren tachtig had de GOS niet anders gedaan dan dorpen verbranden en Zuid-Soedanezen vermoorden. Hij vermoedde dat Garang er grote moeite mee zou hebben om de moslimregering ervan te overtuigen om het zuiden toe te staan hun land weer op te bouwen en hun eigen bodemschatten te beheren. Ben hield zijn gedachten voor zich. De toekomst zou laten zien of hij gelijk of ongelijk had – al zou zijn toekomst niet langer duren dan zes maanden.

Sarah kwam naar hen toe. Voor een oude vrouw liep ze nog opmerkelijk rechtop. 'Ik heb wat eten voor u allemaal klaargemaakt.' Ze glimlachte naar de andere mannen maar niet naar Ben en nam hen mee naar haar hut.

Was ze boos omdat Ben niet achter Larson aanging? Hij had andere dingen te doen en was verantwoordelijk voor zijn mannen. Voor hij zou sterven, zou hij ervoor zorgen dat de gerimpelde vrouw alles wat hij had gedaan voor mensen, die net als zij hulpeloos tegenover de regering stonden, zou erkennen.

⁂

Larson wilde gaan slapen maar elke keer als ze bijna in slaap gevallen was raakte de truck een karrenspoor en schokte ze weer wakker. Commandant Okuk zei dat de tocht bijna twee dagen zou duren – als ze geluk hadden en door niemand tegengehouden zouden worden. Ze moest slapen. Als ze eenmaal in Kibum was, zou ze daar nauwelijks gelegenheid voor hebben. Levens redden en hoop bieden aan al die mensen die medische zorg nodig hadden lieten haar weinig tijd om te eten en te slapen. Ze zou daar op adrenaline en van Gods genade moeten leven.

In het verleden had Paul een kerkdienst georganiseerd voor de vluchtelingen die op water, eten en medische zorg stonden te wachten. De meesten van hen waren sceptisch ten aanzien van een Arabier die over God sprak Die niet Allah was. Paul nam de tijd om hen door de eindeloze rijen heen te helpen en hun vertrouwen te winnen. Dan legde hij uit wat de Heere voor hem gedaan had. Ze waardeerde het dat hij de moslimtradities niet veroordeelde maar zijn liefde voor zijn God op andere manieren liet zien.

Ze richtte zich tot commandant Okuk. 'Ik ben trots op Paul en als we klaar zijn met tegen elkaar te schreeuwen, zal ik hem dat ook vertellen.'

'Hij zou trots op u moeten zijn.'

Een vreemde opmerking maar ze was er vrij zeker van dat de commandant haar man niet vertrouwde. Waarschijnlijk omdat hij een Arabier was. Ze deed haar ogen weer dicht. Commandant Okuk moest ook rusten, maar ze wist dat hij dat zou weigeren. Ze zouden tot donker doorrijden en weer verder gaan zodra het licht werd. Ze had willen vertrekken zodra Pauls vliegtuig los was van de landingsstrip, maar door een meedogenloze aanval van misselijkheid had ze haar vertrek meer dan een uur moeten uitstellen. Het had geen zin om Paul te bellen voordat ze vlakbij het kamp waren. Hij zou boos op haar zijn maar dat kon haar niet schelen. Haar grootste vrees was dat hij het voedsel en de medicijnen zou afwerpen en door zou vliegen naar het noorden om Nizam te ontmoeten.

Links van de Hummer dreven een paar vrouwen en kinderen een aantal geiten naar het pad waarover ze reden. Larson ging rechtop zitten en staarde naar het meelijwekkende groepje. Wat motiveerde deze mensen om het ene been voor het andere te zetten?

'We kunnen niet stoppen,' zei Okuk.

'Dat weet ik. We zijn al achter op ons schema. Maar ik wil iedere regering en iedere hulporganisatie laten zien wat hier gebeurt. Die mensen hebben niets meer en mijn hart gaat uit naar al die vrouwen en kinderen.'

'Het mijne ook.' Hij reed langs het groepje heen zonder een blik in hun richting te werpen.

Er gleed een traan over haar wang. Ze raakte haar maag even aan en worstelde opnieuw met haar beslissing om Paul te gaan zoeken. Wat zou ze kunnen doen als zijn familie hem al gegrepen had? Ze wilde er niet aan denken dat dat gebeurd zou kunnen zijn. Hun baby moest de kans krijgen zijn vader te leren kennen – als God Paul wilde bewaren.

'Ik ben op een boerderij in Ohio opgegroeid,' zei ze, meer om haar gedachten af te leiden dan om verhalen over een andere wereld te gaan vertellen.

'Ligt Ohio in de Verenigde Staten?'

Ze knikte. 'Het is erg mooi waar ik opgroeide; glooiende heuvels en groene velden. Achter ons huis bevonden zich zeven bronnen die in een slingerende beek vloeiden. Zodra de sneeuw...'

'Wat is sneeuw?'

Ze glimlachte. 'Net zoiets als regen, maar het is wit en koud. Als ik zeg koud dan bedoel ik net zoiets als de vorst aan de binnenkant van mijn vrieskist in de kliniek.'

'Oké, maar wat doet sneeuw?'

'In onze winters hoopt het zich op de grond op. Grote vrachtwagens met sneeuwschuivers maken de weg vrij voor het verkeer terwijl wij er in speelden.'

'Als kinderen?'

'Ja. Je droeg dan jassen, mutsen en handschoenen om warm te blijven. Je kunt van de sneeuw een sneeuwpop maken en je kunt sneeuwballen maken om elkaar te bekogelen.'

'Kun je er ook mee voetballen?'

Ze lachte. 'Nee, dat gaat niet. Ik zal je er wel eens een paar foto's van laten zien.'

'Valt de sneeuw ook in de beek?'

'De beek is dan helemaal bevroren zodat je erop kunt lopen.'

Okuk gooide zijn hoofd in de nek en lachte. 'Nou, dokter Farid, ik weet wel niet wat sneeuw is, maar u hoeft mij niet voor de gek te houden. Is dit een christelijk verhaal, net zoiets als Jezus Die over het water loopt?'

'Helemaal niet. Beide verhalen zijn waar.' Nu was het haar beurt om te lachen. 'Wacht maar tot ik je de foto's laat zien.'

Hij wierp haar een brede glimlach toe en schudde zijn hoofd. 'Gaat u maar wat slapen terwijl ik rijd. Ik wil nadenken over de sneeuw en over water dat hard genoeg wordt om erover te kunnen lopen.'

Ze sloot haar ogen en doezelde weg. Ze droomde over sleetje-rijden, sneeuwpoppen, warme worstjes en schaatsen... en een kostbaar jongetje dat op Paul leek. Drie keer werd ze wakker en vroeg ze

Okuk even te stoppen zodat ze kon gaan plassen. Ze hoopte dat hij haar probleem niet zou ontdekken. Ze kwamen goed vooruit en reden ook in het donker nog een stuk verder. Na een aantal uren zette Okuk de motor af voor de nacht. Ze ging achter in de auto liggen en Okuk strekte zich op de voorbank uit.

'Ik heb maar een paar uur slaap nodig,' zei hij. 'Ik rijd weer verder voordat het licht wordt.'

Larson werd wakker door het geluid van Okuks stem. Het begon al licht te worden. Ze dronken wat water uit de fles en reden weer verder, waarbij iedere kilometer op de vorige leek. Ze begon opnieuw te knikkebollen.

'Dokter Farid, we krijgen moeilijkheden.' Okuk pakte de verrekijker en keek naar iets voor hen. Hij stuurde met zijn linkerknie.

Ze was onmiddellijk wakker. 'Wat is er?'

'Die mannen daar voor ons zijn niet van de SPLA.' Hij gaf haar de verrekijker.

Ze herkende de Arabische militie onmiddellijk aan hun hoofdtooi en hun wapentuig. Janjaweed. Sommigen zeiden dat het woord 'de duivel te paard, gewapend met een automatisch geweer' betekende. Ze zag niet alleen paarden maar ook kamelen. 'Kunnen we via de radio hulp inroepen?'

'Dat heb ik al gedaan. Het dichtstbijzijnde bataljon is een uur hier vandaan.'

'Wat moeten we doen?' Ze haalde een keer diep adem om haar opkomende paniek te beheersen.

Hij ging langzamer rijden. 'Ze blokkeren de weg die we moeten nemen.'

'Wil je proberen ze te passeren?'

Okuk bevochtigde zijn lippen. 'Er zit niets anders op, ben ik bang. Maar hoe komen we langs hen heen. De truck is gepantserd, hè?'

Ze knikte. 'Er is een bom voor nodig om hem te vernietigen.'

In gedachten zag ze de truck met hen erin de lucht in vliegen en ze huiverde even. Dit zou voor de Hummer de vuurproef zijn en nu zou blijken of hij Okuk en haar kon beveiligen. Ze herinnerde zich hoe de Janjaweed met hun gevangenen omgingen. De vrouwen. Wat zouden ze met haar doen als ze zouden weten dat Paul Farid haar man was? En met Okuk? Ze zouden hen met genoegen martelen.

Ze zette haar angst van zich af. 'Wat kunnen we doen?'

'Kun je met een AUG 3 omgaan?'

De zwaargewapende Arabieren verspreidden zich over de weg voor hen en brachten hun geweren in aanslag.

'Ja. Ben en Paul hebben mij goed getraind. Wil je dat ik hen uitschakel?' Vreemd hoe zelfverzekerd ze klonk nu angst haar keel dichtkneep.

'Allemaal. Pak de munitie en de granaten die achter je stoel liggen. Weet je hoe je ze moet gebruiken?'

'Ja. En ik kan ook de raketwerper gebruiken.' Ze draaide zich op haar stoel om, trok de ritssluitingen van de tassen open en pakte het plakband en de granaten van de vloer.

Okuk gromde. 'Had ik maar twee armen. Ik zou je moeten beschermen.'

'We zullen elkaar beschermen.' Ze lachte en plakte met het plakband de magazijnen met in totaal zestig patronen aan elkaar.

'Wat is er zo grappig?' vroeg hij.

'Dat jij en ik de Janjaweed even buiten gevecht zullen stellen.'

'En dan nog leven om het na te vertellen?'

'Je bedoelt dat we er tegenover Ben en Paul over zullen opscheppen.'

Ze lachten beiden waardoor ze niet ging huilen. Ze had gehoord dat mensen in gevaarlijke situaties soms grapjes maakten en ze had niet begrepen hoe dat mogelijk was. Nu begreep ze het, hoewel ze maar al te goed wist dat dit geen situatie was om te lachen. Ze haalde een keer diep adem, staarde voor zich uit en bad om bescherming. Doden was verkeerd. Dat zei de Bijbel, maar in een oorlogsgebied had ze geen tijd om over moraliteit na te denken. Het zou niet de eerste keer zijn dat ze iemand zou doden die haar of iemand van wie ze hield wilde doden.

'Zodra we langs hen heen zijn, zullen we Ben bellen.' Okuk drukte het knopje in om de raampjes te laten zakken. 'Geef mij een paar van die granaten,' zei hij. 'Deze eenarmige soldaat kan heel wat schade aanrichten.'

Ze legde de granaten op de zitplaats tussen hen in. 'Wat gebruik ik eerst?'

'Het geweer. Een groter bereik. Gebruik dan de raketwerper. Die zal de weg vrij maken voor nog een paar geweersalvo's.'

Ze stak de loop van het aanvalsgeweer uit het raampje. 'Rijd met deze tank dwars door hen heen, Okuk. Ik ben er klaar voor.'

10

BEN bestuurde met zijn goede arm de jeep terwijl er een stekende pijn door zijn gewonde arm en rug trok. Zijn hele lichaam kwam in opstand tegen het gehos over de hobbelige weg alsof iedere vierkante centimeter van zijn lichaam geslagen werd. In een vuurgevecht zou hij waardeloos zijn. Voor zijn ziekenhuisopname was hij in staat geweest de vervelende pijn te negeren, maar de pijn was minder hevig geweest. Misschien had hij nu meer pijn omdat hij wist wat er op het spel stond.

'Blijf in Nairobi en laat je behandelen,' had de dokter gezegd. 'Dit is een soort kanker die zich snel verspreidt.'

'Hoeveel tijd zou ik daarmee winnen?'

'Een paar manden, misschien iets langer.'

'Is dat alles? Ik zou de behandelingen dus niet overleven. Dan doe ik in de tijd die mij nog rest liever gewoon mijn werk in plaats van hier te blijven om een chemokuur te ondergaan of mijn lichaam te laten wegbranden door straling. Dat is ook geen leven.'

De dokter sloot Bens dossier. 'Ten aanzien van het soort kanker dat u hebt, is veel vooruitgang geboekt. Ik heb met een aantal deskundigen contact opgenomen die mij zeggen dat de situatie niet hopeloos is. We verwachten iedere dag een doorbraak.'

'Dat zal wel ja. Wil je nu ook nog dat ik een soort proefkonijn word?'

'Ik wil u niet opgeven. U verdient een kans om verder te leven. Stel dat de kanker niet doorzet en dat u plotseling nog jaren in plaats van maanden te leven hebt.'

Mijn zoon. Zuid-Soedan. Ben zette de gedachten van zich af. 'Volgens mij wijzen de onderzoeksresultaten erop dat ik zo goed als dood ben. Nee, bedankt. Ik leef de rest van mijn leven wel op mijn eigen manier.'

Nu hij terugdacht aan het gesprek vroeg Ben zich af of hij toch niet een paar behandelingen had moeten nemen om na te gaan of de kanker zich dan minder snel zou verspreiden. De mogelijke bijverschijnselen van de behandeling hinderden hem minder dan de gedachte dat hij tijd zou verspillen – of dat iemand erachter zou komen hoe hij er medisch gezien voorstond.

Hij knarste zijn tanden en probeerde een karrenspoor te ontwijken dat groot genoeg was om hem in te kunnen begraven. Wie zou hij in zijn huidige conditie tot nut kunnen zijn? Zijn gezichtsvermogen ging achteruit. Pijnstillers. Of hij ze nu wel of niet innam, de kwaliteit van zijn leven werd er niet beter door.

Ben verstijfde. De realiteit van wat voor hem lag, schokte zijn gedachten en geest. Geloofde hij echt niet meer dat God bestond? Jaren geleden had hij geprobeerd om in Zijn wegen te wandelen, maar dat was in zijn idealistische jeugd geweest. Hij had gedacht dat de oorlog met het noorden gemakkelijk gewonnen kon worden – omdat het zuiden geleden had. Toen was hij gaan zien hoe zijn kameraden wegvielen en hun families en vrienden in rouw achterlieten. Weduwen en vaderloze kinderen beschouwden het niet als een eer dat ze gesneuveld waren. Pessimisme was in Ben als een infectie in een open wond gaan woekeren en hij had er zich nooit van hersteld.

Ben wierp een blik op sergeant Jok die in de passagiersstoel naast hem zat. 'Een van jullie moet het rijden maar overnemen. Ik heb last van mijn arm en door zelf te rijden wordt het alleen maar erger. Ik moet bovendien commandant Okuk bellen. Ik denk dat hij en Larson Farid vannacht zijn doorgereden en ik wil horen hoe ze het maken.' Het was niet veel meer dan een leugen, maar hij kon zich tenminste wat ontspannen. Het zweet brandde in zijn ogen en liep langs zijn gezicht.

Toen Ben van plaats verwisseld was met de soldaat achter in de jeep trok hij de antenne van zijn satelliettelefoon uit en toetste Okuks nummer in. Hij ging zeven keer over zonder dat hij opgenomen werd. Hij kon tenminste een bericht achterlaten. Hij probeerde Larsons telefoon maar ook zij nam niet op.

'Larson, bel mij terug. Ik wil weten hoe jullie het maken.' De combinatie van pijn en woede over haar stomme tocht naar Darfur met zijn commandant had hem zware hoofdpijn gegeven. 'Bel mij zo snel mogelijk terug. Ik heb geen tijd om mij zorgen over jou te gaan maken.'

In het daaropvolgende uur zag hij het troosteloze landschap langs zich heen trekken, waarbij iedere kilometer op de vorige leek. De mensen die ze zo af en toe passeerden, waren zo arm dat ze op levende doden leken. Hij probeerde Larsons telefoon opnieuw, zonder resultaat. Zijn woede zakte wat toen hij zich steeds meer zorgen ging maken. Hij staarde naar de telefoon en besloot toen een ander nummer te proberen.

'Paul, met Ben.'

'Waar zit je?'

'In een jeep met twee soldaten, op weg naar mijn mannen.'

'Ik dacht dat je een paar dagen in Warkou zou blijven waar Larson voor je zou kunnen zorgen.'

'Met mij is alles in orde. Ik moet mijn verantwoordelijkheden weer op mij nemen. Je hebt haar erg bang gemaakt.' Wie had er eigenlijk meer schuld aan deze situatie, Paul of Larson?

'Dan kan ik haar maar beter bellen.'

'Veel succes. Ze neemt de telefoon niet op.'

'Ze zal met Sarah waarschijnlijk de dorpelingen bezoeken.'

'Ze is niet in Warkou.'

'Waar is ze dan?' Pauls stem klonk wat hoger.

'Ergens tussen Warkou en Kibum.'

Paul slaakte een wanhopige zucht. 'Wil je mij vertellen dat ze hierheen op weg is? Is ze alleen?'

'Commandant Okuk is bij haar. Wat hebben jullie beiden?'

'Niets. Ik moest hier voedsel en voorraden afleveren en daarnaast had ik hier nog het een en ander te doen. Ik vond het te gevaarlijk voor haar om mee te gaan.'

'Gevaarlijk is dat Larson en Okuk naar dat kamp rijden. Bovendien is ze daar al vaker geweest. Dus waarom heb je haar deze keer niet meegenomen?'

'Dat is niet belangrijk. Wanneer is ze vertrokken?'

'Gisteren, laat in de morgen. Ik neem aan dat ze vannacht niet doorgereden zijn.'

'Ze zouden hier nu moeten zijn.'

'Ja, dat dacht ik ook. Ik zal radiocontact opnemen om na te gaan of ik wat te weten kan komen.'

'Bedankt. Bel mij zodra je iets gehoord hebt. Ik zal haar hierover eens goed onder handen nemen.'

Er klonk wanhoop in Pauls stem door. Goed. Zijn frustratie evenaarde die van Ben.

'Hebben jullie geen ruziegemaakt?'

'Ik weet niet waar je dat vandaan hebt. Ze voelde zich bovendien niet zo goed, ook een reden om haar deze keer niet mee te nemen.'

Geweldig. Larson is ziek en rijdt naar een door ziekte geteisterd vluchtelingenkamp. 'Ze zal wel weer op komen dagen.'

'Dat hoop ik. Ik maak mij zorgen, Ben. Dit is niets voor haar. En er dreigt hier cholera uit te breken. Zolang ze zich zo miserabel voelt wil ik niet dat ze hier komt.'

'Aangezien ze nu vlakbij Kibum moet zijn, heb je geen keus.'

'Ik zal proberen contact met haar op te nemen. Het is nu te laat voor haar om terug te gaan. Ik moet er niet aan denken dat ze daar ergens in de rimboe vast zijn komen te zitten.'

'Laat mij weten als je iets van haar hoort.' Ben beëindigde het gesprek.

Hij liet de telefoon op zijn schoot vallen en wreef over zijn gezicht. Larson was dan wel met een andere man getrouwd, maar hij gaf nog steeds om haar. Hij had nooit begrepen wat ze in Paul had gezien. Ben schudde zijn hoofd. Paul was een goede man; hij nam alleen te veel risico's voor een man die een prijs op zijn hoofd had staan. Commandant Jeremiah Kedini had een bataljon in Noord-Darfur. Ben boog zich naar voren en pakte de radio. Na een paar pogingen reageerde de commandant.

'Met kolonel Alier. Een commandant van mij en dr. Larson Kerr Farid zijn op weg naar Kibum. Ze nemen de telefoon niet op. Kun jij mij iets vertellen?'

'Ik heb een bericht van commandant Okuk ontvangen.' Kedini klonk buiten adem alsof hij rende. 'Hij heeft een groepje Janjaweed op paarden en kamelen gezien en heeft hulp nodig. We zijn er nu naar op weg, maar we zijn nog zo'n kwartier van hen vandaan. Ik hoor geweervuur.'

'Neem weer contact met mij op.'

'Ja meneer.'

Ben staarde naar de telefoon en overwoog wat hij Paul moest vertellen. Hij bracht zijn veldfles naar zijn lippen en nam een slok lauw water. Als Larson zijn vrouw was, zou hij het hele verhaal hebben willen horen. Maar dat was ze niet. Hij kreeg Paul weer aan de lijn.

'Ik heb contact opgenomen met een eenheid die een paar uur van je vandaan zit. Ze doorzoeken de omgeving en nemen weer contact met mij op.'

'Heeft hij iets gezegd over problemen?'

'Niet meer dan de gebruikelijke.'

'Wat bedoel je?'

'We zitten in een oorlogsgebied.'

'Sorry, Ben. Ik blijf proberen haar te telefoneren en ik kijk uit naar haar Hummer.'

'Het zal best goed met haar gaan. Misschien zijn ze moe geworden of zijn ze gestopt om een paar mensen te helpen. Ik houd je op de hoogte.' Als Larson iets zou overkomen, zou hij het zichzelf nooit vergeven.

Paul sloeg met zijn vuist in zijn hand. Ben had tegen hem gelogen. De spanning in zijn stem had dat duidelijk gemaakt. Larson was in gevaar en hij noch Ben konden haar helpen. Maar ze zat in de gepantserde Hummer en had bovendien de AUG 3. Paul en Ben hadden haar urenlang getraind om met het geweer om te gaan. Houd gewoon je vinger aan de trekker zodat hij blijft vuren. Ze had ook het laser richttoestel. In gedachten herhaalde hij al de geruststellende details van de Hummer en het geweer. Niettemin beefde hij.

Okuk was een goede soldaat maar wat kon hij met één arm uitrichten? Paul liep rusteloos de hele lengte van het kamp af en zijn hart was te bezwaard om meer dan een kort gebed op te zenden voor haar en Okuks veiligheid. Hij had haar de waarheid moeten vertellen.

Zijn oorspronkelijke reden om in Kibum te landen kwam hem plotseling als zelfzuchtig voor. Nizam was niet op komen dagen en de ontmoeting over drie dagen leek in alle opzichten een valstrik. Stom. Hij had gisteren al gedood kunnen worden. Paul verwachtte duidelijke richtlijnen van God voordat hij weer zou toestemmen in een ontmoeting met Nizam. Gisteren had Muti niets liever gedaan dan de trekker overhalen – bepaald niet het soort boodschapper dat iemand stuurt om zijn broer te verwelkomen.

Maar hij moest nu alleen maar aan Larson denken. Hij haalde zijn telefoon uit zijn zak en probeerde haar te bereiken. De telefoon werd niet opgenomen.

'Wil je misschien wat gezelschap?'

Paul glimlachte flauwtjes naar Chuck Butler, een gepensioneerde kinderarts uit Londen, die nu voor Artsen zonder Grenzen werkte. Met zijn kenmerkende vispet, zijn bril met het donkere montuur en zijn bewogenheid voor kinderen was hij een opmerkelijk figuur.

'Als ik je zo zie lopen lijkt het erop dat je een vriend kunt gebruiken,' zei Chuck.

'Wat ik nodig heb is een wonder.' Paul stak de telefoon weer in zijn zak.

'Bedoel je de verwachte cholera?'

'Dat bedoelde ik niet, hoewel ik mij wel ongerust maakte over de gevallen van diarree vandaag.'

'Ik denk wel dat we het onder controle kunnen krijgen. Het valt niet mee om deze mensen bij te brengen hoe belangrijk hygiëne is, maar we geven iedere dag onderricht over hoe ze deze ziekte kunnen voorkomen. De mensen sterven van dorst en ze drinken alles wat ze te pakken kunnen krijgen.'

'Wanhopige mensen gebruiken nu eenmaal wanhopige middelen.' Zijn gedachten waren bij Larson.

'We kunnen wat water drinken en er samen over praten.' Chuck duwde de bril op zijn zwetende neus omhoog.

'Ik denk niet dat ik goed gezelschap ben.'

'Probeer het eens.'

Paul glimlachte. 'Oké. Ik heb nu lang genoeg door het kamp gelopen. Laten we ergens een poosje gaan zitten.'

Ze liepen een met een zeildoek overspannen ruimte binnen waarin allerlei dozen rijst en poedermelk stonden opgestapeld. Ze gingen zitten en dronken wat water.

'Wat zijn je problemen?'

'Mijn vrouw is hierheen op weg met een eenarmige soldaat om haar te beschermen.' Hij wierp even een blik op Chuck. 'Commandant Okuk is een goede man. Ik had niet de bedoeling om hem te kleineren.'

'Ik hoor aan je stem dat je je ongerust maakt. Wanneer verwacht je haar?'

Paul draaide de dop weer op de fles en zette die bij zijn voeten op de grond. 'Volgens mij had ze hier al moeten zijn.'

'Waarom is ze niet met je meegevlogen?'

Paul fronste zijn voorhoofd. 'Ik wilde dat ze in Warkou zou achterblijven. Ik had hier het een en ander te doen en ze voelde zich niet zo lekker.' Hij schudde zijn hoofd. 'Wat ik hier moest doen was nogal gevaarlijk – gevaarlijker dan normaal. En ik wist dat ze veel te hard gewerkt had en dat ze nauwelijks rust genomen had.'

'Ze is je gevolgd, hè? Ik kan haar onderzoeken als ze hier is. Maar ze heeft waarschijnlijk doorgehad dat er iets mis was en heeft toen haar eigen beslissing genomen.'

'Ze houdt vol dat alles in orde is.'

'Wat zijn de verschijnselen? Dan weet ik waar ik het met haar over moet hebben als ze hier is en kan ik haar behandelen.'

Paul knikte. 'Ze heeft grote behoefte aan slaap.'

'Heeft ze koorts? Hoofdpijn? Diarree?'

'Nee. Ze is alleen maar moe. En ze eet nauwelijks en moet voortdurend braken.'

Chuck bevochtigde zijn lippen en keek uit de tentopening. 'Nog meer?'

'Ze is de laatste tijd erg emotioneel en mijn Larson is – was – de meest nuchtere persoon van de wereld.'

'Wanneer is ze voor het laatst ongesteld geweest?'

Paul schrok. Hij balde zijn vuisten een paar keer om de bloedstroom weer op gang te krijgen. 'Dat ehh... dat weet ik niet precies.' Hij dacht ingespannen na. Wanneer was dat geweest?

Chuck zwaaide zijn vinger voor zijn gezicht heen en weer. 'Het lijkt erop dat Larson zwanger is. Als ze hier is kun je maar beter eens met haar praten.'

'Voor of na dat ik haar de nek omgedraaid heb?'

'Bij voorkeur ervoor.' Chuck grinnikte. 'Jij bent toch christen?'

'Ja, ik bid de hele dag en nu weet ik niet meer wat ik zeggen moet.'

'Ik dacht dat jullie soort mensen een direct lijntje met God hadden.'

'Gebed is geen bestelling op afroep.' *Ik hoop vurig dat Hij verhoort.*

Chuck moest zich vergissen – hij raadde maar. Zijn vrouw mocht niet zwanger zijn. Hij en Larson hadden het er het uitvoerig over gehad dat kinderen onverenigbaar waren met hun missie.

Larsons hart bonsde in haar keel. Haar vingers trilden zo erg dat ze de trekker niet kon overhalen, maar toen de Janjaweed hun wapens optilden, reageerde ze niettemin zoals Paul en Ben haar hadden geïnstrueerd.

'Lanceer een paar granaten en schakel dan weer over op geweervuur.' Okuk moest meer vertrouwen in haar hebben dan ze zelf voelde.

Door het open raam wierp Okuk een granaat naar de rij mannen. Ze deed hetzelfde. De granaten floten en explodeerden. Mannen en lichaamsdelen vlogen door de met grijze rook gevulde lucht. Larson boog zich uit het raam, richtte en drukte de trekker in.

Okuk gaf gas en reed recht op de haveloze soldaten in terwijl de kogels van automatische geweren tegen de zijkanten van de Hummer sloegen. Kamelen schreeuwden en een ervan zakte op de weg voor de Hummer in elkaar.

'Uit de weg!' schreeuwde hij terwijl hij het voertuig er langs stuurde.

Larson realiseerde zich dat ze al dertig patronen verschoten had. Ze draaide de patroonhouder om en sloeg het andere eind in het geweer. Zweet stroomde langs haar gezicht. Voor de Hummer stonden verscheidene Janjaweed. Haat straalde van iedere spier van hun gezicht. De Hummer reed met grote snelheid op hen af. Hoeveel kon het voertuig hebben? Zeker geen directe inslag van een granaat.

Haar vinger lag gekromd om de trekker en maaide de ene man na de andere neer. Ze voelde een scherpe steek in haar schouder en gilde.

- II -

Paul tuurde vanonder een door stokken opgehouden stuk zeildoek naar drie kleine kinderen. Een van hen, een klein meisje, giechelde en sloeg haar hand voor haar mond. Paul kroop onder het tentzeil uit en keek gefascineerd naar de kinderen. Zijn zorgen over Larson namen even wat af.

'Ben ik zo grappig?' vroeg hij in het Arabisch.

Het meisje giechelde opnieuw en een ander kind begon nu ook te lachen. Paul stak een gele rubberen bal naar hen toe, die een van de hulpverleners hem had gegeven. Het meisje staarde met grote donkere ogen nieuwsgierig naar de bal. De fonkeling in haar ogen was nog niet uitgedoofd door de gevaren van haar etniciteit.

'Pak hem maar. Je mag hem hebben.' Paul hield haar het balletje voor.

Ze sloeg haar vingers om de bal heen en klemde hem behoedzaam vast. Ze bracht de bal naar haar mond.

'De bal is geen eten. Het is speelgoed.' Hij pakte de bal weer en gooide hem een paar keer in de lucht. Wat moest hij nog meer doen om het haar duidelijk te maken?

'Heb je hulp nodig?'

Paul keek op. 'Hallo, Chuck. Ik probeer iets te bedenken om deze kinderen duidelijk te maken wat ze met een bal moeten doen.'

'We kunnen het ze laten zien.'

Paul trok zijn wenkbrauwen op.

'Om je in dit desolate oord een beetje te ontspannen, kun je je maar het beste als een kind gedragen.' Chuck ging buiten de tent aan de kant van de weg zitten en spreidde zijn benen. 'Rol de bal maar naar mij toe.'

Een paar seconden later rolden ze de bal tussen hun uitgespreide benen heen en weer. Een paar vrouwen liepen langs hen heen en keken wat bevreemd naar hen. Paul vroeg zich af of ze misschien mee wilden doen, maar ze liepen door.

'Willen jullie het nu eens proberen?' vroeg Chuck aan de kinderen.

Het meisje ging er maar al te graag op in en Paul zette haar in dezelfde positie neer op de plaats waar hij had gezeten. Chuck rolde de bal naar haar toe en Paul hielp haar die weer terug te rollen. Paul bracht een ander meisje naar de plaats waar Chuck zat en zette haar met gespreide benen naast Chuck neer. Even later ging ook het jongetje zitten.

'Pedagogen zouden ons ongetwijfeld prijzen.' Chuck keek over zijn bril heen en het zweet liep langs zijn neus. 'Ze zullen er ongetwijfeld allerlei mooie termen voor hebben om kinderen zo ver te krijgen dat ze hun eigen zelfstandigheid opgeven en bereid zijn om met elkaar te delen. In Londen deed ik dat soort dingen ook, maar nu probeer ik alleen maar hun leven te redden.' Hij bukte zich om de bal op te rapen die een van de kinderen ontsnapt was. 'Er zijn hulpverleners die uren kunnen praten over de waarde van het observeren van Soedanese kinderen als onderdeel van het vredesproces.'

'Was het maar zo eenvoudig.'

Toen Chuck weer terugkeerde naar de medische tent bleef Paul met de kinderen spelen tot ze allemaal moe waren. Terwijl de schaduwen bij het verstrijken van de middag langer werden vervloog zijn hoop op Larsons aankomst in het kamp. Ze nam nog steeds de telefoon niet op.

Paul wilde er niet aan denken dat ze gewond was geraakt – of erger. Ze moest met commandant Okuk nu spoedig in de zwarte Hummer het kamp in komen rijden. Paul had kosten noch tijd gespaard om voor haar veiligheid te zorgen. Maar hij was God niet en de harde werkelijkheid was de enige garantie in zijn leven. Hij hield zijn adem in. Hoe snel verstikte zijn cynisme zijn geloof. Dat gebeurde de laatste tijd steeds vaker en hij kon er zich niet tegen verzetten. Larson. De vrouw van wie hij meer hield dan van het leven zelf. Hoe vaak had hij het niet als heel gewoon ervaren dat ze hem met al zijn gebreken aanvaardde terwijl hij haar op handen had moeten dragen? Ze vormden een vreemd stel – twee mensen met een totaal verschillende cultuur, samengebracht door een gemeenschappelijke toewijding aan de onderdrukte Soedanezen en door liefde die alleen God kon geven.

Hij herinnerde zich de eerste keer dat hij de beroemde dr. Larson Kerr had ontmoet. Hij had een lading voedsel en voorraden naar Warkou gevlogen, een dorp dat herhaaldelijk door de GOS was gebombardeerd. Hij had de angstige dorpelingen naar dr. Kerr gevraagd en had verwacht dat er een man uit een van de hutten tevoorschijn zou komen. Maar in plaats daarvan was er een mooie vrouw opgedoken – een prachtige vrouw met ogen die straalden van vitaliteit en bewogenheid.

Kort daarop was er een bataljon van de SPLA in het dorp gekomen en had hij kolonel Alier ontmoet, een krijgsheer die Paul en zijn Arabische achtergrond had veracht. Ben had een aanleiding gezocht om hem een kopje kleiner te maken. En dat had hij bijna gedaan toen een afdeling regeringssoldaten was geland, die het dorp aanviel en Larsons jonge assistente had ontvoerd, die Bens zus bleek te zijn. Ben, Paul en Larson hadden hun wantrouwen voor elkaar terzijde gelegd en hadden samen hun best gedaan om Rachel Alier te vinden. Tegen de tijd dat de jonge vrouw was opgespoord, waren Paul en Larson verliefd op elkaar geworden en had Ben een breekbaar respect voor de Arabische christen gekregen.

Paul ging zijn vrouw iedere dag een beetje meer koesteren. Vanavond ging zijn hart naar haar uit.

O, mijn habibi.

Chuck had ervoor gezorgd dat hij zich nog meer zorgen was gaan maken. Als Larson inderdaad zwanger was, moest ze het land verlaten. Zolang er hier oorlog en ziekten rondwaarden – en zijn familie hem wilde doden – was zij en de baby hier niet veilig.

Een kind... zijn kind. Hoewel hij had gedacht dat vaderschap geen deel van Gods plan voor hun leven was, fascineerde het idee hem dat een jongen of een meisje zijn en Larsons trekken zou delen. Bij de gedachte zijn dochter of zoon te zien opgroeien, trok er een warm gevoel door hem heen. Een kind was een gave van God, geen vergissing of een plaag, en hij nam zich voor om goed voor Zijn geschenk te zorgen.

Hij was er vrijwel zeker van dat, als de SPLA niet in de buurt van Warkou had gezeten, zijn familie het dorp allang was binnen gelopen om hem te liquideren. Paul was er maar al te vaak van uitgegaan dat de opstandige troepen Larson en het dorp beschermden. Maar zijn vertrouwen miste iedere logica. Zijn familie wist dat hij in Warkou zat. Waarom hadden ze het dorp dan niet gebombardeerd en vernietigd? Wat weerhield hen? Het vredesverdrag? Toen hij er eerder op de avond over na had gedacht wie zijn telefoonnummer had kunnen doorgeven, had hij...

Pauls overpeinzingen werden onderbroken door het gezoem van zijn telefoon. Op het scherm was Bens naam te zien.

'Paul, ik heb Okuk gesproken.'

'Is alles goed met hen?' Pauls stem sloeg over.

'Okuk is in orde. Met Larson komt het wel weer goed. Ze heeft een schot in haar schouder gekregen. Volgens Okuk is het bloeden opgehouden en ze zei dat de kogel het bot gemist heeft. Ze heeft hem gezegd hoe hij haar moest verbinden.'

'Ik moet haar spreken.'

'Dat begrijp ik. Laat mij weten hoe ze het maakt. Ik neem aan dat daar een dokter is om haar verder te behandelen.'

'Ja. Ik bel je later nog wel.'

Paul toetste Larsons nummer in terwijl hij God dankte dat ze nog leefde en bad dat ze gauw in het vluchtelingenkamp zouden aankomen.

'Hallo, Paul.'

'Habibi, heb je veel pijn?'

'Gaat wel. Je kent mij. Ik ben taai. Het spijt me echt dat het allemaal zo gegaan is. Ik was bang dat je in een slangenkuil zou terechtkomen met je broer en ik dacht dat ik je zou kunnen tegenhouden.'

Hij kromp ineen. 'Je hebt bijna gelijk. Maar nu ben jij degene die de rekening voor mijn dwaasheid moet betalen. Waar het nu om gaat is dat je zo snel mogelijk hierheen komt, zodat dokter Chuck je schouder kan verzorgen.'

'Okuk zegt dat we over een paar uur aan zullen komen.' Ze was even stil. 'Ik moet je iets vertellen als we er zijn.'

'Heeft de Hummer het opgegeven?' Hij probeerde een grapje te maken om niet in tranen uit te barsten.

'Helemaal niet. Dat juweel heeft ons leven gered.'

Paul hoorde een lach op de achtergrond. 'Wat is er zo grappig?'

'O, Okuk houdt een verhandeling over mijn deskundigheid met de AUG 3. Misschien hebben jouw en Bens instructies ook wel bijgedragen tot onze overleving.' Haar stem werd zachter.

'Habibi, we praten later nog wel. Probeer nu je krachten zo veel mogelijk te sparen. Ik houd van je. Als ik eerlijk tegenover je geweest was, zou dit allemaal niet gebeurd zijn.'

'Ik houd ook van jou. Heel erg veel. We hebben het er nog wel over.' Ze hijgde. Kennelijk had ze erge pijn. 'Wil je Okuk nog spreken?'

'Ja, alsjeblieft.' Paul wilde weten wat er gebeurd was.

'Ja,' zei Okuk.

'Heeft mijn vrouw veel bloed verloren?'

'Valt wel mee. Ze is erg moedig.'

'Kun je mij vertellen hoe je werd aangevallen? Rijden jullie eigenlijk of staan jullie momenteel stil?'

'Ik kan chauffeuren en praten met één arm.' Okuk grinnikte. 'Een bende van de Janjaweed stelde zich op de weg voor ons op en nam ons onder vuur. We schoten terug, gooiden een paar granaten naar hen en reden toen dwars door hen heen. Dokter Farid gebruikte dat geweer als een getraind soldaat, maar ze moest natuurlijk haar arm uit het raam steken en toen is ze in haar schouder geraakt. We zagen kans om weg te komen. Zo'n twintig minuten later kwam commandant Jeremiah Kedini aan, die de rest van de Janjaweed heeft uitgeschakeld. Uw vrouw heeft mij verteld hoe ik haar arm moest verbinden.'

Paul haalde gejaagd adem. 'Bedankt. Ik zal dit nooit vergeten. Ik ben je veel dank verschuldigd. Wees voorzichtig. Ik wacht hier op jullie.' Hij belde af en liet de telefoon in zijn zak glijden.

Ze konden niet snel genoeg aankomen. Ze zouden het later wel over hun geschillen hebben, waardoor ze beiden bijna gedood waren. Hij zou er later met Ben over praten wie van zijn vertrouwde vrienden zijn telefoonnummer had doorgegeven aan Nizam. En later zou hij luisteren naar wat Larson hem te vertellen had, hoewel hij dat waarschijnlijk al wist. Nu moest hij Chuck op gaan zoeken om hem te vertellen wat hem te wachten stond.

Hij haalde een keer diep adem en wilde niets liever dan zijn fouten belijden aan Degene Die vergeving kon schenken. Als hij gedaan had wat hij had moeten doen, zou dit allemaal niet gebeurd zijn. Morgen zou hij met zijn vrouw naar huis, naar Warkou vliegen of naar een ziekenhuis in Nairobi als dat nodig mocht zijn. Hij nam zich voor om van nu af aan een goede echtgenoot te zijn en niet een of andere idioot die achter mannen aan zat die hem wilden doden. Zijn werkzaamheden bestonden uit vliegen voor de FTW, het evangeliseren in de nabijgelegen dorpen en het helpen van zijn vrouw met haar medische praktijk. Als ze besloten om meer voor de mensen in Darfur te gaan doen, moesten ze dat wel veilig doen. God zou zeker niet willen dat hij het leven van zijn vrouw riskeerde ter wille van de verbreiding van het evangelie onder mensen die dat niets kon schelen.

❁

114

Ben belde Okuk. Hij kon geen rust nemen voordat hij wist dat Larson in Kibum onder de hoede van een dokter was.

'Ze slaapt en haar kleur is goed,' zei Okuk. 'Ik heb erop aangedrongen dat ze iets tegen de pijn zou nemen.'

'Goed.' Ben veegde het zweet – niet zozeer door de hitte als wel door zijn eigen pijn – van zijn gezicht. Hij werd voortdurend aan zijn ziekte herinnerd.

'Een van de laatste dingen die ze zei, was dat ze zich zorgen over u maakte – dat u een infectie aan uw arm zou kunnen oplopen. Ik denk ook dat ze bang is dat ze haar man boos heeft gemaakt omdat ze hem naar Darfur gevolgd is.'

Net iets voor haar. Larsons zorg om anderen was iets wat hij zo aantrekkelijk in haar vond. Maar ze was de vrouw van een andere man en hij was alleen maar een stervende man met illusies. Hij schudde zijn hoofd. 'Misschien dat ze er iets van leert. Ze kan geen mensen helpen als ze dood is.'

'Kolonel, ik zou haar nog liever eigenhandig hebben gedood dan haar in de handen van de Janjaweed hebben laten vallen.'

'Of ze nu wel of niet geweten hadden wie ze was, ze zouden haar ongetwijfeld zwaar hebben laten lijden voordat ze haar vermoord hadden.'

'Ik zou haar ter wille van u gedood hebben, niet ter wille van haar man,' fluisterde Okuk. 'Ik vertrouw geen enkele Arabier, zelfs geen Arabier die voedsel en voorraden naar ons volk brengt.'

Ben wilde Paul gaan verdedigen, maar Okuk zou hem toch niet begrepen hebben. Wat de commandant betrof waren alle Arabieren moordenaars. Ben zou het met hem eens geweest zijn als hij Paul Farid nooit had ontmoet, maar hij betwijfelde of Paul ooit iets zou kunnen doen om zijn loyaliteit aan Okuk te bewijzen. Misschien als hij zijn leven voor het zuiden zou geven, maar zelfs dat was te bezien.

Ben dacht aan zijn lot in de komende maanden. Paul en Okuk zouden elkaar nodig hebben. 'Paul heeft mijn leven meer dan eens gered en hij heeft zijn leven gewaagd met het zoeken naar mijn zus. Ik vertrouw hem en ik hoop dat je op zekere dag zult gaan inzien dat hij niet zo is als de anderen. Ze willen ook hem vermoorden. Dat willen ze nog liever dan ons aanvallen.'

'Meneer, heeft u zich wel eens afgevraagd waarom Warkou niet meer aangevallen wordt zoals vroeger het geval was?'

'We hebben troepen in dat gebied om ze daarvan af te houden. Bovendien weten we allebei dat het noorden het vredesverdrag getekend heeft, zodat ze zich beter kunnen concentreren op Darfur. Ik ben van Pauls loyaliteit overtuigd en ik adviseer ook jou om hem te vertrouwen. Maar waarom heb je er eigenlijk in toegestemd om zijn vrouw naar Kibum te brengen als je er zo over denkt?'

'Om erachter te komen wat hij werkelijk van plan is.'

'Ik heb je geleerd om niemand te vertrouwen dan alleen jezelf en om je officieren te gehoorzamen. Maar in dit geval met Paul Farid zit je ernaast.'

'Ja meneer.' Hij was even stil. 'Larson wordt weer wakker.'

'Houd mij op de hoogte.'

'Dat zal ik doen.'

Ben sloot zijn ogen. Het zou wel weer goed komen met Larson; dat moest hij geloven. Hij had in korte tijd nog zo veel te doen. Werkten die pijnstillers maar beter.

12

Dᴇ koplampen van de Hummer schenen als speldenprikjes in de verte en kwamen in de donkere nacht heel langzaam dichterbij. Aanvankelijk dacht Paul dat hij een luchtspiegeling zag, maar het geluid van het naderende voertuig was onmiskenbaar. Voordat hij zich naar zijn vrouw toe haastte, rende hij naar Chucks tent om hem te zeggen dat ze eraan kwamen.

Toen het voertuig dichterbij kwam, stond hij op de weg en wees naar de kliniek waar Chuck stond te wachten.

Hij had in zijn leven al heel wat bloed gezien maar nog nooit het bloed van zijn eigen vrouw. Toen Okuk het achterportier opendeed, voelde Paul zich misselijk worden. Dit had allemaal voorkomen kunnen worden als hij Larson de redenen had verteld waarom ze in Warkou moest achterblijven.

'Het valt wel mee,' mompelde Larson. 'Het komt allemaal wel weer goed. Het spijt me erg, Paul, dat ik zo veel problemen veroorzaakt heb.'

Hij nam haar in zijn armen, tilde haar behoedzaam uit de auto en was blij dat het inmiddels niet meer zo warm was. Zijn lippen raakten de hare even aan. 'Stil. Ik wil die onzin niet horen. Het is allemaal mijn schuld. Hier is Chuck en hij lapt je wel weer op.'

Ze legde haar hoofd tegen zijn borst en hij slikte de brok in zijn keel weg. Hij wist dat ze de laatste vierentwintig uur niet alleen lichamelijk maar ook emotioneel heel wat te verwerken had gehad.

Binnen in de tent zorgde een dieselgenerator voor licht zodat Chuck haar bloedige schouder kon behandelen.

'Paul zegt dat je je de laatste tijd niet zo goed voelde.' Chuck haalde het verband weg dat om de bovenkant van haar arm was gewikkeld.

'Niets belangrijks.'

'Laat mij dat zelf maar beoordelen. Hij zegt dat je erg moe was en dat je moest overgeven.'

Paul bestudeerde haar bleke gezicht. Ze keek naar hem op. *Ze is bang.* Had hij iets gedaan waardoor hij haar vertrouwen verloren had? Of had ze een ziekte opgelopen? 'Praat met hem, habibi.' Hij pakte haar andere hand en kuste die.

'Ik... ik weet wel wat er met mij aan de hand is.'

'Vertel het mij dan maar zodat ik weet wat mij te doen staat.' Chuck pakte een steriele naald voor een infuus.

'Ik ben zwanger.' Ze keek even naar haar gewonde schouder en toen naar Paul.

'Gefeliciteerd,' zei Chuck. 'Geen complicaties?'

'Nee.' Ze bleef Paul aankijken. 'Alleen dat ik 's morgens misselijk ben, maar dat is natuurlijk normaal.'

Paul glimlachte naar haar, een glimlach die hij meende. In tegenstelling tot wat hij altijd had verwacht bij het vooruitzicht vader te worden, voelde hij iets van trots en opwinding. Meteen daarop werd hij overvallen door een gevoel van vrees voor Larson en zijn kind om wat hij nu moest doen. Hij liet zijn ongerustheid echter niet merken. 'Waarom heb je het mij niet verteld? Dan hadden we het kunnen vieren.'

'Ik was bang dat je mij dan naar Nairobi of de States zou sturen. En het idee om jou en Soedan achter te laten kon ik niet verdragen.'

'Ik houd van je en ik ben erg blij met onze baby. Als je weer helemaal beter bent praten we hier wel verder over.'

'Ben je echt blij, Paul? Ben je niet boos op mij?' Ze probeerde te lachen.

Hij boog zich naar haar toe en kuste haar. 'Laat Chuck nu je arm behandelen.'

Een uur later toen Larson lag te slapen liep Paul met Okuk de nacht in. 'Ik kan je niet genoeg bedanken voor wat je voor Larson en mij gedaan hebt. Ik moet er niet aan denken wat er gebeurd zou kunnen zijn.'

'Ik ook niet,' zei Okuk. 'Als we die truck niet hadden gehad en zij niet zo goed had kunnen schieten, zouden we het niet overleefd hebben. En die soldaten hebben ons natuurlijk ook goed geholpen.'

Paul knikte. 'Dat ben ik met je eens.' Hij voelde plotseling het gewicht van het vaderschap weer. 'Ik word vader.'

Okuk lachte. 'Probeer je jezelf of mij te overtuigen?'

'Dat weet ik niet.' Hij lachte. 'Mijn familie probeert mij te doden en ik dacht dat ik daarom geen kinderen wilde, maar nu vind ik het toch fijn. Het kost wat tijd om aan het idee te wennen. Ik voel mij nogal stom dat ik het niet doorhad.'

'Geniet ervan. Ik herinner me...' Okuk zuchtte diep. 'Ik herinner me mijn eigen kinderen.'

'Zijn ze overleden?'

'Ja. Ongeveer vijf jaar geleden.'

Paul staarde de man aan. Het was donker maar Paul hoopte dat Okuk bewogenheid in zijn stem zou horen. 'Dat spijt me heel erg. Het verlies van al die onschuldige levens in deze oorlog vind ik vreselijk.'

'Bedankt.'

'Ik maak mij zorgen over het gevaar voor Larson. Maar met al die soldaten in de buurt is Warkou de laatste tijd tamelijk veilig. Ik moet geloven dat God haar zal bewaken en beschermen.'

Commandant Okuk kuchte.

'Ik sta voor altijd bij je in het krijt, commandant,' zei Paul. 'Als je niet zo moedig en voortvarend te werk was gegaan, moet ik er niet aan denken wat er gebeurd zou kunnen zijn. Aarzel niet om mij iets te vragen als je wat nodig hebt.' Hij stak zijn hand naar hem uit.

Okuk schudde hem de hand. 'Uw vrouw heeft velen van ons in leven gehouden. En u hebt voedsel en voorraden naar ons volk gebracht. Het was mij een eer.'

'Dankjewel. Ik denk dat we nu maar beter kunnen gaan slapen.' Paul geeuwde. 'Ik blijf bij Larson voor het geval ze iets nodig heeft.'

'Een van ons moet kolonel Alier bellen.'

'Dat zal ik doen.' *Hij moet van mij horen dat Larson zwanger is.* 'Ik bel hem nu meteen. Goede nacht, commandant.'

Paul liep terug naar de kliniek. Hij dacht dat hij Okuk iets hoorde mompelen maar was te moe om te vragen wat hij zei.

✳

Ben had sinds de terugkeer naar zijn bataljon slechts af en toe wat geslapen. Tussen de pijn en zijn bezorgdheid over Larson door scheen iedere zenuw geconcentreerd te zijn op het horen van zijn telefoon. Als ze aanvullende zorg nodig had, zou Paul haar ongetwijfeld naar Nairobi vliegen. Misschien zou hij dat hoe dan ook moeten doen.

Waarom belde Paul of Okuk niet? Ben dommelde weer in slaap... droomde van Larson... verachtte zichzelf omdat hij nog steeds van haar hield... en vreesde voor wat voor hem lag.

Hij werd opgeschrikt door zijn telefoon en pakte hem.

'Het komt wel weer goed met haar,' zei Paul. 'De dokter hier zegt dat de wond goed zal genezen.'

'Goed om dat te horen.' Ben durfde geen open kaart te spelen. 'Kun je haar niet beter naar het ziekenhuis in Nairobi brengen?'

'Morgenochtend bel ik het ziekenhuis op. De dokter hier denkt niet dat het nodig is, maar er kunnen natuurlijk complicaties optreden.'

'Een wat betere communicatie tussen jullie zou misschien ook geen kwaad kunnen.'

'Dat ben ik met je eens. Dat is vannacht begonnen toen ze mij iets vertelde. Ik word vader.'

Het nieuws gaf Ben een steek in zijn hart. 'En hoe voelt dat?'

'Erg goed. Ik kan de veranderingen die dat met zich mee zal brengen nog niet zo goed overzien en ik weet niet zo goed wat we nu moeten doen, maar ik voel mij gelukkig.'

'Gefeliciteerd.' Ben wilde nog meer zeggen maar wist niet zo goed wat.

'Bedankt. Je zult ongetwijfeld willen gaan slapen, dus ik bel je morgenochtend wel weer om je te vertellen hoe het met Larson gaat.'

Na het gesprek kon Ben niet meer slapen. Larson was zwanger van Pauls kind. Het nieuws bracht hem van zijn stuk. Hij zou blij voor hen moeten zijn, maar hij voelde zich ellendig. Hij moest zo snel mogelijk David opzoeken om een relatie met hem te krijgen die hij twaalf jaar geleden al begonnen zou moeten zijn. Als hij zijn leven dan niet met Larson kon delen, zou hij dat in ieder geval met zijn zoon kunnen doen.

Paul pakte Larsons hand en bracht die naar zijn lippen. De zon was al uren geleden opgegaan en Chuck had ervoor gezorgd dat ze door bleef slapen. Larson deed haar ogen open, die bodemloze, hemelsblauwe ogen.

'Als we weer thuis zijn zal ik het goed maken.' Hij veegde een lok haar uit haar gezicht. 'Geen geheimen meer tussen ons. Van nu af aan zijn we volkomen eerlijk en open tegenover elkaar.'

'Dat hoop ik. Ik heb in mijn leven al een paar littekens opgelopen, maar dit was een ware nachtmerrie. God zij dank is alles goed afgelopen.'

'Als je je vanmiddag beter voelt, gaan we naar huis. Denk je dat we naar Nairobi moeten vliegen?'

Ze schudde haar hoofd. 'Chuck zegt dat ik geen verdere behandeling nodig heb en ik kan er zelf voor zorgen geen infectie op te lopen.'

'Goed. Doe je ogen weer dicht en neem nog wat rust. O, Ben feliciteert je.'

Ze glimlachte. 'Ik vraag mij af hoe hij het nieuws op zal nemen.'

'Zoals de sterke man die hij is.' Paul kuste haar op het voorhoofd.

'Ga nu maar weer slapen.'

'Maar ik wil zo gauw mogelijk naar huis.'

'Voor we naar huis gaan, wil ik zeker weten dat je dat aankunt.' Hij kneep even in haar hand en legde die toen op haar buik. 'Wanneer gaat ze bewegen?'

'Ze?' Larson glimlachte. 'Ik denk dat het een hij is.'

'Nee, lieverd. Het zal een meisje zijn met blauwe ogen en... en...'

'O, ik zou uren naar je kunnen luisteren.' Hij zag zijn blik in die van haar weerspiegeld. 'Ik heb je vraag niet beantwoord. Je zoon zal vier of vijf maanden zijn voordat we hem kunnen voelen bewegen.'

Hij glimlachte. Ja, ze waren een koppig paar.

Ze sloot haar ogen. 'Ik ben erg gelukkig en erg moe.'

'Chuck heeft je een injectie gegeven om te kunnen slapen. Als je weer wakker wordt, zit ik hier naast je en praten we verder over onze reis naar huis.'

'Ik houd van je.'

Hij zag hoe ze zich ontspande en de lijnen om haar ogen verdwenen toen de medicijnen hun werk begonnen te doen. Als zijn leven vandaag zou eindigen, hoopte hij dat zijn laatste beeld op aarde dat van zijn geliefde vrouw zou zijn. Op de hele wereld was geen lievere, moediger en toegewijder vrouw te vinden. En ze was zijn vrouw.

Zijn telefoon zoemde en onderbrak zijn gedachten.

'Nizam is bereid om je nu te ontmoeten.'

Paul stond op en liep de tent uit. Hij herkende Mufti's stem. 'Hoe ben je aan mijn nummer gekomen? En ik ben van gedachten veranderd.'

'Wil je niet meer met je broer praten? Hij wil graag over vroeger praten en meer leren over het christendom.'

Hoe was het mogelijk dat hij die leugens eerder had geloofd? 'Waarom heeft Nizam mij zelf niet gebeld?'

'Hij is een drukbezet man.'

'Ik ook.'

'O ja. Het spijt me wat er met je vrouw gebeurd is. Ik heb gehoord dat ze het wel zal overleven.'

Paul beefde even toen de woede als een zandstorm door hem heen trok. Hij bad God zijn moordzuchtige gedachten weg te nemen. Had zijn broer iets te maken met de aanval van de Janjaweed op Larson en Okuk? 'Als Nizam mij echt als broer wil spreken, zou hij geen man met een geweer op mij af gestuurd hebben. Zeg hem maar dat hij zelf contact met mij op kan nemen.' Hij verbrak de verbinding en liet de telefoon in zijn broekzak glijden. Een paar keer diep zuchten hielp hem zijn woede te beheersen.

Zijn familie was niet van plan om hem met rust te laten. Hij had hen te schande gemaakt en ze hadden een prijs van $ 500.000 op zijn hoofd gezet. Dat was geen gering bedrag en met de armoede in Soedan zouden er heel wat mannen zijn die hem zouden willen doden. Hij hijgde. Als zijn familie hem zo goed in de gaten hield dat ze zelfs wisten dat Larson gewond was geraakt, zouden ze wel eens een aanval op Kibum kunnen overwegen. Hij moest haar binnen een uur uit Kibum zien te krijgen.

Paul durfde niemand te vertrouwen dan alleen zijn vrouw en Ben – en het meest van al God.

※

Ben reed in zijn truck naar het dorp Yar waar Daruka en David woonden. In het verleden had hij dat vermeden en er Okuk en Santiago heen gestuurd omdat hij vermoedde dat zijn verblijfplaats vanuit het dorp werd doorgegeven aan Khartoem. Tot nu toe was dat niet bevestigd maar zijn mannen hadden de dorpsbewoners van een afstand in de gaten gehouden. Ben vermoedde dat de mol driester zou worden als hij door kon gaan zonder de duidelijke bedreiging van de SPLA.

Zijn gebruikelijke zelfvertrouwen was hij kwijtgeraakt. Dat zou wel door de medicijnen komen. Hij herinnerde zich hoe hij in de voorbije jaren redenen had gezocht om het dorp te bezoeken, zoals hij dat ook eens ten aanzien van Warkou had gedaan. Nu vermeed hij beide dorpen. Vrouwen. Hij had zich alleen op de strijd moeten toeleggen en ze met rust moeten laten. Hoe ironisch dat hij een kind bij de ene vrouw had, maar van de andere hield. Maar waar het nu in zijn wegkwijnende leven om ging, was zijn zoon. Kinderen waren de zaden van hoop voor Soedan. Daaruit zou een generatie van sterke, moedige leiders groeien – mensen die weigerden te buigen voor de tirannie van de militante islam en alles wat die godsdienst met zich meebracht.

Ben moest inwendig grinniken. Zijn aanstaande dood had een gevoel van doelgerichtheid en zelfs edelmoedigheid in hem wakker gemaakt. Alle idealen die hij eens voor het leven van een soldaat terzijde had gelegd, stonden nu plotseling bovenaan zijn prioriteitenlijstje. Vandaag begon hij aan de meest belangrijke.

Hij richtte zijn aandacht op Okuk. Een van de kritische dingen waarmee Ben te maken had, was hoe Okuk over Paul dacht. Hij zou daar later aandacht aan besteden. 'Ik weet niet precies hoe lang ik hier zal blijven. Kun je hier bij de truck blijven wachten tot ik iets afgehandeld heb?'

'Ja meneer.' Dorpsbewoners verzamelden zich om de beide mannen heen.

'Blijf op je hoede, commandant. Let erop dat je je aandacht niet laat afleiden. Als ik terugkom, zal ik je vragen wat je gezien hebt.' Ben draaide zich ondanks de pijn in zijn rug snel om.

Sinds Ben wist dat hij kanker had, probeerde hij er alles aan te doen om de commandant om te vormen tot een leider in plaats van een soldaat die een ander het denkwerk liet doen. Okuk moest snel een goede leider worden. Misschien begreep de commandant dat de hem opgedragen waakzaamheid een onderdeel van zijn training was. Zo niet, dan zou hij daar weldra achter komen. De mol hield ongetwijfeld iedere beweging van Ben en Okuk in de gaten.

Ben liep langs de nieuwsgierige volwassenen en de hem aangapende kinderen heen naar de hut waar Daruka met haar ouders gewoond had. Ze was een mooi meisje geweest – hoge jukbeenderen, een gladde zwarte huid en een brede glimlach. Hij nam aan dat ze inmiddels getrouwd was en meer kinderen zou hebben. Maar als het om zijn zoon ging, liet hij zich niet door een jaloerse echtgenoot tegenhouden.

Alsof de stamtrommels Bens komst hadden aangekondigd, stapte Daruka's vader uit de hut. Diepe lijnen hadden het gezicht van de eens zo kwieke man ouder gemaakt. Ben verborg zijn verbazing; de man was niet veel ouder dan Ben.

'Kolonel Alier, dat is lang geleden.'

Ben knikte. *Hij kent mijn bevordering.* 'Ja, dat is zeker. Hoe hebt u het al die tijd gemaakt?' Vogels riepen elkaar toe alsof ze spotten met Bens poging tot beleefde conversatie.

'Altijd vol hoop voor de dag van morgen.'

Nog steeds een christen. 'Ja, meneer. En uw vrouw?'

'Ze is gestorven in het jaar van de zware regenval die ons van onze huizen verdreef.'

'Dat spijt mij. Ze was een goede vrouw.'

'Ik mis haar, maar ze is nu in een betere plaats. Wat kan ik voor u doen?'

'Ik wil Daruka graag spreken of haar man om zijn permissie te vragen.'

De man bestudeerde Bens gezicht een poosje voor hij antwoord gaf. 'Ze woont nog steeds bij mij zoals vroeger.'

'Is ze getrouwd?'

'Nee.'

Vreemd. Daruka was een zeldzame schoonheid. Misschien was ze weduwe. 'En haar zoon?'

De man nam Ben opnieuw enige tijd op. 'Waarom?'

'Het wordt tijd.'

'Ze is binnen.' Hij draaide zich om naar de opening van de hut. 'Daruka, kolonel Alier wil je spreken.'

Bens hart bonsde wild als dat van een nieuwe rekruut die voor zijn eerste vuurgevecht staat. Hij moest dit doen.

Daruka stapte in het zonlicht, haar hoofd fier opgeheven. Hij herinnerde zich het meisje dat in zijn aanwezigheid achteruit deinsde en dat hem alleen maar wilde behagen. Nu daagden haar grote donkere ogen hem uit met een zweem van woede... en nog iets anders. Zag hij iets van medelijden? Haar schoonheid benam hem bijna de adem. Hij kreeg bijna het gevoel alsof hij Larson ontrouw was.

'Hallo, Daruka.'

Ze sloeg haar armen over elkaar maar haar lippen beefden. *Goed. Zijn aanwezigheid had nog steeds uitwerking op haar.*

'Kolonel Alier. Wat wilt u met mij bespreken?'

'Ik zou je graag persoonlijk willen spreken.'

Ze bevochtigde haar lippen. Ze was bij het ouder worden nog mooier geworden. Er kwam een stroom van herinneringen in zijn gedachten, zo veel dat het hem moeite kostte ze van zich af te zetten. Was er een tijd geweest dat hij echt van haar had gehouden of had hij haar alleen maar gebruikt?

'Hoe is het met David?' vroeg hij.

'Waarom vraag je dat na al die jaren?'

Er rende een kind naar hem toe, kennelijk geïntrigeerd door zijn camouflage-uniform. 'Ga naar je moeder,' zei Ben en het kind haastte zich weg.

'Je hebt hem bang gemaakt,' zei ze.

'Dat was ook de bedoeling.'

'Wat voor vader zou je geweest zijn?'

'Doet dat er iets toe?'

'Dat zou het wel moeten zijn. David is twaalf en langer dan ik. Hij is een prima jongen – sterk en slim – allemaal zonder jou.' Ze keek opzij. 'Zijn opa en oom hebben jouw plaats ingenomen.' Haar antwoord was niet in overeenstemming met het toegeeflijke meisje dat hij eens had gekend.

'Ik heb gehoord dat je onze zoon goed opgevoed hebt.'

'Waarom ben je zelf niet komen kijken in plaats van dat aan anderen te vragen?'

Zijn maag brandde. 'Ik voerde een oorlog om jou en mijn zoon te beschermen.'

'Ik vraag mij af waarom je na al die tijd hier bent. Je gelooft kennelijk in het vredesverdrag en weet nu met je tijd geen raad.'

'Ik ben hier om mijn zoon te zien.'

'Hij denkt dat zijn vader dood is – een soldaat van de SPLA die de heldendood gestorven is.'

'Ik wil dat beeld graag veranderen.'

Daruka bleef midden op het pad staan en keek hem aan. 'Als je dat doet, zal hij weten dat ik tegen hem gelogen heb. Hij zal willen weten waarom en dan zal ik hem de waarheid vertellen.'

'Wat is jouw versie van de waarheid?'

'Je hebt ons in de steek gelaten. Ik accepteerde dat de enige gevoelens die je voor mij had begeerte was, maar om je eigen kind in de steek te laten is wreed. Ik vraag je het dorp te verlaten en nooit meer terug te komen. David heeft je niet nodig.'

'Ik wil mijn zoon zien.'

'Het antwoord is nee. Hij is beter af zonder jou.'

Ben keek Daruka dreigend aan. Hij had niet verwacht dat ze zich tegen hem zou verzetten. Ze zou misschien een zekere wrok tegen hem koesteren, maar geen openlijke vijandigheid. 'Alsjeblieft.'

Ze was verbijsterd. 'Nee maar! Kolonel Alier zegt alsjeblieft! Niet te geloven.'

'Ik heb mijn redenen.' Hij dacht erover haar aan te raken maar aarzelde.

'Probeer mij niet door je manipulaties tot andere gedachten te brengen. Mijn zoon is belangrijker voor mij dan het leven zelf. Als ik het goed zou vinden dat je hem zou ontmoeten, duurt het dan weer twaalf jaar voor je je gezicht weer laat zien?'

'Ik wil een actieve rol in zijn leven gaan spelen. Denk er alsjeblieft over na.' Hij had geen reden om haar te bedreigen. Maar hij had liever haar steun dan dat hij op eigen houtje de jongen onder de dorpsbewoners moest gaan zoeken.

'Dat zal ik niet doen.' Ze draaide zich om en hij greep haar arm.

'Ik heb het recht om mijn zoon te leren kennen.'

'Twaalf jaar geleden had je dat recht, maar nu niet meer.' Ze schudde zijn hand af. 'Ga met je mooie praatjes en je rechten op mijn zoon maar ergens anders heen.'

'Moeder.'

Ben draaide zich om en zag een lange jongen achter zich staan. Hij staarde in de ogen van de Ben Alier die hij eens was geweest. Hij keek hem gefascineerd aan.

'Moeder?'

'Alles is goed, David.'

Ben glimlachte naar Daruka. 'Dit is dus je zoon. Wil je mij aan deze knappe jongeman voorstellen?'

Ze aarzelde en likte langs haar lippen. 'Ben, dit is mijn zoon David.'

'Hoe oud ben je, jongen?' vroeg Ben.

'Twaalf.' Davids stem klonk nog steeds een beetje kinderlijk.

'David, dit is kolonel Ben Alier.' Ze fluisterde Bens naam alsof het noemen ervan de waarheid aan het licht zou kunnen brengen. Hij voelde haar haat als een hels inferno.

Ben en David schudden elkaar de hand – een ferme handdruk. Ben begreep waarom Daruka hem had gevraagd te vertrekken. Ben en David leken sprekend op elkaar, een feit dat moeilijk was te ontkennen.

'Ik ben een vriend van je moeder,' zei Ben.

'Ik heb mijn oom over u horen praten en over alles wat u hebt gedaan om de regeringssoldaten te bestrijden. Nu het eindelijk vrede is, zult u ongetwijfeld een aanwinst voor de nieuwe regering zijn.'

Ben glimlachte. Zijn zoon had intelligente ogen. 'Het is goed om gewaardeerd te worden.' Hij richtte zich tot Daruka. 'Bedankt voor je aanbod om voor mij en mijn commandant te koken. Ik zou graag met je zoon willen praten terwijl jij het eten klaarmaakt.'

Daruka keek hem dreigend aan. 'Kolonel Alier, u bent een drukbezet man. Ik weet zeker dat u het erg saai zult vinden om een poosje met een jongen te praten.'

'Helemaal niet. Ik houd van verandering. Per slot van rekening heeft de jeugd de toekomst.'

'Geniet dan nu maar van de tijd die je met David kunt doorbrengen. Dat zal niet lang duren.'

13

LARSON had nu meer last van de warmte dan ze zich kon herinneren. Twee keer per dag liep ze de primitieve douchecabine naast hun hut in om de hitte en het vuil van zich af te spoelen. Daar bracht haar enigszins gezwollen buik de realiteit van haar zwangerschap aan het licht. Paul zei dat ze nog geen buikje had, maar Larson zag het verschil. Ze moesten nu definitieve plannen voor de toekomst gaan maken, maar ze zag tegen het gesprek op. Niets wees erop dat hij het goed zou vinden dat ze in Warkou zou blijven.

Ze voelde zich opnieuw verontwaardigd worden. Ze was een volwassen vrouw met meer verantwoordelijkheden dan wie ook. Hij had het recht niet om haar te vertellen waar zij en de baby zouden moeten gaan wonen.

Ja, dat heeft hij wel. Hij houdt net zo veel van dit ongeboren kind als ik, en hij wil het beste voor ons beiden. Hoe was het mogelijk dat dit ene kleine baby'tje zo'n moeilijke situatie kon veroorzaken, zo'n verwarrende vermenging van vrees en blijdschap tegelijkertijd?

Als de oudere man, de jonge moeder achter hem, en wie er verder dan ook nog in de deuropening van de kliniek zou staan, haar aandacht niet gevraagd zouden hebben, zou ze toegegeven hebben aan de aandrang om een dutje te gaan doen.

Sinds ze van Kibum waren teruggekeerd, had Paul haar in de watten gelegd alsof ze ieder moment zou kunnen instorten. Dat ze haar onafhankelijkheid moest opofferen, of dat ze zich als een hulpeloze vrouw zou moeten gedragen, trok haar niet bijster aan. Het frustreerde haar en ze verfoeide haar situatie. En Paul moest haar nog steeds uitleggen wat er precies met zijn broer aan de hand was.

'Mama heeft wat rust nodig.' Paul keek op van zijn laptop waarop hij aan het werk was geweest.

Ze dwong zich tot een glimlach. 'Zal ik proberen een nestje te vinden waarin ik mij de komende zeven maanden schuil kan houden?'

'Om de een of andere reden kan ik mij niet voorstellen dat je zo lang stil zou kunnen blijven zitten.'

'Ik ook niet. Kloeken hebben de neiging om dik te worden.'

Hij stond op, liep naar haar toe en sloeg zijn armen om haar middel. 'Ik kan mij niet goed voorstellen hoe je eruit zult zien met een dikke buik.'

'Zoals ik al zei: dik. Dat doet mij aan een verhaal denken.'

Paul kreunde. 'Is het een mooi verhaal?'

'Zeker. Het gebeurde op de boerderij van mijn opa.'

'Daar spelen al je verhalen zich af.'

'Maar dit is een ander verhaal.' Ze boog zich naar hem toe, nestelde zich tegen hem aan en haar irritatie verdween. 'We hadden een witte kip die al dagenlang op haar eieren zat te broeden. Iedere keer als ik bij haar in de buurt kwam, probeerde ik mijn hand onder haar te steken om de eieren te tellen, maar ze pikte altijd naar mij. Ik kon haar benarde positie niet begrijpen. Op een dag hing ik rond bij het kippenhok om te zien wat ze deed en toen kwam ik erachter dat het nest leeg was. Ik zocht overal en dacht dat de hond haar en de eieren te pakken had gekregen. Toen ik in de voortuin van ons huis naar haar zocht, vond ik een bosje paardenbloemen. Nou ja, als ik de kip dan niet kon vinden, kon ik in ieder geval een bosje bloemen voor mijn oma plukken.'

'En dat deed je?'

'Nee. Die paardenbloemen waren de kuikentjes en die kip liep daar rond en liet ze gewoon spelen. Wat ik hiermee wil zeggen is dat mijn hormonen ervoor zorgen dat ik mij nu vervelend gedraag, maar dat ik weer helemaal normaal zal zijn als de baby er eenmaal is.'

Hij tilde haar kin op, keek in haar ogen en glimlachte. 'Krijgen we meer dan één kleine Farid?'

Ze huiverde. 'Ik hoop van niet. Ik weet nog niet eens wat ik met één baby moet beginnen.'

'Wil je er later over praten?'

'Misschien.' Er spoelde een golf van emoties door haar heen. Kon ze zich maar beter beheersen. 'Paul, ik wil niet uit Soedan vertrekken.'

Hij drukte haar steviger tegen zich aan. 'Dat weet ik, habibi. Maar wat is het beste voor onze baby?'

'Door twee ouders opgevoed worden.'

'Wil je dat we naar de Verenigde Staten vertrekken?'

'Dat zou ik niet kunnen. Bovendien, ik denk niet dat ik mij daar nog thuis zou voelen. Weet je nog dat we tijdens onze huwelijksreis mijn ouders daar bezochten? Ik voelde mij daar een kat in een vreemd pakhuis. Het was natuurlijk heerlijk om weer thuis te zijn, maar iedereen was zo...'

'Veilig?'

'Ja. Veilig en comfortabel.' Ze lachte. 'Niets avontuurlijks.'

Hij kuste haar voorhoofd. 'We willen toch veiligheid voor onze baby? Toch niet deze voortdurende dreiging van gevaar? Er kan dan wel een vredesverdrag getekend zijn, maar overal wordt nog gevochten. En denk ook eens aan de bedreigingen van mijn familie.'

Ze knikte en kneep haar ogen stijf dicht om te voorkomen dat de tranen over haar wangen zouden lopen. 'Ik veracht mijzelf.'

'En ik heb het gevoel dat ik je te veel bescherm.'

'Ik ben bang dat ik echt gemeen word door deze zwangerschap.'

Hij lachte. 'Dan stuur ik je weer terug naar Kibum. De strijd in Darfur zou door een enkele vrouw beëindigd kunnen worden. Dat zullen de moslims ongetwijfeld prachtig vinden.'

'Ik zou geschiedenis maken.'

'Maar ik heb veel liever dat je hier ergens ver vandaan een baby ter wereld brengt.'

'Paul, ik kan Warkou niet verlaten en ik wil er geen ruzie over maken.'

'Ik ook niet.' Hij kuste haar boven op haar hoofd.

'Ik zou zo de hele middag in je armen willen blijven zitten, maar ik heb een patiënt.'

'Dat weet ik, maar ik houd je nog een halve minuut vast, dr. Farid.'

'We hebben ten aanzien van de baby nog niets opgelost, tenzij je ermee akkoord gaat om hier in Warkou te blijven wonen en ons kind op te voeden te midden van het volk waarvan we houden. Ik bedoel, met het vredesverdrag en John Garang als vice-president, moet het hier toch een keer echt vrede worden. De kinderen krijgen dan weer onderwijs en de internationale gemeenschap zal ons te hulp komen.'

Hij trok haar tegen zich aan. 'Ik houd van je. We zullen ervoor blijven bidden en dan zien we wel waar God ons heen leidt.'

'Ik houd ook van jou.' Maar ze was bang dat hij nog steeds van mening was dat ze uit Soedan moest vertrekken. Ze legde haar hand op haar buik. Was het gebrek aan geloof als ze het dorp zou verlaten en God niet zou vertrouwen om haar baby veilig te bewaren? Ze wilde wel dat ze het antwoord op die vraag wist.

'Als je David niet vertelt dat ik zijn vader ben, doe ik het zelf.' Ben stond met Daruka aan de rand van het dorp onder een met sterren bezaaide hemel. In de verte jankte een hyena alsof hij spotte met Bens ultimatum.

'Je hebt mij nog geen antwoord gegeven op de vraag waarom dit belangrijk voor je is.'

'Ik betreur het dat ik geen deel van zijn leven ben.'

'Heb je je misschien gerealiseerd dat je oud wordt en dat je als een eenzame, oude man zou kunnen sterven?'

Haar vraag was gevaarlijk dicht bij de waarheid.

'Ik heb heel veel vrienden. Dit is een persoonlijke zaak die geen nadere verklaring behoeft dan die ik je heb gegeven. Waarom ben je niet getrouwd?'

'Ik ben nooit iemand tegengekomen die mij aanstond.' Ze bleef een meter van hem vandaan staan.

Hij lachte. 'Ik voel mij gevleid. Ik herinner mij dat een huwelijk belangrijk voor je was.' Hoewel hij haar in het donker nauwelijks kon zien, voelde hij haar bitterheid.

'Ik was een meisje dat de rol van moeder werd opgelegd. Het moederschap heeft mij tot een veel sterkere vrouw gevormd.'

Ben keek neer op de tengere vrouw. 'Je bent inderdaad in je voordeel veranderd. Ik heb een mogelijke oplossing.'

'De enige oplossing is dat je morgenochtend zo snel mogelijk vertrekt.'

'Trouw met me.'

Ze deinsde achteruit. 'Ben je gek geworden?' Haar stem schalde door de avondlucht en bracht alle natuurlijke geluiden tot zwijgen. 'Waarom zou ik mijn leven inruilen voor het leven van de vrouw van kolonel Ben Alier, die met iedere vrouw naar bed gaat waar zijn oog op valt? Hoeveel andere kinderen heb je nog? Laat mij je eraan herinneren dat je dertien jaar geleden mijn bed verliet toen ik nog lag te slapen. Je liet mij in de steek nadat ik je verteld had dat ik je kind droeg. Waarom zou ik er dan in toestemmen om David over zijn vader te vertellen? Waarom zou ik zelfs maar overwegen om met jou te trouwen?'

'Om Davids toekomst veilig te stellen. Als hij mijn naam draagt, zal hij geëerd worden en heel veel kansen krijgen.'

'Tenzij de noordelijke regering besluit hem tot een voorbeeld te stellen.'

'Daruka, ik kan jullie beiden onderhouden en als ik doodga, zal je niet slechter af zijn dan nu.'

'Nee, Ben, dat kan ik niet doen. Je bent een krijgsheer, geen echtgenoot of vader. Bovendien zou ik bang zijn voor aids.'

Hij had zich juist laten testen. 'Dat heb ik niet. Om precies te zijn,

ik heb mij laten testen voordat ik naar je toe kwam.'
Ze hijgde.
Ze gelooft mij. 'Ik zal je trouw zijn. Mijn woord erop.'
'Je woord?' Ze lachte bitter. 'Verwacht je dat ik geloof dat jouw woord voor een vrouw iets zegt?'
'Ben je dan bereid om mij alleen in naam te trouwen?'
'Zou je dan genoegen nemen met zo'n relatie?' Haar toon was nu wat zachter. Hij had in ieder geval haar hart geraakt.
'Ik wil een vader voor mijn zoon zijn. We kunnen hem samen over ons vertellen en ik beloof je dat ik je nooit zal aanraken als dat is wat je wilt.'
Ze bleef roerloos staan alsof ze verlamd was. Toen liep ze langzaam terug naar de hut.
'Daruka, wat is je antwoord?'
Ze draaide zich langzaam om en keek hem aan. 'Ik... ik moet erover nadenken en ervoor bidden.'
'Goed, maar ik moet heel gauw iets van je horen. Ik blijf in het dorp tot dit is opgelost.'
'We zullen praten als ik daartoe bereid ben.'

❀

Larson bestudeerde de jongeman die Sarah hielp de kliniek te desinfecteren en tegen de muskieten te spuiten. Santino Deng, Sarah's neef, had twee jaar onder Ben gediend. Santino was geen bloedverwant, maar Sarah beschouwde hem als familie en het was duidelijk dat hij erg op haar gesteld was. De jongeman wilde meer leren over de politiek van de regering – naar school gaan en zijn land helpen. Hij droomde ervan aan de universiteit van Nairobi te gaan studeren om dan misschien op zekere dag als politiek leider naar zijn land te kunnen terugkeren. Sarah had lang over Santino gepraat. Aangezien vrijwel haar hele familie gedood was, was hij een soort zoon voor haar.

'Hoe lang ben je van plan bij ons te blijven?' vroeg Larson aan Santino.

'Een paar maanden. Uw echtgenoot wees erop dat u een lijfwacht nodig heeft als hij niet aanwezig is.' Santino torende hoog boven zijn tante en Larson uit. Hoewel het in de Dinkacultuur niet gebruikelijk was dat een man vrouwenarbeid verrichtte, had hij in de paar dagen die hij hier nu hier in Warkou was kleren en kinderen gewassen.

'Oké.' Larson begreep dat haar man haar wilde beschermen. Misschien was hij tot de conclusie gekomen dat ze hier in het dorp kon blijven. 'We hebben de afgelopen tijd een paar nare dingen meegemaakt.'

'Het is mijn taak om ervoor te zorgen dat er geen vervelende dingen gebeuren.' Hij lachte, een diep keelgeluid dat haar aan een leeuw herinnerde. Als zo'n beest tenminste kon lachen.

'Er was een tijd dat ik altijd dicht bij Santino in de buurt was om hem te beschermen,' zei Sarah.

Santino schepte een handje sop op en plantte dat op de neus van zijn tante. 'Nu is het mijn beurt om u te beschermen.'

※

Paul verbrak het telefoongesprek. Dit was het tweede telefoontje van Nizams mensen sinds hij en Larson waren teruggekeerd van Darfur. Paul had opnieuw geweigerd Nizam te ontmoeten. Evenals de vorige keren was het nummer van de beller hem onbekend geweest. De man had zich bekendgemaakt als een vriend van zijn broer, maar niet als Muti. Volgens de beller wilde Nizam zijn broer graag spreken en wilde hij een ontmoeting voor hen regelen.

'Het heeft geen zin om met dit bedrog voort te gaan,' had Paul geantwoord. 'Ik ben geen dwaas. Verspil mijn tijd niet door mij nog eens te bellen.'

Paul dacht aan alle dingen die hij had willen zeggen. Niets wat zijn geloof waardig was. Hij pakte zijn Bijbel en liep naar de oever van de rivier. De administratie voor FTW kon wachten. Hij moest gereinigd worden van de boosaardige gedachten die door zijn hoofd gingen. Sinds er op Larson geschoten was, had de haat tegen degenen die eens zijn familie en vrienden waren geweest zich voortgewoekerd als een ongeneeslijke kwaal. Als hij zijn haat niet aan God zou overgeven, zou zijn relatie met Hem eronder lijden. Dat was al het geval.

Help mij, o God. Ik wil het allemaal aan U geven, maar het is zo moeilijk. Laat ik het in kleine gedeelten aan U geven.

Wat miste Paul Abraham, de oude man die hem tot Christus had geleid. Kort nadat Paul en Larson getrouwd waren, was hij gestorven. Toen Paul nog in Khartoem woonde, was Abrahams rechterhand afgehakt door de GOS omdat hij die in lofprijzing aan God had opgestoken. Toen dat de oude man er niet van weerhield God te prijzen, had de GOS hem opgesloten in een spookhuis. Paul herinnerde zich zijn eerste ontmoeting met Abraham – toen hij opdracht had gekregen om de ongelovige te doden. Abrahams ogen hadden een vrede en liefde uitgestraald die Paul tot in het diepst van zijn wezen hadden geraakt. De oude man was niet bang om te sterven en dat had hij ook gezegd, niet uitdagend maar met tederheid. Vrees voor Abrahams kracht en moed hadden Paul ervan weerhouden de man enig kwaad te doen. In plaats daarvan had hij de moed gehad de oude man te vragen waarom hij niet bang was om te sterven. Wat Abraham dan ook mocht bezitten, Paul wilde dat ook hebben.

Abrahams zoon, bisschop Malou, was een goede vriend van Paul en Larson geworden, maar hij zat in de buurt van Juba, waar hij episcopaalse pastors opleidde en hij zou nog een paar weken langer wegblijven. Het onderwijs van Abraham en bisschop Malou was een grote zegen geweest. Waar zou Paul nu zijn als hij de bevelen van zijn vader had opgevolgd en Abraham gedood zou hebben? De beslissing die hij in het spookhuis had genomen, had Pauls leven voorgoed veranderd. De zin van het leven was nu veel belangrijker dan de overdadige rijkdom van zijn familie. Zonder Bijbel of iemand anders om zijn talrijke vragen te beantwoorden, was hij door zijn vriendschap met Abraham dichter bij God gekomen. Paul begreep dat zijn familie en de regering niet zouden rusten tot hij dood was, maar zijn nieuwe geloof betekende veel meer voor hem. Hij had zijn kapitaal over laten maken naar een bank in New York, had Abraham geholpen een veilig onderkomen te zoeken, en was toen van Soedan naar de Verenigde Staten gevlucht. Toen hij daar was, had hij geleidelijk aan vrienden gemaakt en was actief in een kerk geworden. Nadat hij zijn naam van Abdullah in Paul had veranderd, was hij voor de FTW gaan werken. Zijn drang om Soedan te helpen was niet afgenomen.

Als hij lang genoeg zou leven wilde hij dit verhaal eens aan zijn zoon of dochter vertellen. Paul schudde zijn hoofd. Hij moest een eind maken aan zijn bittere gevoelens. Abraham had nooit de woede vertoond die hem nu dreigde te gaan beheersen.

Neem dit verval van mijn ziel weg.

Hij had de woorden in gedachten nog niet helemaal uitgesproken toen zijn telefoon zoemde. In aanmerking genomen dat slechts zes mensen op de hele wereld zijn nummer hadden – nu zeven omdat een van die mensen zijn nummer aan zijn familie had doorgegeven – verwachtte hij een vertrouwd nummer te zien. Maar dat was niet zo.

'Abdullah?'

'Nizam.'

Zijn broer grinnikte, het vertrouwde lachje dat Paul deed glimlachen, maar onmiddellijk daarop werden zijn herinneringen aan zijn geliefde broer onderdrukt door behoedzaamheid. 'Ik hoor dat je mij persoonlijk wilt spreken.'

'Ik hoor dat je mij dood wilt hebben.'

'Nee, broer. Dat willen de anderen. Ik niet. Wij stonden elkaar altijd zeer na en ik mis de goede, oude tijd die we samen eens hadden.'

'Waar is je loyaliteit aan Allah gebleven?'

'Daar wil ik het nu juist met jou over hebben.'

'Nizam, je zou door dit gesprek gedood kunnen worden.'

'Dat was dan ook de reden waarom ik een vertrouwde vriend liet bellen.'

Paul dacht terug aan zijn ontmoeting met Mufti, even buiten Kibum. Waarom had zijn broer hem toen niet willen ontmoeten?

'Je vertrouwde vriend doodde mij bijna. Ik denk dat je mij in de val wilt laten lopen.'

'Nee. Dat zweer ik.'

'Wat stel je dan voor?'

'Om elkaar te ontmoeten op een plaats waar niemand ons zal verdenken.'

'Ik kan je niet vertrouwen.'

'Wat moet ik doen om je te overtuigen, broer? Ik denk dat God wel eens aan de kant van de christenen zou kunnen staan, maar volgens de Koran is dat godslastering. Waar kan ik antwoorden op mijn vragen krijgen? Ik moet bewijzen hebben. Als ik gevaar loop om ter wille van dit geloof gedood te worden, moet ik begrijpen waarom.'

Paul wilde hem graag geloven. Bij de gedachte dat Nizam Jezus misschien zou leren kennen, begon zijn hart sneller te kloppen. Hoe kon hij hem dat weigeren?

'Ik stel voor dat je een Bijbel gaat lezen.'

'Ik heb er nog geen kunnen vinden.'

'Hoe kan ik dan geloven dat je het serieus meent?'

'Iets diep vanbinnen beweegt mij ertoe om antwoorden te vinden. Alsjeblieft, broer.'

Paul voelde een grote opwinding en tegelijkertijd besefte hij dat hij een dwaas was. 'Waar kunnen we elkaar ontmoeten?'

'Waar dan ook. Ik zal komen.'

'De Verenigde Staten?'

'Ja, natuurlijk. Ik kan naar Los Angeles komen of naar je huis in Malibu.'

Hoe wist Nizam dat hij een huis aan de kust had?

'Ik geef de voorkeur aan het hoofdkwartier van Feed the World in Los Angeles.' Hij zou daar veilig zijn.

'Goed. Zeer goed. Ik zal het opzoeken. Wanneer?'

'Ik moet dit met mijn vrouw bespreken.'

Het bleef stil aan de andere kant.

'Ik geloof in de gelijkwaardigheid van mannen en vrouwen,' zei Paul.

Opnieuw stilte.

'Ze kan natuurlijk meekomen,' zei Nizam ten slotte.

Paul hield zijn adem in. Dit gebeurde veel te snel. 'We zullen het bespreken. Op welk nummer kan ik je bereiken?'

'Ik bel je over vijf dagen. Het is hier niet veilig.'

'Wie heeft je mijn nummer gegeven?'

'Een betrouwbare vriend. Je hebt niets te vrezen. Ik moet nu gaan.'

Had Paul niets te vrezen? Was dit een hopeloze illusie? Of was het een geopende deur voor hem om Nizam over de ware God te vertellen? Hij staarde naar de Bijbel die hij in zijn hand geklemd had. Zijn duim drukte op het leren kaft.

God had ongetwijfeld de hand in dit telefoongesprek.

14

De hele morgen dacht Ben na over zijn plannen om Daruka te misleiden. De pijn die hij de vorige avond op haar gezicht had gezien, had zijn geweten wel beroerd maar hem niet van gedachten doen veranderen. Vandaag leek ze ieder moment in tranen te kunnen uitbarsten en ze vermeed hem en Okuk. De hele situatie frustreerde hem en hij stuurde Okuk erop uit om de dorpsbewoners te ondervragen om erachter te komen wie er met de GOS sympathiseerde. Ben had het gevoel dat hij door zijn manier van doen de mol het vuur na aan de schenen legde.

Gisteravond had Daruka de waarheid gesproken over Bens verwaarlozing van David, het feit dat hij haar in de steek had gelaten en zijn egoïstische trots. Maar Bens bloed stroomde door de aderen van David en hij had nog maar weinig tijd. Was hij, als Daruka erin toestemde met hem te trouwen, verplicht om haar te vertellen dat hij kanker had? Dat deed hij liever niet. Zijn afnemende gezondheid zou dat vanzelf wel aan het licht brengen.

Toen hij 's nachts niet kon slapen, had hij zich afgevraagd of hij ooit van haar gehouden had. Hij wilde zich minder schuldig voelen door in ieder geval iets van genegenheid voor haar te ontdekken. Maar hij had niet echt van haar gehouden; hij had haar gelukkig willen maken zodat ze bereid was zich aan hem te geven. Had hij de moed om haar dat te vertellen? Nee. Hij kon liegen; dat was gemakkelijk genoeg. Hij zou de leugen een paar maanden vol kunnen houden om zijn zoon te krijgen.

Nu Ben Daruka naar de rivier zag lopen, realiseerde hij zich dat hij antwoord van haar moest hebben. Hij kwam moeizaam uit zijn versleten stoel overeind. Als een lichtflits herinnerde de pijn in zijn rug hem aan zijn toekomst – of beter, zijn gebrek aan toekomst.

Hij moest er Daruka van overtuigen om met hem te trouwen. Hij moest haar iets geven wat ze wilde hebben. Als het nodig was om haar de maan te beloven om David te leren kennen, zou hij dat doen. De jongen verdiende het om een relatie met zijn vader te krijgen. Maar deed hij al die moeite voor David of voor zichzelf? Die vraag wilde hij niet beantwoorden.

Daruka stond met een aantal vrouwen bij de rivier te lachen en te praten tot ze Ben zag. Ze verstijfde alsof ze hem eraan wilde herinneren wat hij haar allemaal had aangedaan. Ze stonden waarschijnlijk over hem te praten.

'Daruka, kan ik je spreken?'

Ze liep naar hem toe. Haar gezicht vertoonde geen enkele emotie. Ze was buitengewoon mooi maar het leven had haar gezicht verhard. Dat was vooral door hem. Hij wierp een blik op de andere vrouwen achter haar die hem verachtelijk aanstaarden. Hij voelde woede in zich opkomen. Misschien moesten ze eraan herinnerd worden wat hij allemaal voor Zuid-Soedan had gedaan. Of misschien waren ze de waarheid over hem en Daruka te weten gekomen. Ze droeg een mand met bananen en papaja's op haar hoofd, waardoor ze fier rechtop liep. Ze liepen naast elkaar naar de schaduw van een grote boom. Hij wachtte.

'Ben, ik heb een antwoord voor je.'

'En dat is?'

'Ik wil dat David besluit of we moeten trouwen. Uiteindelijk is hij de reden dat je dit voorstelt. Je zult mij moeten bewijzen dat je geloofwaardig bent.'

'Dat is een redelijk verzoek.'

'Je mag mij niet aanraken. Als je een man-vrouwverhouding wilt, zul je van gedachten moeten veranderen.'

'Ik ben het in alles met wat je zegt eens. Zullen we het David samen vragen?' Hij had er alle vertrouwen in. Iedere jongen wilde een vader.

'Hij is bij zijn onderwijzeres.'

'Goed. Onderwijs is de sleutel tot Soedans toekomst. Hoe lang blijft hij bij haar?'

'Tot de zon recht boven ons hoofd staat. Je moet goed begrijpen dat ik mij bij Davids beslissing zal neerleggen. En daar houd ik ook jou aan.'

Ben knikte; hij had al gewonnen. 'Mag ik je gezelschap houden tot hij terugkomt?'

'Als je dat graag wilt. Ik moet nu voor mijn vader gaan zorgen. Hij is oud en ziek en het is mijn plicht ervoor te zorgen dat hij eet en rust neemt.'

'Ik herinner mij dat je ook voor je grootmoeder gezorgd hebt.'

'Dat deed ik tot ze stierf.'

'Vertel mij eens iets meer over die onderwijzeres van David. Wat leert ze hem?'

'Ze heet Rosemary en ze leert David Arabisch, Engels, Swahili, wiskunde, geografie en de Bijbel. Ze geeft ook onderwijs aan de vrouwen. Ik leer Engels te spreken en te schrijven. Ze leert hen ook hoe ze niet ziek kunnen worden van water.'

'Hoe heet je?' vroeg hij haar in het Engels.

'Daruka.'

'Hoe oud ben je?'

'Jonger dan jij.'

Ze lachten beiden.

'Wil je met mij trouwen?' vroeg Ben in het Engels.

'Niet eerlijke vraag. Daruka niet voor de gek houden.'

'Je bent te slim voor mij.' Deze keer sprak hij in het Dinka.

Ze haalde haar schouders op. 'Ik ben niet zo heel erg slim, zeker niet ten aanzien van jou.'

Haar gevoelens klonken in haar woorden door en hij betwijfelde of ze dat bewust deed. Heel even betreurde hij wat hij deed.

Toen David uit school kwam, gingen ze met hun drieën op de aangestampte grond in de hut zitten en aten ze bananen en papaja's. Zodra David was teruggekeerd, had haar vader de hut verlaten.

Daruka had hem gezegd dat ze een gesprek met haar zoon wilde hebben.

Ze wierp een vluchtige blik op Ben en richtte zich toen tot de jongen. 'David, ik moet je iets vertellen.' Ze overhandigde hem een versgebakken maïsbrood. 'Dit is niet makkelijk voor mij omdat ik weet dat het niet makkelijk voor jou zal zijn.'

De jongen hield zijn hoofd een beetje schuin zoals ook Ben altijd deed. Hij kon geen moment ontkennen dat David zijn zoon was. 'Als ik klaar ben zal je een beslissing moeten nemen.'

David vernauwde zijn ogen zoals Daruka. 'Vertel het mij alsjeblieft. Ik zie dat je van streek bent.' Hij knikte naar Ben. 'Moet je dit vertellen waar kolonel Alier bij is?'

'Ja. Dat moet.' Ze haalde een keer diep adem en Ben legde zijn hand op haar schouder. Ze trok zich terug alsof ze gestoken werd. 'David, ik heb je verteld dat je vader, toen hij bij de SPLA vocht, gesneuveld is. Ik... ik heb tegen je gelogen.'

Hij ging rechtop zitten. 'Waarom hebt u dat gedaan?'

'Zie je, je vader was niet in staat om voor ons te zorgen. Niet omdat hij dat niet wilde, maar omdat hij zich erop toegelegd had ons voor de regeringssoldaten te beschermen.'

'Dus mijn vader leeft nog?'

'Ja.' Ze aarzelde. 'Kolonel Alier is je vader.'

Er viel een stilte die zo krachtig was dat hij in Bens oren leek te klinken. Hij keek gespannen naar Davids gezicht om zijn reactie te zien. De jongen nam hem met een onbewogen gezicht op.

De jongen ging plotseling staan. 'Mijn hele leven heb ik over mijn vader gedroomd. Ik dacht dat hij misschien niet gedood was. Dat hij misschien gevangengenomen was en dat hij op zekere dag weer naar ons terug zou keren. Ik was een dwaas. Mijn moeder werkte hard om voor mij te zorgen. Ze vertelde mij verhalen over mijn vader – mijn dappere vader, die zo veel van mij hield dat hij nog liever wilde sterven dan dat hij zou zien dat ik gedwongen werd om moslim te worden of als slaaf verkocht zou worden. Maar u koos ervoor om mij en mijn moeder niet op te zoeken. Daar haat ik u om.'

David liep de opening van de hut uit het heldere zonlicht in.

Paul verlangde hevig naar het advies van zijn vriend Tom die in Los Angeles leiding gaf aan de FTW. Tom was de enige man die zijn relatie met God begreep en hoe hij in het leven stond. Toen Paul de eerste keer in Los Angeles was aangekomen en naar de kerk was gegaan, had Tom hem schandelijk behandeld door hem te vragen of hij uit de kerk wilde vertrekken. Tom werkte bij een grote firma als jurist en meende dat hij het christendom in praktijk bracht zoals God dat van hem vroeg. Maar hij verachtte Arabieren en moslims. Op een zondagmorgen vroeg de dominee Paul zijn getuigenis te geven en de gemeente te vertellen waarom hij zijn naam Abdullah veranderd had in Paul. Toen Paul zijn verhaal had gedaan, was Tom door het middenpad naar hem toe gekomen, had zijn verontschuldiging aangeboden en hem omhelsd als een broeder. Spoedig daarop was Tom directeur van FTW geworden. Sinds die tijd waren beide mannen goede vrienden geworden.

Paul wist niet helemaal zeker wat hij ten aanzien van zijn vrouw en hun ongeboren kind moest doen en nu zat hij ook nog met het verzoek van Nizam.

Hij liep de kliniek in waar Larson de temperatuur en de bloeddruk opnam van twee zieke patiënten die uit een afgelegen dorp ten zuiden van Warkou naar haar toe waren gekomen. Uit het bloedonderzoek was gebleken dat ze beiden gele koorts hadden. Ze had de zieken afgezonderd van de andere patiënten omdat ze bang was voor een verdere uitbraak van de gevreesde ziekte. Pauls aanwezigheid scheen haar te irriteren.

'Ik ben van plan Tom te bellen.'

'Het verbaast mij dat je dat al niet gedaan hebt.' Ze fronste haar voorhoofd maar keek niet naar hem op.

'O, ik heb hem al over de baby verteld. Dat weet je toch? Hij denkt ook dat het een meisje is. Maar ik ben in de war en ik weet niet wat ik met een heleboel dingen aan moet.'

Ze noteerde de bloeddrukmetingen. 'Ik kan heus wel voor de baby zorgen. Dat heb ik laten zien toen ik op weg was naar Kibum.'

'Er werd op je geschoten, Larson, en je werd bijna gedood.' Hij keek naar haar arm die in een mitella hing.

'Ik kan heus wel voor mijzelf zorgen.'

'Ik heb gezien hoe je je er in allerlei situaties doorheen slaat...'

'Nou, waar zit je dan mee?'

Hij zag de tweestrijd in haar ogen. 'Je veiligheid is belangrijker dan wat je hier doet.'

Ze legde haar aantekenboekje met de gegevens van de patiënten met een klap op tafel. 'Mijn werk is voor een heleboel patiënten hier van levensbelang. Ik weet wel dat jij het niet zo belangrijk vindt wat een vrouw doet...' Ze wierp een blik op de twee patiënten in de andere kamer.

Ze verstonden gelukkig geen Engels.

'Waar heb je het over?' Paul kwam wat dichterbij. Ze zou misschien wat kalmeren als hij haar aanraakte.

'Moet ik het soms voor je uitspellen?'

'Ga je gang.'

'Je bent opgevoed met het idee dat vrouwen tweederangsburgers zijn. Door je cultuur zit dat er gewoon ingebakken. En nu ik zwanger ben, is mijn waarde gedegradeerd tot die van een slavin. Je kunt dan wel denken dat ik je bezit ben en dat je mijn toekomst kunt bepalen, maar dat zal niet gebeuren, meneer Farid.'

'Daar hoef ik niet eens antwoord op te geven.'

Ze keek hem woedend aan. 'Je kunt dan wel denken dat mijn werk hier niet belangrijk is...'

'Waar heb je het over? Nu maak je mij echt kwaad. Ik zou niet weten wat ik nog meer kan doen. Ik zeg je dat ik van je houd. Ik doe er alles aan om je dat te laten zien. Ik zeg je dat ik uitkijk naar de baby. Ik zeg je hoezeer ik je bekwaamheid als dokter respecteer en waardeer, en jij beschuldigt mij ervan dat ik je als een slavin behandel.' Hij pakte zijn telefoon. 'Nou, veel plezier in je eenzaamheid.'

Hij moest een paar kilometer gelopen hebben voordat zijn woede wat zakte. Gedroegen alle zwangere vrouwen zich zo onzinnig? Als dat zo was, moesten ze nooit meer een kind krijgen. Waar haalde ze al die beschuldigingen vandaan? Hij was een christen, was Amerikaan geworden, had zich de westerse cultuur eigen gemaakt en was ongetwijfeld beschaafd.

Een halve kilometer later toetste hij Toms nummer in.

'En, hoe gaat het met de aanstaande moeder?'

'Dat kun je maar beter niet vragen.'

Tom grinnikte. 'Zo, zo, hebben de hormonen toegeslagen en is Larson nu veranderd in de boze heks van het westen?'

'Wat zeg je?'

'Laat maar zitten. Dat zou te lang duren om het uit te leggen.'

Paul vertelde hem de situatie met Larson en de baby en legde hem toen het probleem met Nizam voor.

'En nu wil je dat ik je zal vertellen wat je moet doen? Ik kan voor je bidden, maar ik ben bang dat ik je geen advies kan geven.' Tom was even stil. 'Echt, ik begrijp natuurlijk je zorg om Larson. Als ze mijn vrouw was, zou ik haar al veel eerder uit Soedan weggebracht hebben. Maar ja, ze ziet haar werk als een roeping, net zoals jij en ik ons werk voor FTW zien. Het is geen gemakkelijke roeping.'

'Een redelijk gesprek hierover met haar is niet mogelijk. Ze verandert meteen in die vrouw die ik niet ken.'

'Volgens mij maakt ze zich net zo veel zorgen over het gevaar als jij.'

'Ja, maar ze is te koppig om erover te praten.'

'Wat koppigheid betreft geven jullie elkaar niets toe. Paul, je moet gewoon van haar houden. Dat is het enige wat je momenteel kunt doen.'

'Dat zal ik doen maar ik tel de dagen af dat de baby geboren zal worden.'

'Ik zou niet moeten lachen, maar het is wel grappig.'

'Bedankt voor je meeleven. En dan heb ik dat andere probleem nog, met Nizam.'

'Denk je dat hij het meent? Ik bedoel, een ontmoeting regelen met een man die gezworen heeft je te doden, is een hachelijke onderneming.'

Paul schudde zijn hoofd en kneep zijn ogen een beetje dicht tegen de ondergaande zon. 'Toen hij zei dat hij mij waar dan ook wilde ontmoeten, stelde ik de Verenigde Staten voor om zijn reactie te horen. Hij overweegt echt om van geloof te veranderen of hij heeft er alles voor over om mij te doden.'

'Wat zegt je hart?'

'Hem te vertrouwen. We zijn altijd heel goed met elkaar geweest.'

'En wat zegt je verstand?'

'Dat het een valstrik is en dat Larson wel eens weduwe zou kunnen worden die alleen een kind op moet voeden.'

'Paul, wat zegt God je?'

'Ik heb echt geen idee, maar ik kan niet weglopen van mijn broer.'

'Ik wil graag met hem praten. Er zijn natuurlijk heel veel christenen in de wereld die hem graag advies willen geven.'

'Ik denk dat hij alleen maar met mij wil praten. Maar ik kan je alle nummers geven die hij heeft gebruikt om contact met mij op te nemen.'

Tegen de tijd dat Paul naar hun hut was teruggekeerd, had de regen hem doorweekt. Hij trok droge kleren aan – gefrustreerd door de regen, Larson, Nizam, het leven. Hij was er nog niet aan toe om met Larson te praten en als hij weer terug zou gaan naar de kliniek zou dat waarschijnlijk opnieuw een confrontatie tot gevolg hebben. Ze was wat te ver gegaan.

Er kwamen allerlei lelijke opmerkingen bij hem op die hij tegen haar had kunnen zeggen. Dat was altijd het geval bij hem. Hij wierp een blik op haar Bijbel en hoewel hij die wilde openslaan, weerhield zijn boosheid hem daarvan. Hij zou zijn administratie af kunnen maken en die dan naar FTW e-mailen, maar dan moest hij wel zijn laptop uit de kliniek gaan halen.

Hij stond in de deuropening en luisterde naar de regen die op het rieten dak sloeg en op de grond stroomde. Hij begon zich steeds meer te ergeren. Hij wilde niets liever dan een beter huis voor hen bouwen, maar Larson was van mening dat ze zo veel mogelijk net als de andere dorpsbewoners moesten wonen. Hij haatte de dichtgeweven muskietennetten die hem leken te verstikken, en de slangen die kans zagen de hut binnen te kruipen. Hij wilde een onderkomen met waterleiding, airco en elektriciteit. Hij wilde ramen met ruiten zodat hij niet hoefde te luisteren naar het gefladder van vleermuizen die zich 's nachts voor de openingen van de hut verzamelden, of het geblaf van hyena's of het gebrul van leeuwen. Hij was het zat om steeds maar weer op jacht te gaan naar muskieten of al die andere insecten die allerlei ziekten overdroegen. Kortom, hij wilde gewoon de voordelen van de beschaving. Maar dat was in het hartje van Zuid-Soedan onmogelijk.

Hoe kon hij zo veel van een vrouw houden en tegelijkertijd zo boos op haar zijn? Ze had alle gevoelens die hij voor haar koesterde genomen en die in zijn gezicht gesmeten met beweringen die kant noch wal raakten. Hij had geduldig naar haar geluisterd toen ze hem duidelijk had willen maken waarom ze in Warkou moest blijven. Waarom wilde ze niet proberen om ook rekening te houden met zijn gevoelens?

De opmerking die ze over zijn cultuur had gemaakt, ergerde hem nog het meest. Ze wist hoezeer hij de islamitische praktijk ten aanzien van vrouwen verachtte, hoezeer hij zijn best deed om het christendom te brengen aan degenen die gebukt gingen onder die opvattingen.

Hij moest die ruzie van zich af zetten. Het diende nergens toe om er nog langer aan te denken en maakte de breuk alleen maar groter. Hij kon maar het beste in de hut blijven en wachten tot ze klaar was met haar werk voor die dag. Hij zou iets voor haar koken waar ze van hield. De laatste tijd was ze gek op macaroni met kaas. Hij hield er wel niet van, maar zij kon er bergen van op. Misschien zou ze door een volle maag in een beter humeur komen.

Larson verschikte de mitella aan haar rechterschouder en telde het aantal patiënten dat nog op haar stond te wachten. Mannen, vrouwen en kinderen hadden haar zorg nodig en aan het eind van de rij zat een jonge vrouw op de grond die ze nog nooit eerder had gezien. Ze leek niet ouder dan een jaar of dertien, veertien en ze leek zwanger te zijn.

Paul moest daar ergens buiten zijn. Ze was woedend op hem geweest, maar ze wist niet meer precies waarom. Als al die mensen haar aandacht niet hadden opgeëist, zou ze hem gaan zoeken en hem vergeving vragen voor al de nare dingen die ze tegen hem had gezegd. Wat had ze eigenlijk gedacht? Haar hormonen kwamen hun huwelijk niet ten goede.

Ze spitste haar oren of ze misschien de Hummer zou horen, alsof Paul misschien zou wegrijden. Dat zou hij natuurlijk niet doen. Maar als hij het wel deed, zou ze het hem niet kwalijk kunnen nemen.

Het zweet droop van haar voorhoofd. Die verdraaide zwangerschap. Haar lichaam was niet meer van haarzelf; evenmin als haar gedachten. Ze wilde deze baby toch? Wat voor monster verzette zich nu tegen het voorrecht om nieuw leven voort te brengen? Maar deze baby verstoorde haar levenswerk onder de mensen van Soedan. God had haar de gave van genezing gegeven. Waarom deze verandering dan? Haar leven en dat van Paul hadden een doel; ze brachten offers en hun leven was voortdurend in gevaar. Hadden ze God teleurgesteld? Kon ze maar begrijpen waarom Hij dit allemaal deed.

Ze verwijderde de hechtingen uit het been van een man en zei hem dat hij uit de rivier moest blijven zo lang de wond niet helemaal genezen was. Een vrouw had bij het koken haar hand verbrand. In een echt ziekenhuis had Larson huidtransplantatie geadviseerd. Een jongetje dat blind geboren was, huilde voortdurend om een opgezette maag. Zijn opgezwollen lever maakte Larson duidelijk dat hij er slecht aan toe was. Kon ze maar meer proeven doen hier in de kliniek. De ene patiënt na de andere kreeg de beste zorg die Larson kon geven. Ten slotte was ze alleen met het zwangere meisje.

'Wat kan ik voor je doen?' vroeg ze, eerst in het Dinka en toen in het Arabisch.

Het gezicht van het meisje verstrakte.

'Heb je pijn?' Larson boog zich over het meisje heen dat nog steeds op de grond zat.

'De baby komt,' zei het meisje in het Arabisch.

Net die ene dag dat Santino met Sarah was meegegaan naar een ander dorp om een vriend op te gaan zoeken. Larson had hen nodig. En Paul – nou ja, die had ze weggejaagd.

O God, is dit mijn straf omdat ik zo tekeer gegaan ben tegen mijn man?

'Ik moet je onderzoeken om erachter te komen hoe de baby ligt.' Larson hielp haar op de onderzoekstafel. Ze voelde een verschroeiende pijn in haar arm.

'Shukran. Dank u.'

'Hoe heet je?'

Het meisje verstijfde. 'Dat kan ik u niet vertellen.'

'Hoeveel tijd zit er tussen de weeën?'

'Ik heb voortdurend weeën.'

Larson hield haar hand vast. 'Mag ik voor je bidden?'

'Allah is boos op mij.'

'Ik bid niet tot Allah. Ik bid tot de levende God.' Larson hielp haar te gaan liggen. 'We praten later nog wel over mijn God.'

Nadat ze had uitgelegd wat ze ging doen, ontdekte Larson dat de baby in stuitligging lag. Was Sarah nu maar hier. *Mijn arm doet zo zeer.*

'Ik moet de baby omdraaien.' Larson streelde het gezicht van het meisje. 'Dat zal pijn doen, maar daarna kan de baby geboren worden.'

De tranen gleden over de wangen van het meisje. 'Ik wil sterven.'

'Waarom? Zo meteen heb je een prachtige baby om van te houden.'

'Ik ben niet getrouwd.'

Larson besefte hoe ellendig het meisje zich moest voelen. Haar moslimfamilie zou er ongetwijfeld voor zorgen dat ze beiden gedood werden. Als het kind geboren was, zou Larson het meisje overhalen in de kliniek te blijven tot ze een veilig onderkomen voor haar had geregeld.

'Ik ga de baby omdraaien.' Larson hoopte dat de navelstreng niet om de nek van het kind zat. 'Ik zal het zo voorzichtig mogelijk doen.'

Het meisje gilde. Larson kreeg het gevoel dat er een brandende toorts tegen haar gewonde arm werd geduwd.

'Zo, dat is gelukt. Nu moet je persen. Waar ligt je dorp?'

'Heel ver hier vandaan.'

'Je hoeft niet bang voor mij te zijn. Ik zal er niemand iets over vertellen. Je bent veilig.'

'Mijn familie zal naar mij gaan zoeken.'

'Wie heeft je over de kliniek verteld?'

'Mijn oom heeft een paar jaar geleden zijn been gebroken en hij is toen hier naar u toe gebracht.' Ze hijgde terwijl ze perste.

'Knijp in mijn hand tot de pijn over is.'

Binnen een uur werd een kleine jongen geboren. Larson wikkelde hem in een schone doek en legde hem in de armen van het meisje.

Kinderen die kinderen baarden. Verschrikkelijk.

'Het is een prachtige, gezonde jongen,' zei Larson. Ze wilde nu plotseling ook haar eigen baby in haar armen houden om ervoor te zorgen dat hem niets zou overkomen.

Het meisje glimlachte nu voor het eerst. 'Iedere keer als ik de baby voelde bewegen, vroeg ik mij af of het een jongen of een meisje zou zijn en hoe het eruit zou zien.'

'Hoe ga je hem noemen?'

Ze schudde haar hoofd. 'Geen naam. We gaan toch alle twee dood.'

De emoties werden Larson te veel en ze raakte haar eigen buik even aan. 'Ik zal je helpen. Je kunt hier blijven wonen tot mijn man en ik een nieuw thuis voor je gevonden hebben.'

'Waar kan ik heen?'

'We brengen je verder naar het zuiden of buiten Soedan.'

Larsons aandacht werd getrokken door een plotselinge schaduw in de deuropening. Toen ze zich haastig omdraaide, zag ze twee mannen met geweren.

15

BEN luisterde naar zijn mannen die tegen elkaar opschepten over wat ze van plan waren te gaan doen nu de vrede in Soedan was weergekeerd. Hij had die verhalen al gehoord sinds in januari het vredesverdrag getekend was. Dwazen. Er zou nooit een eind komen aan het conflict. Wacht maar tot een van hen op een landmijn zou stappen en hoeveel begrip ze dan zouden krijgen van de regering. De afgelopen week waren ze bij een vuurgevecht betrokken geweest; morgen zouden ze weer vechten. De regering loog tegen de internationale gemeenschap en de oorlog ging gewoon verder. En hij wilde niet bij de situatie in Darfur betrokken worden.

Hij dacht aan de vele vrouwen en kinderen die gevangen waren genomen om slaaf te worden. Waar werden ze vastgehouden en hoe zouden ze ooit nog thuis kunnen komen? Beide zijden hadden kindsoldaten gebruikt en veel kinderen hadden nog steeds een geweer – zeker in Darfur. Ben had hen in het verleden ook gebruikt, maar Paul en Larson hadden hem ervan overtuigd de jongens te laten gaan. Jarenlang had hij geloofd dat de inzet van jongens noodzakelijk was voor de oorlogsvoering. Hij had soldaten nodig en de meeste jongens waren bereid om aan de oorlog deel te nemen. Maar in zijn poging om in het Zuiden een leger op te bouwen, had hij zich niet gerealiseerd dat hij de toekomst van zijn land vernietigde. Hij wist nu dat degenen die door de gruweldaden van de oorlog misbruikt waren, zonder therapie waarschijnlijk nooit meer zouden herstellen van hun pijnlijke ervaringen.

Het gebrek aan onderwijs in Soedan was een andere bron van strijd. Een volk dat niet voldoende geschoold was, had ook gebrek aan goede leiders. Er was een vacuüm ontstaan, dat nu al twintig jaar duurde, waarin kinderen niet geschoold werden. Dus wat zou er gebeuren als de huidige leiders, zoals hijzelf, hun plichten niet meer konden vervullen? Van alle regeringsfunctionarissen vertrouwde hij alleen John maar. Als er een man was die veranderingen zou kunnen doorvoeren, zou het vice-president John Garang zijn.

Zijn gedachten dwaalden naar Daruka en David. Na de afwijzing van de jongen, waren Ben en Okuk teruggekeerd naar het Neushoornbataljon. Bij zijn mannen was hij in ieder geval welkom. Tijdens hun afwezigheid waren zijn mannen in gevecht geraakt met regeringstroepen, wat Ben ertoe bracht om te denken dat iemand uit Yar de GOS geïnformeerd had over zijn verblijfplaats. Iedere keer als hij terugdacht aan de haat die hij in de ogen van zijn zoon had gezien, was het alsof er een mes in zijn hart werd omgedraaid. Temeer omdat David gelijk had gehad.

Ben probeerde de herinnering van zich af te zetten en zichzelf ervan te overtuigen dat het er niet toe deed. Toen hij zich op een stoel buiten zijn tent liet zakken, vertrok hij zijn gezicht van pijn. Het leven had alle betekenis voor hem verloren. Nu hij wist dat zijn zoon geen enkele behoefte aan hem had, waren Bens idealen over een vader-zoonrelatie gestorven nog voordat ze tot bloei gekomen waren. Het enige wat hem nog restte, was een legertje ongeregeld en een burgeroorlog waarvan velen wilden geloven dat die geëindigd was. Hij zou zich een stuk in zijn kraag gedronken hebben als de dokter hem niet had gezegd dat hij in verband met de medicijnen die hij tegen de pijn slikte, geen alcohol mocht gebruiken. Maar wat deed dat er nog toe? Na alles wat hij had doorgemaakt, had hij behoefte aan een flinke borrel. Zijn doodvonnis zou er niet door veranderen.

'Okuk, breng me een fles whisky.'

'Ja meneer.'

'Overmorgen vertrekken we zodra het licht is. We gaan terug naar Yar. Wij allemaal. We gaan die mol opzoeken en we zullen wie ons dan ook verraden heeft ten voorbeeld stellen.'

❦

Paul hoorde een gil en verscheidene geweerschoten. Larson. Hij greep zijn pistool en rende door de stromende regen naar de kliniek. Nu Santino een dag weg was, was Paul er niet in geslaagd zijn vrouw te beschermen. Nog geen twintig meter van hem vandaan bewaakte een zwarte man met een kalashnikov de ingang van de kliniek. Hij droeg een Arabische kefiah.

'Laat je wapen vallen.' Paul richtte zijn pistool.

Op hetzelfde moment dat de schutter zijn geweer omhoogbracht, vuurde Paul op het hoofd van de man, die meteen daarop tegen de grond sloeg.

'Stop of ik dood de vrouw,' riep een man in de kliniek in het Arabisch.

'Wat wil je?'

'Ik wil hier weg met de blanke vrouw.'

'Ga, maar laat haar achter.' Hij kwam wat dichterbij. De vele rapporten over wat er met gevangengenomen vrouwen gebeurde, schoten door zijn gedachten. 'Je bent omsingeld. Als je onmiddellijk vertrekt, blijf je in leven.'

De man lachte. 'Je hebt niemand bij je. En als je wilt dat de vrouw in leven blijft, zul je mij moeten laten gaan en mij niet volgen.'

'Kan ik met haar praten?'

'Paul, ik ben in orde,' riep Larson in het Arabisch. 'Hij heeft een jong meisje en de patiënten neergeschoten. Ik denk dat ze allemaal dood zijn. Hij heeft mij gevraagd medicijnen mee te nemen voor een man die is neergeschoten.' Haar stem beefde. 'Het spijt...'

Ze brak haar zin af en gilde.

'Laat haar gaan.' Paul deed zijn best om zich te beheersen.' Wat kan ik je geven voor de vrouw? Ik zal je betalen wat je vraagt.'

'Geen geld. Ik heb haar nodig.'

'Laat mij met jullie meegaan en als ze je vriend behandeld heeft, neem ik haar mee terug.'

'Genoeg gepraat. Laat je pistool voor de hut op de grond vallen.' Paul deed wat hem gezegd werd. 'Ik trek mij terug.'

'Als ik merk dat je mij volgt, schiet ik een kogel door haar hoofd.'
'Begrepen.' Hij bleef als verlamd van afgrijzen staan.

Larson stapte de hut uit, de loop van het geweer op haar rug en een tas met medische voorraden in haar linkerhand. Waar was haar mitella? Wie zou haar helpen het verband van haar gewonde arm te verwisselen?

De man keek Paul dreigend aan. 'Ze is nu van mij.'

'Ik kom haar terughalen.' *En ik zal je laten betalen voor wat je mijn vrouw hebt aangedaan.*

'Ik denk het niet.'

Ze draaide zich in de stromende regen om en keek naar Paul. Hij zag het verlangen in haar bleke gezicht. 'Ik houd van je,' zei ze in het Engels. 'Kijk in de kliniek of de baby nog leeft.'

De man greep haar gewonde arm en duwde haar voor zich uit. Paul keek hen na tot ze uit het zicht verdwenen waren. Hij raapte zijn pistool op, schoof de dode man opzij en haastte zich de kliniek in. Op de vloer lag een jong meisje. Vanaf de onderzoekstafel drupte bloed op het stille lichaam. Ze was in de rug geschoten. Hij boog zich over haar heen en toen hij haar omdraaide, zag hij dat ze een baby in haar armen had. Een zeer levendig jongetje.

Hij moest achter Larson aan. De baby moest verzorgd worden. Sarah was niet in Warkou. Hij wierp een blik op de patiënten in het andere vertrek en zag dat ze dood waren. Woede laaide in hem op en dreigde hem alle redelijkheid uit het oog te doen verliezen. Hij pakte de baby en beschermde hem tegen de regen voor hij naar buiten liep. Hij zou het jongetje naar de dichtstbijzijnde hut brengen en dan achter Larson aangaan.

God, bewaar haar. Laat haar niets overkomen.

※

Ben laadde een kist munitie achter in de met modder bespatte truck. Toen hij in de jaren tachtig was teruggekeerd van de Verenigde Staten en zich aangesloten had bij de SPLA had hij zich nog wel eens zorgen gemaakt over een granaat of een goed gericht schot dat hem en zijn mannen zou kunnen doden, maar dat was voorbij. Hij en zijn mannen deden nu gewoon hun werk en begroeven hun doden.

Hij schopte tegen een van de versleten banden en schatte in hoe lang die nog mee zou gaan. De motor sputterde als een oude man en de olie werd nooit ververst. Hij en die oude truck hadden veel gemeen. De kans was groot dat de truck hem zou overleven.

Hij verlangde naar een goed vuurgevecht. Sinds hij in zijn arm geschoten was, had hij geen Arabier meer gedood. De gedachte was bij hem opgekomen om een eind aan Pauls problemen te maken door Nizam een kogel door zijn hoofd te jagen. Een snelle blik op zijn mannen die het kamp opbraken, liet hem zien dat de rust hun goed had gedaan. Paul had eten en water laten brengen en ze hadden goed gegeten. Met een hongerige maag was het moeilijk vechten.

'Kolonel Alier, bij het aanbreken van de dag zijn we klaar voor vertrek,' zei Okuk. 'Ze zijn in een goede stemming.'

Ben lachte. 'Nou, ik niet. Ik ben vanmorgen met hoofdpijn opgestaan.'

'Ik hoop dat het allemaal goed voor u zal verlopen.'

Hoeveel had Okuk allemaal ontdekt over Daruka en David? 'Wat bedoel je? We willen die mol toch allemaal graag te pakken nemen.'

Okuk slikte. Het litteken op zijn keel werd breder. 'Ik hoorde u met Daruka praten, maar ik heb alles voor mij gehouden.'

'En?'

'Dat is alles, meneer. Soms hoor ik nog het gegil van mijn gezin.'

Ben bestudeerde hem even: zijn ene arm, de raspende stem uit zijn doorgesneden keel en zijn moed. 'Je moet nog veel leren, Okuk, maar je bent een goed soldaat. Een commandant die zijn mannen om hem heen begrijpt, verdient respect van zijn soldaten en zijn meerderen.'

'Dankuwel, meneer.'

'Zorg er wel voor dat je inzicht nooit je beoordelingsvermogen aantast.'

De dag verliep langzaam in de voortdurende, verblindende regen. Ben informeerde Okuk over zijn strategie om de man – of de mannen – te vinden die gemene zaak met de regeringssoldaten hadden gemaakt. Terwijl de pijn in zijn rug steeds heviger werd, vond Ben het steeds moeilijker worden om zich te concentreren.

'Okuk, ik ben van plan om je in de komende weken steeds meer verantwoordelijkheden over te dragen.'

'Gaat u ons verlaten?'

'Mogelijk.'

Okuk grijnsde. 'Voor Juba? Kolonel, u verdient een leidende positie bij de opbouw van Soedan.'

Ben leunde achterover op zijn stoel terwijl de regen op het tentdoek kletterde. 'Ik ga je geen bijzonderheden geven. Maar je moet weten dat je steeds meer te doen zult krijgen en dat ik van je verwacht dat je het goed doet.'

Zijn telefoon ging. Hij keek op het schermpje en zag dat het Paul was.

'Ik heb hulp nodig,' zei Paul. 'Larson is door een man meegenomen die drie van haar patiënten heeft gedood.'

Ben ging staan. Had ze nog niet genoeg doorgemaakt? 'Hoeveel mannen?'

'Slechts twee. Ik heb er een neergeschoten. De andere is te voet met haar naar het noordoosten vertrokken. Ik volg hen nu. Santino zit met Sarah in een ander dorp. Ze komen vandaag weer terug.'

'We zijn op weg. Geef mij je locatie.'

Binnen een half uur was het Neushoornbataljon over de door de regen doorweekte wegen op weg om Larson te gaan zoeken. Zou hij altijd moeten kiezen tussen Larson, Daruka en David? Ben haalde een keer diep adem en tastte in zijn zak naar zijn pillen die hem nog een uur verder op de been moesten houden.

Larson had moeite om de snelle passen van haar ontvoerder bij te houden. Ze deed haar best om door het gordijn van de regen heen te kijken terwijl ze erachter probeerde te komen hoe ze zou kunnen ontsnappen. Hoe ernstig gewond was de vriend van deze man? Wat zou er gebeuren als ze hem behandeld had – of hem zou zien sterven?

Paul. Hoe ongevoelig was ze tegenover hem geweest. Kon ze de nare dingen die ze tegen hem gezegd had maar terugnemen. Maar hij wist dat ze van hem hield; ze had het aan zijn gezicht gezien. Hij zou ongetwijfeld vlak achter haar zitten, hen achtervolgen met de vastberadenheid van een leeuw die achter zijn prooi aanzit.

Larsons argumenten en redenen om in Soedan te blijven, schenen niet zo belangrijk meer nadat ze de man voor haar het meisje en haar andere patiënten – en misschien ook de baby – had zien doodschieten. Als ze de tijd had gehad, zou ze het meisje het Evangelie verteld hebben. Meedogenloze moordenaars. Iedere dag werden er meer onschuldige mensen vermoord. Aan de bloeddorstigheid van de moordenaars scheen geen eind te komen. Als de internationale gemeenschap echt zou zien wat hier gebeurde, zouden ze misschien daadwerkelijk ingrijpen.

Ik zal dit overleven en mijn baby – onze baby – zal niet met deze verschrikkingen hoeven te leven. O God, help mij zodat mijn baby zal leven.

In haar doktersstas had ze ook een 9 mm pistool. En ze zou niet aarzelen dat te gebruiken.

'Hoe ver moeten we nog?' vroeg ze.

'Dat doet er niet toe.'

'Wat gaat er met mij gebeuren als ik je vriend eenmaal behandeld heb?'

'Daar heb ik nog geen beslissing over genomen. Je kunt heel wat losgeld opleveren.'

'Ik ben dokter. Dat moet je toch wel iets zeggen. Anderen zullen sterven als ik ze niet kan helpen.'

'Houd je bek.' Hij sloeg haar met de geweerloop op haar gewonde schouder.

Ze beet op haar tong om het niet uit te schreeuwen en worstelde verder in de modder. De kolf van het pistool in haar tas lag tegen haar baby aan. In een poging om de stekende pijn te verdragen, haalde ze een keer diep adem en ze dankte God voor de zware regenval. In dit ellendige weer zou de man geen poging doen om haar te verkrachten, en Paul zou een duidelijk spoor kunnen volgen als hij hen dicht op de hielen bleef.

Waar kwamen deze boosaardige mannen plotseling vandaan? Er was toch een vredesverdrag getekend? Waarom hielden ze zich daar niet aan? Ze kreeg plotseling een vermoeden en ze huiverde. Zou deze man door Pauls familie gestuurd kunnen zijn om hem ertoe te dwingen zichzelf aan hen uit te leveren? Ze hield haar adem even in. *Ik kan alles door Hem Die mij kracht geeft.* Ze zette de wanhoopsgedachten van zich af. God bestuurde alles, niet de man die de loop van een geweer tegen haar rug drukte.

Ze liepen naar ze dacht zo'n twee uur verder in de regen. Ze dacht dat ze naar het noordoosten liepen en ze wist dat er een bataljon SPLA in dat gebied gelegerd was. Het water droop van haar kleren. Twee keer vroeg ze of ze zich even mocht afzonderen, maar de man weigerde en lachte alleen maar. Toen ze zich uiteindelijk niet langer kon beheersen, werd ze door de regen weer schoongespoeld.

Het zou nu spoedig donker worden. Was het alleen maar koppigheid van haar geweest om in Soedan te willen blijven? En als ze kans zou zien om aan haar ontvoerder te ontsnappen en het land zou verlaten, zou dat dan een gebrek aan vertrouwen op God zijn? Ze was al heel wat keren eerder bang geweest, maar het kleine leven dat in haar groeide, maakte het deze keer allemaal nog erger.

Paul, alsjeblieft, vind mij. Ik kan het niet verdragen om een nacht met deze man door te brengen.

16

Bij het invallen van de avond versnelde Paul zijn pas en volgde het spoor van Larson en haar ontvoerders. Het regende niet meer zodat hij sneller vooruit kwam, maar bij het donker worden kon hij steeds minder zien. Plotseling hoorde hij stemmen. Hij bleef staan, dook in elkaar en luisterde naar de mannen die Arabisch spraken. Langzaam kroop hij vooruit tot hij in staat was tussen een paar struiken door naar een open plek te kijken. Om een vuurtje heen zaten drie mannen voor een eigengemaakt afdakje dat uit een gescheurde VN-deken bestond die tussen een paar struiken was gespannen. Onder de schuilplaats zag hij in de schaduw de omtrek van het lichaam van zijn vrouw.

Paul haalde zijn telefoon tevoorschijn. 'Ik heb ze in zicht,' fluisterde hij.

'Volgens mijn GPS zitten wij direct west van je,' zei Ben. 'Zodra we hen omsingeld hebben, kom je in beweging.'

'Begrepen.' Paul verbrak de verbinding. Hij concentreerde zich op de bewegingen voor hem. Geen van deze mannen had respect voor zijn vrouw, maar ze hadden haar nodig om het leven van een man te redden.

'Deze man is bijna dood,' zei Larson. 'Hij heeft meer verzorging nodig dan ik hem kan geven.'

'Zorg dat hij in leven blijft,' zei een van hen. 'Als hij in leven blijft, blijf jij dat misschien ook.'

Breng haar onder dat afdak uit.

'Ik heb de kogel verwijderd en de wond gehecht, maar hij heeft heel veel bloed verloren.'

'Je hebt gehoord wat ik zei.'

Paul luisterde naar wat de mannen van plan waren met zijn vrouw te gaan doen en niet een van hun opmerkingen had ook maar iets te maken met haar te laten gaan. Ook Ben zou vanuit zijn positie dit allemaal horen. Twee mannen die van dezelfde vrouw hielden, zouden niet toestaan dat deze beesten een hand naar haar zouden uitsteken.

Een van de ontvoerders tuurde naar Larson en de gewonde man onder het afdak. Paul richtte zijn pistool. Die schoft moest het niet wagen een stap in haar richting te zetten.

Heere, bescherm haar.

'Muti, is de vrouw eerst voor jou?' De vraag werd gesteld door de man die het dichtst bij het vuur zat.

Muti. Zit mijn broer hier achter? Paul proefde maagzuur in zijn keel. Natuurlijk was dat zo. Larsons ontvoering was zijn eigen schuld.

De man liep terug van het afdak en ging weer bij de anderen zitten. 'Ik heb mijn orders. We krijgen onze beloning hiervoor.'

'Leeft onze broeder nog?' vroeg een andere man.

'Nog wel,' zei Muti. 'Maar ik denk dat hij het niet lang meer zal maken. Abdullah is met een dokter getrouwd die niet erg deskundig is. Kijk eens, ik heb een pistool in haar tas gevonden.' Hij hield het pistool van Larson omhoog en lachte.

Paul bleef strak naar Muti kijken en wachtte op het moment om een kogel door zijn moordzuchtige hart te jagen.

Larson ging plotseling onder het afdak staan. 'De man is overleden. Ik zei het al, hij heeft te veel bloed verloren om dit te kunnen overleven.'

Muti greep haar bij haar schouder en trok haar in het licht van het vuur.

'Hier zul je voor boeten, evenals je ongelovige echtgenoot.'

Paul alarmeerde Bens soldaten met de zachte roep van een vogel en ze kwamen tevoorschijn. Muti's mannen tilden hun wapens op.

'Leg je wapens neer, nu!' schreeuwde Ben.

Muti trok een mes uit zijn riem en drukte dat tegen Larsons keel. 'Moet ik haar de keel doorsnijden terwijl je toekijkt?'

'Als je haar aanraakt, zijn jullie dood,' zei Ben.

'Dan nemen we haar mee,' sneerde Muti. 'Achteruit, misschien laat ik haar dan in leven.'

Paul kroop achter het afdakje. Hij zou de man tegenhouden of zijn leven geven terwijl hij dat probeerde. Er flitste een lichtflits door de lucht en meteen daarop volgde de donderslag. De regen striemde op hen neer. Paul kroop dichterbij, het pistool op Muti's rug gericht. Als hij onopgemerkt dichterbij kon sluipen en de regen zijn bewegingen maskeerde, zou hij misschien in staat zijn het mes uit Muti's hand te rukken. Binnen een paar seconden stond Paul achter hem. Hij rukte de hand die het mes vasthield van Larsons keel weg. Het mes vloog naar rechts en Larson tuimelde tegen de grond. Er klonk geweervuur en de twee ontvoerders sloegen tegen de grond. Paul richtte zijn pistool op Muti's hoofd.

'Dood hem niet.' Ben pakte Pauls hand vast. 'We moeten weten wie hier achter zit.'

Paul hoorde Ben en hij begreep hem wel, maar zijn dorst naar wraak dreigde hem mee te voeren. 'Hoorde je wel wat dit beest tegen haar zei?'

'Paul, laat mij dit afhandelen.' Ben trok Pauls arm achteruit. 'Doe je wapen weg.'

Paul liet zijn wapen zakken. 'Neem hem mee voordat ik hem vermoord.'

Hij pakte Larson beet en trok haar overeind. Ze viel in zijn armen en haar gesnik vermengde zich met het geruis van de neerkletterende regen.

'Ik ben je nu bijna twee keer kwijtgeraakt,' zei Paul. 'En het is mijn schuld. Nizam zit hier achter.'

'Onze baby moet in veiligheid gebracht worden,' zei ze. 'Ik weet niet wat we nu moeten doen, maar we moeten iets doen om ons kind te beschermen.'

'Neem haar mee naar de truck,' zei Ben. 'Als ik deze man onder handen heb genomen, kom ik ook.'

'Hij heet Muti,' zei Paul. 'Even buiten Kibum heeft hij mij onder schot gehouden. Hij beweert namens mijn broer te spreken.'

'Denk je echt dat Nizam deze ontvoering heeft bevolen?' vroeg Larson.

'Ik denk het wel.' Paul keek van Muti naar haar. 'Ben krijgt je wel aan de praat. Je bent een dwaas als je niet meewerkt.'

'Nizam heeft dit niet bevolen,' zei Muti verachtelijk.

Paul keek hem dreigend aan. 'Dan kun je maar beter alles vertellen wat je weet.'

Ze lieten Muti bij Ben achter en Paul nam Larsons hand en volgde Okuk naar de truck. Opnieuw flitste de bliksem langs de lucht en de regen stroomde op hen neer.

'Ik ben bereid om naar huis te gaan.' Ze huiverde. 'Er moet een eind aan deze nachtmerrie komen. Iedere keer als ik aan de patiënten denk die ze in de kliniek vermoord hebben, ben ik bereid om mij bij Ben aan te sluiten en mijn doktersjas in te ruilen voor een geweer. Al dat gepraat van de regering over vrede en de beweringen van je broer dat hij meer over het christendom wil weten, zijn alleen maar leugens.'

'Het kind leeft nog.' Paul hield haar dicht tegen zich aan. 'Ik heb het achtergelaten bij een van de dorpsbewoners.'

Ze was even stil. 'Ik wil die baby houden.' Haar stem was schor van emotie. 'Ik weet niet helemaal waarom, maar ik wil voor dat moederloze kind zorgen.'

'Terwijl ons eigen kind onderweg is?'

'Ja. Misschien vind je dat wel gek, maar ik heb het gevoel dat God van ons vraagt het als onze eigen zoon op te voeden. Hij is de erfenis van Soedan, de hoop op verzoening.' In het donker raakte ze zijn gezicht even aan. 'Probeer mij te begrijpen, Paul.'

'Mijn habibi. Als God dit wil, wil ik het ook.'

Maar hoe stond het met Nizam en Muti? Zou Paul dood en verderf brengen aan een ieder met wie hij in contact kwam?

165

Ben liep naar Daruka's hut. Hij had gehoopt dat hij inmiddels informatie van Muti had weten los te krijgen. De vorige avond had Ben geprobeerd de man ervan te overtuigen dat alles wat makkelijker voor hem zou zijn als hij meewerkte. Maar Muti had alleen maar gelachen.

'Vertel mij wie de ontvoering van dr. Farid heeft bevolen,' zei Ben.

'Je weet mijn antwoord al. Maar als je mij laat gaan, kan ik je misschien meer informatie geven.'

Ben was woedend geweest. John Garang had eens gezegd dat hij geen onderhandelingen wilde; hij wilde dialoog. En Ben kwam geen steek verder met Muti.

Hij had vanmorgen zes mannen bij de gevangene achtergelaten en hij had vier van zijn mannen en Okuk meegenomen om met de dorpsbewoners van Yar te gaan praten. Hij had zijn mannen bevolen vriendelijk met de mensen om te gaan en hen niet bang te maken. Als zijn mannen eenmaal hun vertrouwen hadden gewonnen, hoopte Ben erachter te komen wie er connecties met Khartoem had. Misschien had zijn slechte gezondheid hem wat milder gestemd maar hij voelde er niets meer voor om mensen de stuipen op het lijf te jagen om spionnen te vinden. Er waren andere middelen om informatie los te krijgen. Maar Muti behoorde tot het soort dat een langzame dood verdiende.

Toen hij voor Daruka's hut stond, besefte hij de dwaasheid van zijn eerdere poging om ten koste van alles een relatie met zijn zoon te krijgen. Zijn verlangens waren niet veranderd, maar zijn methoden vereisten een andere benadering. Tijdens zijn laatste bezoek had Daruka blijk gegeven van haar afkeer van hem en ze zou ook met dit bezoek niet gelukkig zijn. En David... hoe meer hij over zijn zoon nadacht hoe meer hij erachter kwam dat ze hetzelfde karakter hadden. Het ging erom Daruka ervan te overtuigen met hem te trouwen met of zonder Davids permissie. Dan zou hij de jongen langzaamaan van zijn goede bedoelingen kunnen overtuigen zoals zijn mannen de dorpelingen moesten overhalen. Met vernieuwd zelfvertrouwen stapte Ben de hut binnen.

'Waarom kom je weer?' vroeg Daruka. 'En waarom zijn je mannen hier in het dorp?'

'Ik ben naar je toe gekomen om je ervan te overtuigen met mij te trouwen.'

Ze perste haar trillende lippen op elkaar. 'Ben, laat ons met rust. Dat heb ik je al eerder gezegd. Ik wil alleen maar met je trouwen als David dat goedvindt.'

'Kun je er hem niet toe overhalen mij een kans te geven?'

'Zodat je ons weer in de steek kunt laten?'

'Ik loop niet meer weg voor mijn verantwoordelijkheden ten aanzien van jou en David. Ik heb mijn verplichtingen tegenover de SPLA, maar bij jou en David zou mijn thuis zijn. Misschien dat je nu alleen maar boos op mij bent, en dat ben je terecht. Maar is er niet diep vanbinnen in je iets wat mij een tweede kans zou willen geven?'

Hij zag de strijd op haar gezicht. Was ze al die jaren van hem blijven houden?

'Daruka, ik wil de rest van mijn leven jouw man en Davids vader zijn. Waarom geef je mij niet de kans om mij te laten bewijzen dat ik een vader wil zijn? Tenzij er natuurlijk een andere man in het spel is.' Hij raakte haar schouder even aan. 'Midden augustus hebt ik verplichtingen in Juba. Jij en David kunnen dan met mij meegaan. Als ik daar klaar ben, neem ik jullie mee naar Nairobi. Je bent nog nooit in een grote stad geweest en jij en David zullen het er geweldig vinden.'

Er gleed een traan over haar wang die ze wegveegde. 'Ik weet het niet, Ben. Het is allemaal zo lang geleden. Ik vraag mij af waarom je nooit getrouwd bent. Ben ik een dwaze vrouw als ik wil geloven dat je nog steeds iets voor mij voelt?'

Kon hij hiermee doorgaan? Bedroog hij haar niet? 'We hadden vroeger een goede tijd samen. Dat kan opnieuw.'

Ze keek naar iets rechts van haar. 'David heeft sinds je vertrokken bent niet meer over je gepraat.'

'Waar is hij nu? Ik wil hem spreken.'

Ze wees in de richting waarnaar ze keek. 'Hij hoedt de geiten. We zijn zo gelukkig dat we ze gekregen hebben en hij past er goed op en zorgt ervoor dat ze goede weidegrond hebben.'

'Goed.' Hij haalde een keer diep adem om zijn zenuwen de baas te worden en de pijn in zijn rug te beheersen.

'Ik zal voor je bidden... wat Gods wil is.'

Haar woorden verwarmden zijn hart. Hij was deze vrouw niet waard, maar hij zou goed voor haar zorgen. 'Bedankt.'

Ben liep in de schaduw van de hoge bomen door het lange gras. Hij kreeg David met zijn geiten in het oog. Geen wonder dat Daruka trots op hem was. Hij stond fier rechtop en bewaakte zijn geiten alsof ze van goud waren. Ben bleef staan en nam zijn zoon op. Hij had een knuppel in zijn hand en keek voortdurend om zich heen om te zien of alles in orde was.

Hij voelde zich plotseling in verwarring gebracht. Wat moest hij zeggen tegen de jongen die eigenlijk een vreemde voor hem was? Hun laatste ontmoeting was in een ramp geëindigd. Hij zou deze keer zo eerlijk mogelijk tegen hem zijn.

'David, kan ik je spreken?'

De jongen verstijfde. 'Waarover?'

'Over je moeder en mij.' *Wat lijk je op mij toen ik zo oud was.*

'Ik zal naar u luisteren, maar dat betekent niet dat ik u als vader wil hebben.'

Ben wilde zeggen dat hij geen keus had, maar hij slikte zijn woorden op tijd in. 'Ik wil het verleden goedmaken en met je moeder trouwen. Ze heeft het heel goed gedaan door jou alleen op te voeden, en ik ben haar dankbaar voor haar liefde en opoffering. Ik kan wat er gebeurd is voordat jij geboren was en de jaren die ik gemist heb, niet ongedaan maken, maar ik kan van nu af aan wel voor jullie gaan zorgen.'

'Gaat u dan weg bij de SPLA?'

'Nee, maar met het tekenen van het vredesverdrag is mijn rol veranderd. De gevechten zijn afgenomen nu beide zijden proberen hun geschillen in overleg op te lossen.' Ben geloofde zijn eigen woorden net zomin als hij de nieuwe regering vertrouwde.

David nam hem aandachtig op, zijn gezicht even zorgelijk als dat van Daruka. 'Ik vind het fijn dat u met mij praat alsof ik een man ben in plaats van een jongen.'

'Ik denk dat je dat verdient.'

'Wil mijn moeder met u trouwen?'

'Alleen als jij toestemming geeft.'

'Zal het een christelijk huwelijk zijn?'

'Als dat de keus van je moeder is.'

'Houdt u van haar?'

'Ja. Het heeft lang geduurd voordat ik daar achter was.' Ben had zijn hele leven gelogen, maar deze leugen was een van de moeilijkste. Maar om David te krijgen, was hij bereid zijn ziel aan de duivel te verkopen. Dat had hij al gedaan.

David knikte. 'Ik wil dat mijn moeder gelukkig wordt.'

'Ik ook.'

'En u belooft dat u haar niet opnieuw in de steek laat?'

'Ik zal mijn verplichtingen aan je moeder nakomen. Ik moet mijn mannen leiden en mijn verplichtingen tegenover hen nakomen, maar mijn thuis zal in Yar zijn.'

David sloeg zijn armen over elkaar en keek opzij. 'Goed.'

'Zullen we het haar samen gaan vertellen?'

'Ja, dat is goed.'

✳

Larson was blij dat Santino en Sarah weer terug waren in de kliniek. Door met hen te praten, kon ze haar vrees voor degenen van wie ze hield, opzij zetten.

'Ik had gedacht dat de dingen zouden veranderen nu vice-president Garang met de regering samenwerkt.' Sarah zette de stoelen en banken recht.

'Dat dacht ik ook. Maar alles gaat gewoon weer verder. Vreemd. Nu het vredesverdrag getekend is, zou alles toch beter moeten worden.' Larson deed het kastje waarin ze haar kostbare medicijnen bewaarde van het slot en trok een paar steriele handschoenen aan.

'Niets is mooier dan het paradijs dat we hier hebben,' zei Santino. 'In tegenstelling tot kolonel Alier heb ik wel vertrouwen in de nieuwe regering.'

'Dat zou ik ook willen hebben,' zei Larson. 'Maar aangezien Pauls familie gezworen heeft hem te doden, is het moeilijk om er vertrouwen in te hebben. Ik zou niets liever willen dan onze kinderen hier opvoeden, maar dan moeten er eerst een paar problemen opgelost worden.'

'Hebt u gehoord of Muti kolonel Alier wat informatie heeft gegeven?' Santino vouwde een paar gescheurde handdoeken op.

'Zo ver ik weet niet.' Larson haalde een paar keer diep adem in de hoop haar misselijkheid kwijt te raken. Ze had er meer dan genoeg van om steeds maar weer te moeten overgeven en ze wilde niets liever dan dat haar baby alleen maar zou groeien.

Sarah zette haar handen op haar heupen. 'Als hij geen informatie heeft gegeven, dan zal hij wel niet meer leven.'

Santino lachte. 'Tanta Sarah, u hebt kolonel Alier en zijn methoden nooit zo gemogen, maar in dit geval zou u wel eens gelijk kunnen hebben.'

'Muti leeft nog. Paul praat nu met hem in de hoop erachter te komen wie mijn ontvoering bevolen heeft, aangezien Muti beweert dat Nizam er niets mee te maken heeft.' Ze keek naar Santino voor zijn reactie.

'Ik heb uw man nog nooit een gevangene zien ondervragen, maar ik denk dat hij dat niet zo goed kan. Dat is voor iemand die gauw medelijden heeft geen goede taak.'

Larson vroeg zich dat ook af. Ze had Paul er geen vragen over gesteld. Hij had zijn vroegere leven in Khartoem achtergelaten en ze was niet van plan om in zijn verleden te gaan graven nu ze zoveel andere dingen aan haar hoofd had. 'Ik weet niet helemaal wat hij van plan is.'

Santino's blik bracht haar aan het schrikken. Misschien dacht hij echt dat Paul in staat was om te martelen, ondanks wat hij net had gezegd. 'Muti moet gebroken worden om te voorkomen dat er nog meer aanvallen op u, Paul en al uw vrienden plaatsvinden.'

'Mijn man is niet gewelddadig. Er zijn andere methoden.'

Santino's ogen vernauwden zich en hij ging verder met het opvouwen van de handdoeken.

Larson keek naar Sarah die naar haar glimlachte. Normaal gesproken bracht de oudere vrouw haar mening onder woorden, of iemand die nu wilde horen of niet.

God, ik weet dat U alles bestuurt en dat Paul naar U luistert.

Vastbesloten om een eind aan het gesprek te maken, liep Larson naar het rieten mandje aan de andere kant van het vertrek waar haar zoontje in lag. Terwijl ze een kus op zijn voorhoofdje drukte, voelde ze tranen opkomen. Waar kwam al die liefde voor dit kleine, hulpeloze kind plotseling vandaan? Ze glimlachte toen ze terugdacht aan het uitdagende gesprek dat zij en Paul over de naam van het kind hadden gehad.

'We noemen hem Latte om de kleur van zijn huid.' Ze onderdrukte een giechel. 'De vader van het kind moet een Arabier geweest zijn.'

'Nee hoor.' Paul pakte het kind op dat spartelde van de honger. 'We zouden hem George Bush Farid kunnen noemen.'

Larson trok haar neus op. 'Hoezeer ik onze president ook steun, ik denk niet dat dat een goede keus is. Moet ik je eraan herinneren dat we onder een moslimregering leven?' Ze klopte met haar vinger op haar kin. 'Mijn vader heet Tom en je beste vriend eveneens.'

'Slim van je.' Hij gaf de fles aan de baby die gulzig begon te drinken.

'Ik vind Abraham ook wel mooi.'

'Dan noemen we hem zo. Thomas Abraham Farid.'

Hij glimlachte. 'Besef je dat we twee kinderen zullen hebben die nog geen zes maanden van elkaar verschillen?'

'Waarschijnlijk nog geen vijf.'

Ze lachten.

Larson genoot van de herinnering. Maar ze hadden nog steeds geen beslissing genomen of ze wel of niet uit Warkou zouden vertrekken. Voorlopig deed Santino dienst als lijfwacht, waardoor zowel Paul als zij zich wat beter voelden.

Larson stond over het wiegje heen gebogen. 'Is het niet het mooiste kindje van de hele wereld?'

Sarah kwam bij haar staan en sloeg haar armen om haar heen. 'Alle kleine geschenken van God zijn mooi, zeker als ze van onszelf zijn.'

Sinds haar ontvoering en de dood van Thomas' moeder dacht Larson er vaak aan hoe het was om buiten Soedan te leven. Vreemd hoe haar plotselinge moederschap haar perspectief veranderd had. Ze begreep haar nieuwe gevoelens niet, de onvoorwaardelijke liefde die weinig ruimte bood voor zelfzucht. Verscheurd door haar passie voor Soedan en de veiligheid van haar gezin, vroeg ze God om leiding. Maar zou ze Hem voldoende vertrouwen om Zijn leiding te gehoorzamen?

17

Wie heeft de ontvoering van mijn vrouw bevolen?' Paul greep Muti's kaak beet en keek de man strak in zijn donkere kraalogen.

Muti schudde zijn hoofd. 'Ik praat niet. Dood mij maar.'

'Misschien bind ik een bom aan je vast om je een heldendood te laten sterven.'

De man staarde hem uitdagend aan.

Paul dwong zich tot een lach. 'Ach ja, je klampt je natuurlijk vast aan het waanidee van het paradijs.'

'Ik had je moeten doden toen ik daar de kans toe had.'

'En nu is het mijn beurt.' Van zijn oudere broer had Paul geleerd welke martelingen de beste resultaten opleverden. Maar hij was nooit in staat geweest om een van deze methoden toe te passen en hij kon het ook nu niet.

Toen hij met Christus gestorven was, was het verleden voorbijgegaan. Vreemd dat Paul in een tent met Muti – een man wiens handen besmeurd waren met het bloed van onschuldigen, een man die in zijn eigen vuil zat en ongelovigen wilden vermoorden – zich een vers uit de Bijbel herinnerde.

Ik was niet beter dan Muti. Heere, waarom moet dit allemaal zo moeilijk zijn? Moet ik hem doden zodat hij mijn gezin niet zal doden?

'Je bent een zwakkeling.' Muti grinnikte. 'Je hebt al eerder geweigerd mij te doden en je kunt het nu ook niet.'

Paul schudde zijn hoofd en wendde zich af naar de tentopening. Hij wilde niet dat Muti zou zien dat hij beefde – niet uit lafheid maar omdat hij bang was dat hij God niet zou gehoorzamen. Hij draaide zich weer om. 'Je hebt er geen idee van wat echte kracht is.'

'Ik zie in ieder geval wat het niet is.'

'Je leven is niet in mijn handen, maar in die van de soldaten die je hier vasthouden. Ik vertrek vandaag uit het kamp, of je mij nu vertelt wat ik wil weten of niet. Hoelang zullen deze mensen je nog in leven laten als ik eenmaal weg ben, denk je?' Hij boog zich naar de stinkende man toe. 'Zullen we een overeenkomst maken? Vertel mij wie de ontvoering van mijn vrouw heeft bevolen. Nizam? Een van mijn andere broers? Mijn vader?'

Muti's stoïcijnse gezicht en kille ogen waren het enige antwoord.

'Je maakt een ernstige vergissing,' zei Paul. 'Ik ga binnen een uur weg. Als je enige waarde aan je leven hecht en van gedachten verandert, laat het mij dan weten.' Hij stapte de regenachtige middag in en ademde de frisse lucht in, blij dat hij af was van een man die liever wilde sterven dan dat hij zijn geloof in een valse god opgaf. Commandant Okuk kwam naar hem toe en Paul zette zijn weerzin tegen Muti van zich af.

'Er is een vreselijk ongeluk gebeurd,' zei commandant Okuk met een somber gezicht. 'Kolonel Alier heeft mij zojuist verteld dat John Garang is omgekomen bij een helikopterongeluk.'

Pauls hart begon sneller te kloppen. 'Weet je het zeker?' Zou Ben valse informatie hebben kunnen krijgen? *Niet John Garang, Heere. Hij wilde zoveel veranderingen doorvoeren. Hij verwelkomde christenen.*

'De kolonel zei dat de informatie uit betrouwbare bron komt. Bij het ongeluk werden nog zes andere Soedanezen en zeven Oegandezen gedood.'

Pauls maag draaide om. Hoe zou de Soedanese gemeenschap reageren op deze tragedie? 'Ik kan het niet geloven.'

'Ik ook niet.'

Muti in de tent lachte. 'Allah zij geprezen,' riep hij.

Okuk trok zijn pistool.

'Nee, Okuk. Ik ben nog niet klaar met hem.' Paul wilde zijn arm aanraken maar bedacht zich toen. De commandant mocht hem niet en beide mannen waren verbijsterd door het grimmige nieuws.

'Je kunt maar beter je mannen verzamelen om hen te informeren over het ongeluk.'

Er verscheen een moordzuchtige blik in Okuks ogen. 'Als jij die jakhals niet doodt, zal ik het doen. Ik zou hem met plezier levend willen villen.'

⁂

Ben probeerde Daruka in zijn armen te nemen, maar ze weerstond hem. Toen ze jaren geleden John Garang ontmoet had, was haar hart sneller gaan kloppen. De hoop van Zuid-Soedan en een leider die ze persoonlijk vereerde, was omgekomen.

'Laat mij je troosten,' zei hij. 'Ik weet hoeveel John voor je betekende – voor ons allemaal.'

Haar gezicht verzachtte en ze liet toe dat hij zijn armen om haar heen sloeg. 'Ik ben egoïstisch. Jouw verdriet moet nog groter zijn dan het mijne.'

Verdriet en woede verscheurden zijn hart en gedachten. John Garang is dood. Rebecca, de vrouw van de vice-president, moest door het verlies van haar man gebroken zijn. Ze had jaren geleefd met de wetenschap dat zijn leven gemakkelijk vernietigd kon worden. Maar dit? Na de ondertekening van het vredesverdrag? Nu de verwachtingen van haar man voor Soedan eindelijk vorm begonnen te krijgen, was hij plotseling weggerukt.

Voor Ben kolkte het leven als een spiraal naar een onpeilbare diepte. Zijn geweer zou zijn levenslange vriend niet terugbrengen of de kanker genezen die zijn lichaam aantastte. In het verleden had hij hopeloosheid van zich afgezet omdat hij van mening was dat dit iets voor zwakkelingen was. Nu voelde hij de slang van wanhoop in zijn lichaam tot leven komen.

'Wat zal er nu met ons volk gebeuren?' Tranen stroomden over Daruka's gezicht. 'John Garang heeft net als jij jarenlang voor ons volk gevochten. Ik ben bang dat de strijd nu weer opnieuw zal losbarsten.'

175

'Er zijn goede mensen die op dit moment belangrijke beslissingen nemen. We moeten ons vertrouwen in de leiders van het zuiden bewaren.'

'En in God. Hij zal ons niet verlaten.'

Ben hield haar steviger vast. Hij dacht terug aan het moment jaren geleden dat hij haar verlaten had toen hij had gehoord dat ze zijn kind droeg. Toen had ze niet in God geloofd. Misschien had ze zich tot God gekeerd omdat hij haar in de steek had gelaten en ze David alleen op moest voeden.

'Ik ben ook verbijsterd door het nieuws. En hoewel ik jou en David niet alleen wil laten, moet ik nu toch terug naar mijn bataljon. Ik moet ervoor zorgen dat mijn mannen niet in paniek raken.'

Daruka keek naar hem op en glimlachte door haar tranen heen. 'Ik zal niet proberen je tegen te houden. Onze mensen hebben in jou altijd een leider gezien en nu hebben ze je meer nodig dan ooit.'

'Ik kom weer terug.' Hij meende het.

'Wees alsjeblieft voorzichtig.'

Het waren haar eerste vriendelijke woorden tegen hem sinds zijn poging om haar over te halen met hem te trouwen. Ben voelde meer liefde voor Daruka dan ooit tevoren. Maar zodra die gevoelens in hem opkwamen, zette hij ze weer van zich af. Diep vanbinnen hield hij nog steeds van Larson.

In gedachten zag hij haar altijd... en dat zou zo blijven. *En ik moet mij nu concentreren op de beproevingen van Zuid-Soedan, niet op mijn eigen behoeften.*

Bens blik viel op David die alles wat er tussen zijn ouders was voorgevallen had gehoord en gezien. Zijn ernstige gezicht herinnerde Ben aan de overweldigende verantwoordelijkheid van de jeugd van Soedan ten aanzien van hun tumultueuze land.

'David, zorg goed voor je moeder. Ik kom zo gauw mogelijk weer terug.'

Ben zag de achterdocht in de ogen van de jongen.

'Daar geef ik je mijn woord op,' zei Ben. 'Bisschop Malou zal je

moeder en mij trouwen. Ik zal dat gaan regelen tijdens mijn afwezigheid.' Hij liet Daruka los, pakte Davids arm en omhelsde hem.
Het was de eerste keer dat hij zijn zoon in de armen sloot.

Larson gaf Thomas de fles en ze merkte hoe haar zoon gegroeid
was. De kleine vetrolletjes om zijn nek en benen wezen op een
sterke, gezonde baby. Toch tobde ze over het onbekende: ze wist
niets over de gezondheidstoestand van zijn moeder toen ze zwanger
was geweest en ook niets over de omstandigheden waaronder ze
zwanger was geworden. Larson en Paul waren van plan zo gauw
mogelijk naar Nairobi te gaan om Thomas te laten onderzoeken.
Ze dacht vooral aan hiv.
Ze giechelde om Thomas' krachtige zuiggeluidjes. Zijn wereldje
draaide om een fles en een speen.
Larsons moeder zou beweren dat hij al heel gauw aan vlees en
aardappels toe zou zijn.
Het drong plotseling tot haar door dat ze nog geen contact met haar
ouders had opgenomen om hun te vertellen dat ze zwanger was en
dat ze een baby geadopteerd hadden. Zodra ze klaar was met het
voeden van haar uitgehongerde zoon zou ze hen bellen. Er was de
laatste tijd zo veel gebeurd dat ze haar vader en moeder maar niet
gebeld had, omdat ze bang was dat ze dan zouden begrijpen hoe
gevaarlijk het hier voor haar was. Maar nu Santino in de buurt was,
voelde ze zich veilig.
Wat hield ze veel van de kleine Thomas. Ze kon niet begrijpen dat
ze zo veel liefde voor een andere baby kon opbrengen. Ze kuste zijn
wang en knipperde haar tranen weg. Wie had ooit kunnen denken
dat de stoere, onafhankelijke dr. Larson Kerr de ware liefde zou
vinden en gaan trouwen? Nog verrassender was de hevige liefde die
ze voor haar kinderen voelde. Al de jaren die ze op de boerderij
had doorgebracht, waar ze de moederliefde van dieren voor hun

jongen had gezien, hadden haar niet voorbereid op de gevoelens die haar nu overweldigden.

Haar opa had een zeug gehad die niet toeliet dat er ook maar iemand in de buurt kwam als ze biggetjes had. Die oude zeug zou iedereen en alles verslonden hebben die een bedreiging voor haar biggen kon zijn.

Larson wilde haar gevoelens wel niet vergelijken met die van die oude, knorrige zeug... maar ze begreep maar al te goed de beschermende aard van een moeder.

Het gezoem van haar telefoon onderbrak haar plezierige gedachten die ervoor zorgden dat ze even niet aan de problemen van Soedan dacht. Op het schermpje zag ze dat het Paul was.

'Goedemorgen, schat.' Ze lachte. 'Je zoon kan maar niet genoeg van drinken krijgen.'

'Habibi, ik mis je.'

Ze meende een zekere droefheid in zijn stem te horen. 'Is er iets?'

'Ik ben bang van wel. John Garang is gisteren omgekomen bij het neerstorten van een helikopter.'

Larson hijgde. 'Hij was nog maar drie weken in dienst. Was het een ongeluk?'

'Ik weet het niet. Ik betwijfel het, maar alles wat ik kan zeggen, zou speculatie zijn.'

'Zal ik je laptop controleren om te zien of ik iets kan vinden?' Alle luchthartigheid over het moederschap verdween door deze grimmige herinnering aan de realiteit.

'Ja, graag. Ben je Thomas aan het voeden?'

'Ja, maar hij heeft genoeg gehad.' Ze tilde hem op naar haar schouder en klopte op zijn rug terwijl ze de telefoon met haar andere schouder tegen haar oor klemde.

'Ik ga weer terug naar Warkou. Bel mij terug als je gezien hebt wat de internationale gemeenschap en Khartoem te melden hebben. En je kunt je ouders ook maar beter bellen. Ze zullen zich ongerust maken als ze het nieuws horen.'

'Ja, dat zal ik doen. Heeft Muti je gezegd wie mijn ontvoering bevolen heeft?'

'Nee, en commandant Okuk zal hem inmiddels wel gedood hebben.'

'Dat spijt me.' Ze zuchtte. 'Ik zal zien wat ik kan vinden en dan bel ik je zo gauw mogelijk terug.'

Larson bleef met Thomas zitten tot hij boerde als een tienerjongen. Terwijl ze haar zoon verder verzorgde, gleden de tranen over haar wangen. Niet door de emotie die ze even tevoren ervaren had over de vreugde van haar rol als vrouw en moeder, maar door grote rouw om een man van wie velen geloofd hadden dat hij de redder van Zuid-Soedan zou zijn. Ze was bang dat de dood van John Garang geen ongeluk was en zonder substantieel bewijs van het tegendeel, zou de bevolking van het zuiden het ook niet zo zien.

Ze droeg Thomas naar de deuropening en verwelkomde het zonlicht dat als vloeibaar goud tussen de boomtoppen door stroomde. Het zou spoedig weer gaan regenen, maar nu zag ze het licht als een geschenk van God, een glimp van Hemzelf voor de lucht weer zou betrekken. De dagen die voor hen lagen, hielden geen beloften in van vrede en vrijheid van politieke onrust, maar God zou zowel onder een heldere als onder een grijze lucht bij hen zijn.

Misschien kwamen haar overpeinzingen voort uit verdriet en melancholie. Maar ze schenen een bevestiging van hoe God hen iedere dag hielp om de dag door te komen.

Nadat ze Thomas in zijn wiegje had gelegd, zette ze Pauls laptop aan voor het laatste nieuws over Soedan. Meteen daarop las ze hoe het tragische nieuws de hoop van veel mensen in Zuid-Soedan had vernietigd. Zwaar zuchtend belde ze Paul.

'Ik heb informatie over het ongeluk van John Garang,' zei ze. 'Althans de informatie die ze melden.'

'Ik luister. Tom heeft mij al gebeld om mijn mening te horen over de situatie.'

Larson had de rapporten al doorgenomen voordat ze Paul belde.

Ze zette de cursor bovenaan een van de nieuwsrapporten en selecteerde de onderwerpen die Paul zou willen horen. 'Vice-president Garang is na een onderhoud met de president van Oeganda bij een helikopterongeluk in Zuid-Soedan om het leven gekomen. Aangezien John Garang een eenentwintig jaar durende burgeroorlog overleefde, staan veel inwoners van Zuid-Soedan zeer wantrouwend tegenover de regering in Noord-Soedan.' Ze las verder. 'President Yoweri Museveni van Oeganda heeft een officieel onderzoek geëist. In een ander bericht wordt gezegd dat president Museveni John Garang geen toestemming had moeten geven om zo laat in de avond met een helikopter te vertrekken. Maar een ander bericht zegt dat het Verzetsleger van de Heer in Oeganda verantwoordelijk zou kunnen zijn.

Wie zal het zeggen, Paul? Het lijkt mij dat de reacties meer gebaseerd zijn op woede en verdriet dan op feiten, en er is meer dan een groepering die John Garang graag dood ziet. Wat er werkelijk gebeurd is, is niet duidelijk, maar het noorden en de SPLM werken samen aan een onderzoek.'

'Wat een rotzooi. Er zullen ongetwijfeld rellen uitbreken.'

'Zeker in Khartoem.'

'Als de wereld er echt achter wil komen wie hem heeft vermoord, zullen ze moeten nagaan wie er het meest te winnen had bij zijn dood.'

'Wat zegt Ben ervan?' Larson stond op van haar stoel en liep naar de deuropening. Langs de lucht trokken al donkere wolken voorbij.

'Hij is boos. Hij weet niet wie hij moet beschuldigen en daarom beschuldigt hij alle facties.'

'Typisch Ben.' Ze zweeg even en stak haar hand uit om de eerste regendruppels op te vangen. 'Wat denk jij?'

'Teleurstelling. Woede. Hij is bang dat dit een grote terugslag is voor Zuid-Soedan en de situatie in Darfur.'

Larson probeerde iets te bedenken om haar man wat op te beuren. 'Denk je ook niet dat, als het onderzoek zou uitwijzen dat Khartoem hierin de hand heeft gehad, de internationale gemeenschap zal ingrijpen?'

'De SPLA zal ongetwijfeld wraak nemen en dan zal het opnieuw een bloedbad worden. Ik denk dat ik dagelijks contact met Ben zal opnemen in de hoop hem te ontmoedigen weer een oorlog op grote schaal te ontketenen. Als de regering hier achter zit, hebben ze hun sporen natuurlijk uitgewist.'

'Ja, ongetwijfeld.' Ze besloot een ander onderwerp dat haar zorgen baarde aan te snijden. 'Heb je nog wat van Nizam gehoord?'

'Nee. Nu we Muti gevangengenomen hebben, hoop ik dat de zaak hiermee beëindigd is.'

'Paul, hij zal niet ophouden om een ontmoeting met je te regelen tot...'

'Hij succes heeft? Denk je soms dat ik niet zie wat er gebeurt?'

Ze haalde een keer diep adem om te voorkomen dat ze zou zeggen wat ze werkelijk dacht. 'Laten we ergens anders over praten. Denk je dat het goed gaat met Ben?'

'Ik denk het wel. Jij bent de dokter.'

'Hij had nog een poosje in Nairobi moeten blijven. Hij ziet er erg bleek en mager uit.'

'Heb je toegang tot zijn medische rapport?'

Larson boog zich voorover om het muskietennet over de wieg van Thomas recht te trekken. 'Niet zonder zijn toestemming en we weten alle twee dat hij daar waarschijnlijk niet in zal toestemmen.'

'Misschien dat hij door zijn aanstaande huwelijk in een wat betere stemming komt.'

'Wat zeg je? Gaat Ben trouwen?'

'Dat heeft hij mij in ieder geval verteld. Weet je nog dat hij over David praatte toen hij op de piloot van AIM wachtte die hem op zou pikken? Ben heeft met de moeder van de jongen gepraat en ze hebben besloten om te gaan trouwen.'

Ze voelde een grote opluchting. 'Ik hoop dat ze erg gelukkig worden.'

'Ik vraag mij af of de ondertekening van het vredesverdrag er iets mee te maken heeft. Misschien is hij nu in staat om zich wat te ontspannen om van zijn vrouw en zoon te gaan genieten.' Paul was even stil. 'Laten we bidden dat de dood van Garang niet de katalysator zal zijn voor bloedvergieten en dat Bens plannen voor de toekomst er niet door vernietigd zullen worden.'

18

BEN ging van zijn ene been op het andere staan. Hij had zich herhaaldelijk voorgenomen om niet zenuwachtig te zijn om met Daruka te trouwen, maar niettemin was hij het, nog meer dan dat hij in een gevecht met een grotere troepenmacht te maken kreeg. Hadden alle mannen hier last van als ze op het punt stonden om te gaan trouwen?

De geur van een stierkalf dat boven het vuur gebraden werd, drong tot hem door. Hij verdiende de traditie van het dorp om hem te eren niet. Kwam er dan nooit een eind aan de dag?

Paul en Larson zaten ergens achter hem. Hun aanwezigheid – of beter gezegd, het feit dat Larson getuige van zijn huwelijk was – hinderde hem. Enerzijds wilde Ben dat ze hem nooit zou vergeten. Soms wilde hij wel dat hij haar kon haten, wilde hij wel dat ze iets zou zeggen of doen waardoor hij zich tegen haar zou keren. Maar ze moest nog van haar voetstuk vallen. Er ging geen dag voorbij zonder dat hij aan haar moest denken. Er was een tijd geweest dat hij Paul had willen doden om haar te hebben. Ze waren twee leeuwen in hetzelfde gebied die dezelfde leeuwin wilden hebben, maar aan die dagen was een eind gekomen toen Paul zijn karakter getoond had en Bens zus had gered van een slavenbestaan in Noord-Soedan. Nu noemde Ben hem zijn vriend.

Larson zou ongetwijfeld denken dat Bens gevoelens voor haar verdwenen waren toen hij had verteld dat hij met Daruka zou gaan trouwen, maar Ben betwijfelde of Paul ook zo makkelijk te overtuigen was. Wat een dwaas was hij geworden. De pijnstillers moesten hem parten spelen. Jammer dat er geen medicijnen waren die een hartaanval – of de dood – konden veroorzaken. De tijd zou zijn problemen uiteindelijk oplossen, maar als er aan zijn getelde dagen een eind zou komen, zou de kanker aan alles wat hem kwelde daar voor zorgen.

Paul had hem en Daruka naar Nairobi willen vliegen voor een huwelijksreis, maar dat had Ben geweigerd en hij had het niet aan Daruka verteld. Hij wilde David niet achterlaten. Hij dacht er zelfs over om de jongen mee terug te nemen naar zijn bataljon. Als in de nasleep van Garangs dood de gevechten weer zouden uitbreken, zou hij zijn zoon weer terug kunnen laten brengen naar Daruka.

Vanuit zijn ooghoek zag hij David met zijn brede schouders en bijna even lang als hij, naast hem staan. Ondanks zijn trots werd hij overvallen door een gevoel van spijt. Dat hij zijn zoon had verlaten, was een van de ergste dingen die hij had gedaan. Nu werden al zijn daden ingegeven door liefde voor zijn zoon. Daruka zou nooit begrijpen dat Bens gevoelens over zijn leven in zoveel richtingen werden getrokken dat hij het vaak zelf niet eens begreep.

Aan zijn andere zijde stond Daruka, een mooie vrouw en een beloning voor iedere man. Gaf hij maar zo veel om haar als zou moeten. Ze verdiende beter dan een liefdeloos huwelijk en een snel naderend weduwschap.

Ze moest gevoeld hebben dat hij naar haar keek, want ze keek naar hem op en glimlachte. Hij glimlachte terug. Per slot van rekening moest hij de indruk wekken van een verliefde bruidegom in plaats van een man die door ellende werd verteerd. Hij had nog maar een paar dagen terug haar vertrouwen gewonnen.

'Heb je nog meer kinderen?' had ze hem een paar avonden geleden gevraagd toen ze alleen waren.

'Nee.' Voor zover hij wist tenminste niet.

'En ben je ooit eerder getrouwd geweest?'

'Nee, nog nooit.' Hij draaide zich naar haar om. 'We zullen als man en vrouw tijd voor elkaar vrij moeten maken. Maar ik trouw graag met je.'

In de schaduwen schudde ze haar hoofd. 'Ook als ik niet wil dat je mij aanraakt?'

'Ja. Ik meen wat ik zeg. Ik wil voor jou en David zorgen zoals ik lang geleden al had moeten doen.'

'Ik waardeer alles wat je hebt gezegd en de dingen die je voor mij en David hebt gedaan.'

'Het verbaast mij dat je geen man hebt. Je bent een heel mooie vrouw.'

Ze sloeg haar armen om zich heen. 'Sommige dingen aan mij zijn nooit veranderd. Het meisje is een vrouw geworden, maar haar hart is altijd hetzelfde gebleven.'

Ben wist precies wat ze bedoelde. Hij kreeg begrip voor haar. 'Ik zal mijn best doen je vertrouwen te winnen.'

'Goed. Ik wil dat we man en vrouw worden... zoals God het bedoelde. David moet ons samen gelukkig zien.'

'Zo denk ik er ook over.' Ben nam haar in zijn armen en legde zijn hoofd op het hare. Ze verzette zich niet.

Nu hij op zijn bruiloftsdag tegenover bisschop Malou stond en zich erop voorbereidde beloften te doen waaraan hij zich niet kon houden, twijfelde Ben aan zijn eigen geestelijke gezondheid. Heel even overwoog hij om de eer aan zichzelf te houden en weg te lopen. Maar wat was de eerbare weg? Daruka hield van hem, David had een vader nodig en de kanker vrat zijn lichaam weg. Ben keek bisschop Malou strak aan en de man tilde zijn kin op. Kon hij leugens zien? De waarheid voerde oorlog in Bens geest. Als hij deze plechtigheid doorstond, zou hij de komende maanden in het gezelschap van zijn zoon kunnen doorbrengen. En daar ging het uiteindelijk om.

Bisschop Malou richtte zich tot Ben. 'Herhaal, ik, Benjamin Alier, neem u, Daruka Wol, tot mijn wettige echtgenote, vanaf deze dag en beloof je in goede en slechte dagen, in rijkdom en armoede, in ziekte en gezondheid lief te hebben en te koesteren totdat de dood ons scheidt, overeenkomstig Gods heilige inzetting; dat zweer ik plechtig.'

De stem van de bisschop bulderde alsof iemand het misschien niet eens was met deze woorden. Ben dwong zich ertoe zijn beloften met overtuiging uit te spreken en hij hoopte dat niemand het bedrog zou ontdekken. Soms was hij bang dat iedereen hem doorzag.

'Over een paar dagen wil ik graag een reis naar Nairobi maken.' Santino liep gelijk met Larson op toen ze van haar hut naar de kliniek liep – zijn dagelijkse gewoonte, of Paul haar nu wel of niet vergezelde. 'Ik moet mij in laten schrijven aan de universiteit. Doe wat bloedproeven om te zien hoe ik eraan toe ben.'

'Goed. Je moet niet langer wachten want de colleges beginnen binnenkort.' Larson glimlachte naar de lange jongeman die Paul en zij steeds meer waren gaan waarderen. 'Een goede opleiding is de beste aanwinst om je land te helpen – dat en geloof in God.'

'Dank u. Kan Paul hier blijven tijdens mijn afwezigheid?'

'Ik zal er met hem over praten. Erg aardig van je om aan ons te denken terwijl je je hele toekomst moet plannen.'

'Ik neem mijn rol als je lijfwacht erg serieus,' zei hij. 'Ik wil er zeker van zijn dat Paul alle problemen kan afhandelen tijdens mijn afwezigheid.'

Ze lachte om zijn ernst. 'Ik zal hem maar niet vertellen dat je dat gezegd hebt. Hij is nogal trots op zijn arsenaal.'

'En op de Hummer.'

'O ja. We zijn erg blij met die truck.' Ze kreeg kippenvel op haar armen toen ze weer terugdacht aan wat er in Darfur was gebeurd.

'Ik heb nooit begrepen waarom Paul al die wapens heeft en dan met de mensen over het christendom praat.'

Hoe vaak hadden zij en Paul datzelfde onderwerp al niet besproken? Ze hadden er geen van beiden een antwoord op. Ze vervulden hun rol als zendelingen niet, maar ze waren christenen die met hun leven hun geloof in een derdewereldland beleden. 'Mijn man gelooft dat hij de mensen van wie hij houdt en de hulpelozen moet beschermen. We willen niet dat er iemand vermoord wordt en als wij of iemand van wie we houden wordt aangevallen of bedreigd, dan vechten we terug.'

'Ik denk dat ik dat wel begrijp. Maar jullie opvattingen zijn soms een beetje vreemd voor mij. Van sommige christenen hoor ik: "Heb je naaste lief en leef in vrede."' Hij haalde zijn schouders op. 'Maar de regeringssoldaten zijn bang voor de macht van uw man.' Hij glimlachte. 'Tante Sarah doet erg haar best om mij van uw Jezus te overtuigen.'

Larson wierp hem een nieuwsgierige blik toe. Begreep Santino werkelijk haar en Pauls toewijding aan Christus en wat gehoorzaamheid aan Hem werkelijk betekende?

'Wat is jouw geloof?'

'Je zou mijn opvattingen moeilijk kunnen begrijpen.'

'Probeer het eens. Ik ben niet altijd christen geweest en ik heb tien jaar onder Soedanezen gewoond. Paul en ik hebben met heel wat stamgewoonten en opvattingen te maken gekregen. Ik zou niet verbaasd zijn.'

'Ik leg mijn godsdienstige opvattingen nog wel eens uit. Dat beloof ik.'

'Ik zal je eraan herinneren. Laten we het nu over je reisje naar Nairobi hebben. Heb je het al aan Sarah verteld?'

'Vanmorgen. Ze is gelukkig maar ze huilde wel een beetje. Ze vindt het fijn dat ik bij haar ben, maar ze wil ook graag dat ik met mijn opleiding begin.'

'Dat is heel natuurlijk. Ze wil het beste voor je, maar dat betekent wel dat ze afscheid van je zal moeten nemen.' Larson legde haar hand tegen haar voorhoofd. 'O, natuurlijk, dat ik daar niet eerder aan gedacht heb. Wil je dat Paul je naar Nairobi zal vliegen?'

'Ik vind het vervelend om het te vragen want jullie zijn al zo goed voor mij geweest.'

'Onzin. Je hebt ons heel goed geholpen. Waarom zou je het Paul nu niet gaan vragen? Hij is Thomas aan het verzorgen.'

Santino aarzelde. 'Jij en tante Sarah zouden tijdens onze afwezigheid helemaal alleen zijn.'

'Ik zal met Ben praten. Hij zal wel een oplossing weten.'

'Als kolonel Alier een soldaat voor jullie kan regelen die jullie bewaakt, dan zou ik graag naar Nairobi gevlogen worden.'

Santino bleef staan en keek terug naar de hut van Paul en Larson.

'Ga het hem maar vragen.' Larson lachte om zijn aarzeling. 'Ik moet nog wat e-mails beantwoorden en een lijstje voor medicamenten maken die Paul uit Nairobi moet meebrengen.' *En ik kan ook een bloedmonster van Thomas meegeven om na te gaan of hij gezond is. Alstublieft, God, laat hem gezond zijn... geen vreemde ziekten... geen hiv.*

❀

Paul droeg Thomas over het paadje naar de put. De vrouwen zouden water oppompen voor de dag en hij wilde hen zijn zoon laten zien. De baby jammerde even maar een snelle blik op hem maakte duidelijk dat Thomas geen aandacht nodig had – die hij overigens toch wel kreeg. Paul bekeek het gezichtje van zijn zoon. In alle opzichten volmaakt. Twee kinderen, die slechts een paar maanden verschilden. En dan te bedenken dat ze gedacht hadden dat ze kinderloos zouden blijven.

Larson en Paul hadden nog geen beslissing genomen over waar ze zouden gaan wonen of waar de baby geboren zou worden. Hij overwoog twee mogelijkheden: Nairobi of Californië. In de Verenigde Staten waren de voorzieningen natuurlijk beter, maar Nairobi was veel dichterbij. Hij zou met hen meegaan. Als hij dat niet zou doen, zou hij in zijn verantwoordelijkheid als echtgenoot en vader tekortschieten. Overal in de Bijbel was te lezen hoe belangrijk deze twee rollen waren. Al zijn zintuigen waren erop gericht om Gods stem te horen, in de hoop een duidelijk antwoord te krijgen, maar tot nu toe zweeg Hij.

'Paul, heb je even tijd voor mij?'

Bij het geluid van Santino's stem draaide hij zich om. 'Goedemorgen. Ik zag je toch net met Larson naar de kliniek lopen?'

Santino verstijfde. 'We hadden een korte discussie en ze stelde voor dat ik naar jou toe zou gaan.'

Thomas jammerde weer even en Paul legde hem tegen zijn schouder aan. Hij begon steeds beter te leren hoe hij met een baby moest omgaan. Thomas was erg tevreden als hij strak in een dekentje gerold was. Tegen de tijd dat de volgende baby zou komen, zou Paul ongetwijfeld een expert zijn.

'Ik moet mij aan de universiteit van Nairobi laten inschrijven voordat het volgende collegejaar in september begint.' Santino aarzelde.

Paul lachte. 'En vliegen gaat natuurlijk heel wat sneller dan met de auro erheen rijden.'

'Ja, meneer.'

'Wanneer wil je gaan?'

'Als het u schikt. Ik wil geen misbruik maken van uw vriendelijkheid.'

Santino had tijdens zijn opleiding bij de SPLA uitstekende manieren geleerd. 'Wat denk je van donderdagmorgen? Ik wil er wel voor zorgen dat er hier dan een paar soldaten zijn.'

'Dankuwel, meneer. Zal ik contact opnemen met kolonel Alier of commandant Okuk om het een en ander te regelen?'

'Ik zorg er zelf wel voor. Larson en ik waarderen het dat je zo hard werkt. Als je tijdens de schoolvakanties een baantje wilt hebben, moet je het ons laten weten.'

'Dat zal ik doen... en dankuwel dat u voor tante Sarah zorgt. Toen mijn ouders overleden, heeft ze mij in haar huis opgenomen.'

Paul knikte. 'Ze is een goede vrouw en ze helpt ons uitstekend.'

Santino ging weer terug naar de kliniek. *Een goede vent. Hij kan een goede leider worden voor zijn land – als hij eenmaal tot het christendom bekeerd is.* Sarah had Paul verteld dat haar neef niet in Jezus

Christus en wat Hij aan het kruis gedaan had, geloofde. In de lucht boven Afrika zou Paul hem het evangelie nog eens vertellen.

Als hij naar Nairobi zou gaan, zou hij ook op zoek kunnen gaan naar huisvesting voor zijn gezin. Misschien zou Sarah met hen mee kunnen gaan. Haar aanwezigheid zou een bron van troost zijn voor Larson en hem.

Thomas begon nu hard te huilen, zo hard dat het hele dorp het kon horen. Paul bleef op zijn rug kloppen in de hoop hem te kalmeren zonder de hulp van de dorpsvrouwen of Larson. Er drupte iets warms in zijn overhemd. En toen begon het te stinken. Meteen daarop begonnen er veel te veel vrouwen te giechelen. Misschien moest hij toch nog veel leren om een goede vader te worden.

19

BEN slikte een pijnstiller voordat Daruka terugkeerde van haar tuin. Hij vond het steeds moeilijker worden om stiekem de voorgeschreven medicatie in te nemen zonder dat ze het merkte. De pijn in zijn rug scheen steeds erger te worden. Het begon al donker te worden, een uur nadat hij gewoonlijk wegsloop om zijn medicijnen in te nemen, maar ze was aan het praten geweest en toen naar haar tuin gegaan om nog wat groenten te halen.

Hij kon dikwijls niet slapen en de omgang met zijn vrouw vereiste een kracht die hij niet meer bezat. Nadat de huwelijksbeloften waren uitgesproken, was haar standpunt ten aanzien van hem op de een of andere manier gewijzigd. Hij kon haar niet weigeren, maar hoe lang zou het duren voordat zijn vrouw erachter zou komen dat hij niet meer de vitaliteit had als andere mannen van zijn leeftijd? Daruka schonk hem haar onverdeelde aandacht en David bracht als hij wakker was al zijn tijd door met hem of met zijn geiten. Ben glimlachte ondanks zijn lichamelijk ongemak. Na de bruiloft was zijn nieuwe gezin de eerste vrede die hij sinds zijn studie in de Verenigde Staten had gekend. Vreemd, hij moest toegeven dat hij voor het eerst in zijn leven een zekere blijdschap gevonden had. Daruka kwam met een mand met maïs naar hem toe. Zoals haar volk al sinds eeuwen had gedaan, had ze de maïs gemalen om er brood of pap van te maken.

'Waar is David?' Ben pakte de mand uit haar armen.

'Hij slaapt vannacht bij zijn neven.'

De zoons van haar broer. David had goede vrienden nodig, zeker als Ben er niet meer zou zijn.

Ze hield haar hoofd een beetje scheef en nam hem op.

'Ben je ziek?' Ze raakte zijn wang aan.

Hij grinnikte. 'Misschien. Als je bedenkt hoe moe je mij soms maakt.'

Ze keek van hem weg en kreeg een kleur. 'Ik heb jarenlang op je gewacht en om je gebeden. En nu je mijn man bent, wil ik mij ervan verzekeren dat je dat blijft.'

Bens maag draaide om. Ze zouden samen maar een paar maanden – niet eens een jaar – hebben. 'Je bent kostbaarder dan wat een man ooit zou kunnen hopen te bezitten.' Dat meende hij oprecht. Hij had al gedacht aan de mannen die hij kende die na zijn overlijden voor Daruka en David zouden kunnen zorgen.

'Daruka, je begrijpt dat mijn positie bij de SPLA gevaarlijk is.'

'Ja, je bent voor iedereen een held. Ik bid God altijd dat Hij je zal beschermen.'

Hij glimlachte en zette de mand op de grond. Hij stak als een vader naar zijn kind zijn armen naar haar uit en ze liet zich door hem omhelzen. 'Je denkt veel te veel van mij, maar ik vind het wel fijn.'

'Onze zoon is ook trots op je.'

Davids respect betekende meer voor hem dan een promotie of een uitnodiging om Soedan mee te helpen opbouwen. *Mijn zoon.* 'Hij is zo'n flinke jongeman.'

Ze trok zich wat van hem terug. 'Maar het is niet goed met je. Je eet weinig en je slaapt 's nachts niet goed.'

'Ik ben nooit zo'n goede slaper geweest. Dat doet het leger met je. Ik voel mij prima. Echt.'

'Waar zijn die pillen voor die je overdag en 's avonds inneemt?'

Hoe kon hij zich hier uit redden. Hij likte langs zijn lippen.

'Ben? Wat vertel je mij niet?'

'Niets,' schreeuwde hij nu. 'Ik voel mij prima.'

Haar ogen werden groter.

'Het spijt me, Daruka. Ik had niet tegen je moeten schreeuwen.'

Terwijl hij haar weer in zijn armen trok, voelde hij een helse pijn in zijn ruggengraat. 'Over die pillen hoef je je geen zorgen te maken. Ik zal je nog wel eens vertellen waarom de dokter mij die voorgeschreven heeft, maar nu niet.'

'Dokter Farid? Je vriendin in Warkou?'

Hij kuste haar voorhoofd. 'Nee. De dokter in Nairobi die mijn arm behandeld heeft.'

'Doet die nog steeds pijn?'

De vragen die ze op hem afvuurde, maakten hem prikkelbaar en hij moest zich beheersen om niet uit te varen. 'Soms heb ik er nog last van, ja.'

Ze knikte alsof ze hem nu begreep. 'Waarom word je steeds magerder?'

Hij pakte haar armen. 'Daruka, alsjeblieft.' Hij gromde. 'Houd eens op met al die vragen.'

Ze rukte zich van hem los en haastte zich naar buiten, de avond in. Schaamte wees met een beschuldigende vinger naar hem. Hij had het recht niet om tegen haar te schreeuwen alsof ze een nieuwe rekruut was. Ze had hem een geweldige gunst bewezen door met hem te trouwen, ook al begreep ze haar opoffering dan niet.

Ben wachtte bijna een uur voordat hij achter haar aan ging. Hij dacht er plotseling aan dat er een paar avonden geleden een leeuw in de buurt van het dorp was gesignaleerd. Hij pakte een geweer en ging zijn vrouw zoeken. Een paar jaar geleden had hij Larson de stuipen op het lijf gejaagd toen ze te ver van het dorp was weggegaan en het spoor van een leeuw en een leeuwin had gekruist. Hij zou die fout niet nog eens maken.

✳

Paul landde met Santino op Wilson Airport, elf kilometer buiten het centrum van Nairobi. Het vliegveldje was de basis voor zendingsvliegtuigen en mensen die in de Masai Mara op safari gingen. Nadat hij een taxi voor de jongeman had geroepen, vroeg Paul hem hoe lang hij in de stad dacht te blijven.

'Ik weet niet hoe lang het duurt om je bij de universiteit te laten inschrijven en er zal ongetwijfeld een medisch onderzoek aan verbonden zijn. Ik wil ook een baantje en huisvesting gaan zoeken. Maar ik kan vast wel een lift terug naar Warkou krijgen.' Santino glimlachte. 'Bedankt dat u mij hierheen gevlogen hebt.'

'Bel Ben maar als ik je moet komen ophalen. Hij geeft het mij dan wel door.' Paul gaf Santino een klap op zijn schouder. 'Ik wil graag nog verder met je over het evangelie praten.'

Santino lachte. Zijn brede glimlach straalde jeugdigheid en idealisme uit. 'U, dr. Farid en tante Sarah. Ik zal nadenken over de dingen die jullie mij verteld hebben. Maar ik heb meer tijd nodig.'

'Dat begrijp ik, maar dit is niet alleen een kwestie van verstand.' Paul klopte op zijn borst. 'Het gaat vooral hier om.'

Santino knikte.

Nadat de taxi met Santino was weggereden en Paul het bedrag van tevoren had betaald, ging hij op weg naar het ziekenhuis in Nairobi, een gebouw van witte beton en grijze stenen dat voortdurend uitbreidde. Geen wonder dat Nairobi trots was op zijn ziekenhuis.

Larson had hem een bloedmonster van Thomas meegegeven en het lab gebeld om verschillende proeven te doen. Maar eerst ging Paul een kijkje nemen op de afdeling verloskunde. Een man moest toch weten waar de grote gebeurtenis zou plaatsvinden. De groene vloeren glansden als een spiegel en het personeel begroette hem of hij een hoogwaardigheidsbekleder was.

Paul had er niet met Larson over gepraat, maar Ben zag er naar zijn mening slecht uit. Hoe meer hij erover nadacht, hoe vastbeslotener hij werd om te proberen een gesprek met Bens dokter te hebben. Hij had dan wel een ernstige verwonding opgelopen, maar het leek wel of de man steeds zwakker werd en zijn gewichtsverlies verontrustte zijn vrienden.

Nadat hij Thomas' bloedmonster had afgegeven, informeerde hij naar de naam van de dokter die Ben behandeld had. Dr. Phillip Khamati begroette Paul hartelijk en ze praatten openhartig met elkaar tot Paul bijzonderheden over Bens gezondheid ging vragen.

'Gegevens over patiënten zijn vertrouwelijk.' De dokter leunde achterover op zijn stoel. 'Zonder schriftelijke toestemming van kolonel Alier kan ik u niets over zijn gezondheidstoestand vertellen.'

'Kunt u die informatie wel aan een andere dokter geven?'

'Daar gelden dezelfde regels voor.'

Paul ergerde zich. 'Hij ziet er slecht uit.'

Dokter Khamati vertrok geen spier. 'Als hij problemen heeft, moet hij een afspraak met mij of uw vrouw maken.'

'Hoe weet u dat mijn vrouw dokter is?'

Hij glimlachte. 'Dat moet kolonel Alier mij verteld hebben. Maar de reputatie van uw vrouw is algemeen bekend. Ik weet zeker dat u erg trots op haar bent en zij moet trots op u zijn om uw vastbeslotenheid om de hongerenden in Soedan te voeden.'

'Dank u, dokter. Maar we hadden het over kolonel Alier, niet over mij of mijn vrouw. We hebben een drastische verandering in zijn gezondheid gezien en we willen helpen. U zult hem ongetwijfeld grondig onderzocht hebben toen hij hier was voor die operatie.'

'Inderdaad, maar zoals ik al zei, is dat vertrouwelijke informatie.'

'Mijn vrouw en ik hebben gemerkt dat hij regelmatig pillen slikt.'

'Indien nodig schrijf ik mijn patiënten medicijnen voor.'

Je houdt wat achter. 'U en ik weten beiden dat kolonel Alier nog liever sterft dan dat hij toe zou geven dat hij hulp nodig heeft.'

Zag Paul het gezicht van de dokter vertrekken?

'De beslissing om een dokter te bezoeken, zal hij zelf moeten nemen.'

Wat houden jij en Ben voor ons achter? 'Zal ik hem vertellen dat ik hier was?'

Dr. Khamati stond op. 'Dat laat ik aan u over, meneer Farid. Wilt u mij nu excuseren? Ik moet naar mijn patiënten toe.'

Later, toen Paul door de drukke stad reed om een geschikt onderkomen voor zijn gezin te zoeken, dacht hij terug aan zijn gesprek met dr. Khamati. De dokter wist ongetwijfeld wat er aan de hand was met Ben. Paul kwam in de verleiding om zijn connecties te gebruiken om Bens medische rapport in handen te krijgen, maar dat zou niets oplossen. Als Ben het geheim wilde houden, zou hij daar goede redenen voor hebben en zijn privacy moest gerespecteerd worden.

Wat heb je, Ben? Weet Daruka het? Of is het een geheim dat je aan niemand prijsgeeft?

※

Larson zat in de kliniek achter Pauls computer en las een e-mail van haar ouders in Ohio.

Lieve Larson en Paul,
We hebben de stap gewaagd en een computer gekocht. We willen er eigenlijk alleen maar e-mails mee versturen naar jullie. Onze vrienden zeggen dat je met dit ding ook foto's kunt versturen. Kunnen jij en Paul dat ook? We willen graag zien hoe de kleine Thomas eruitziet. Ik kan mij niet voorstellen hoe onze Larson er met een buikje uitziet, maar die foto's willen we ook graag zien.
We genieten van het Internet. Sommige dingen die we over Soedan lezen, willen we eigenlijk niet weten. Weten jullie wel hoe gevaarlijk het daar is? Heb je er dan niets van geleerd, Larson, toen je dat paard probeerde te temmen en je been brak? Jullie kunnen samen de wereld niet redden, dus waarom ga je daar niet weg? En hoe denk je daar midden in het oerwoud te bevallen? Of is Paul van plan je naar Nairobi te vliegen als de weeën beginnen?
Lieve dochter, je bezorgde mij vroeger al grijze haren. Nu ben ik bang dat het zal gaan uitvallen. Jullie zullen er wel om moeten grinniken. Alsjeblieft, houd ons op de hoogte met wat daar allemaal gebeurt – nou ja, misschien niet met alles. Hebben jullie geweren? Laat maar zitten. Dat wil ik eigenlijk ook niet

196

weten. Maar je vader zegt dat ik je moet zeggen dat je, als jullie wel geweren hebben, ze goed moet oliën en schoonhouden voor het geval dat je ze nodig hebt.

Liefs,

mama en papa

Larson lachte. Als haar ouders echt zouden weten wat er allemaal in het leven van hun dochter gebeurde, zouden ze een groep commando's sturen om hen hier weg te halen. Ze zou hen nooit vertellen hoe dicht ze bij de dood waren geweest en over alle ontberingen die ze moesten doorstaan, maar ze zou hen wel vertellen hoeveel ze van Soedan hield.

Lieve mama en papa,

Paul is vandaag naar Nairobi gevlogen met een jongeman die hier in de kliniek geholpen heeft. Hij heet Santino en hij heeft besloten aan de universiteit van Nairobi te gaan studeren en moet zich nu laten inschrijven. Ik heb erover gedacht om mee te gaan, maar door het regenseizoen heb ik nu veel extra patiënten.

Ik kijk uit naar de chocola en de Keniaanse koffie die mijn lieve man altijd mee terugbrengt. En ik ben benieuwd wat hij voor Thomas zal meebrengen. Paul is erg gek op de baby. Hij praat tegen hem als tegen een volwassene en hij leest hem voor in het Arabisch en het Engels.

Ik ben nu 's morgens niet zo misselijk meer. Nu zal ik wel dik worden. Voorlopig valt het nog wel mee want al mijn kleren passen nog. Paul wil voortdurend foto's van mij maken om de ontwikkeling te volgen. Ik stuur ze jullie wel toe, samen met de foto's van onze kostbare Thomas Abraham.

Denken jullie er alsjeblieft eens over na om naar Nairobi te komen als de baby geboren wordt. Kenia is een prachtig land, bijna net zo mooi als ons geliefde Soedan en we zouden samen op safari kunnen gaan.

Ik moet nu stoppen en de kliniek in orde gaan maken voor de komende dag.

Liefs,

Larson

'Wat zegt de computer vandaag?'

Toen Larson zich omdraaide, zag ze Sarah en ze zwaaide even naar haar. Ze klikte op de verzendknop. Wat was het toch fantastisch om maar één klik van haar ouders verwijderd te zijn.

'Een computer zegt niets. Het is alleen maar een ding waarop mensen van over de hele wereld met elkaar kunnen communiceren en waar ze informatie op kunnen vinden.'

Sarah kwam naast Larson staan. Ze tuurde op het scherm, juist op het moment dat Larson de computer uitschakelde. 'Vertelt het je ook hoe je mensen beter moet maken?'

'Nee. Ik moest jarenlang naar school om te leren hoe je mensen beter moet maken. Maar hij geeft wel antwoord op medische vragen als ik met de ziekte van een patiënt niet zo goed raad weet. Dus eigenlijk is het antwoord ja.'

'Geeft hij ook antwoord als ik hem een vraag stel?'

Larson moest bijna lachen maar ze hoorde dat Sarah het ernstig meende. 'Wat wil je dan weten?'

De ogen van de oude vrouw vernauwden zich en ze perste haar lippen op elkaar.

'Sarah, is er iets?'

'Ik denk dat God niet wil dat ik een computer gebruik. Hij moet toch antwoord geven op mijn gebeden.'

'Je hebt gelijk. Dat doet Hij ook. Wil je ergens over praten? Gaat het om het vertrek van Santino?'

Sarah schudde haar hoofd. 'Dit is iets tussen God en mij.'

'Er zit je iets dwars, hè? Als het iets is waarmee ik je kan helpen, moet je het zeggen.'

'Nee, Larson. Ik moet dit op mijn eigen manier doen.'

20

BEN haastte zich door het dorp over het uitgesleten paadje dat zijn vrouw sinds haar kindertijd had gebruikt. In gedachten zag hij haar blote voeten op het platgetreden gras stappen en het paadje volgen zonder er bij na te denken. In een poging de pijn in zijn rug te negeren, versnelde hij zijn pas en greep hij de loop van het geweer steviger vast. Hij herinnerde zich de jonge Daruka nog goed, die in het hoge gras en het bos verdween als ze het moeilijk vond om onaangename dingen te verwerken. Vanavond was hij de oorzaak van haar commotie.

Als haar iets zou overkomen, zou het zijn schuld zijn. Ben had in de afgelopen twee nachten het gebrul van een hongerige leeuw gehoord. Hij lag tussen de hutten van het dorp op de loer, dicht genoeg bij om zelfs de dapperste man van het dorp uit zijn slaap te houden. De dorpsbewoners hadden extra bewakers uitgezet en tot nu toe was er nog niemand gedood, maar de leeuw had wel een van de koeien opgegeten. Het roofdier ging vooral 's nachts op jacht. Door alle gevechten was het wildbestand in Soedan afgenomen, maar de nog overgeschoten dieren waren hongerig.

Ben wilde graag geloven dat Daruka de kinderlijke manier om haar problemen op te lossen achter zich had gelaten, maar in dit opzicht was ze nog steeds het vijftienjarige meisje dat hij eens in de steek gelaten had.

'Daruka.' Er klonk paniek in zijn stem door.

Hij zag de rij dorpelingen die de grens van het dorp Yar tegen roofdieren – twee- of viervoetige – bewaakten. Ook met hun toortsen konden ze niet alles zien. Dat verontrustte hem nog het meest.

'Daruka, doe niet zo dwaas. Er loopt daar een leeuw rond. We kunnen erover praten.'

Hij keek in alle richtingen. Zijn boosheid had plaatsgemaakt voor grote ongerustheid.

Rechts van hem gilde een vrouw.

'Ben, help me!'

Hij draaide zich vliegensvlug om en richtte zijn geweer op het duister. Zijn hart bonsde in zijn oren. Niet Daruka. Ze was het enige goede in zijn leven – niet een offer voor zijn slechte humeur. Waar moest hij op schieten?

Geschreeuw van de dorpswachten en het gedans van toortsen bewogen in Daruka's richting. Ze hadden speren maar geen geweren.

'Is ze veilig?' Ben liep door het hoge gras naar de mannen toe die een paar meter verder stonden.

'Daruka is bij ons, maar de leeuw hebben we niet gevonden.'

Hij voelde een enorme opluchting. 'Dank je. Ik kom jullie kant op.' Ben bleef even staan en haalde een paar keer diep adem om tot kalmte te komen en de pijn in zijn rug te kunnen beheersen.

Links van hem ritselde het gras. Hij snoof de geur van een leeuw op – een dier dat hij meer vreesde dan een confrontatie met de GOS, hoewel beiden hem naar de keel wilden grijpen. De leeuw moest vlakbij zijn.

'Laat het licht van jullie toortsen hier schijnen,' zei hij.

Maar de leeuw was dichterbij dan welke speer of toorts ook, en Ben kon hem niet zien, alleen maar ruiken. De leeuw brulde en wilde hem kennelijk bespringen. De dorpelingen schreeuwden terwijl ze naar Ben toe renden. In het zwakke schijnsel van de toortsen zag Ben heel even de omtrek van de leeuw. Ben vuurde. En vuurde opnieuw.

Even later staken de mannen hun toortsen en speren boven de dode leeuw omhoog. Ben zag de strijdlust op hun gezichten. Hij kende de opwinding van de jacht en het ontzag voor overwinning. Ze zouden er dagenlang over blijven praten. Hij wilde het zo snel mogelijk vergeten. Hij had liever met een tweebenige vijand te maken.

Ben keek om zich heen. Hij zag dat Daruka een eindje van de mannen af stond. In de nachtlucht was haar gesnik, de schrikreactie van een vrouw, te horen.

Hij liep naar haar toe en sloeg zijn armen om haar middel, zoals hij Paul bij Larson had zien doen. Daruka had behoefte aan troost van de man die beloofd had haar lief te hebben en voor haar te zorgen. 'Gaat het weer een beetje?'

'Ja, Ben. Het spijt me. Je had wel gedood kunnen worden en dat zou mijn schuld zijn geweest. Ik was zo bang.'

Hij vroeg zich af wie er eigenlijk schuld had. 'Beloof mij dat je voortaan niet zomaar midden in de nacht het dorp verlaat.'

Ze knikte. 'Dat was dom van me. Ik gedroeg mij kinderachtig. Als ik van streek ben, moet ik niet zomaar wegvluchten. Het scheelde niet veel of we waren vanavond door mijn schuld alle twee door een leeuw opgegeten.'

Ach, verslonden worden door een leeuw klonk beter dan door kanker. 'Maar dat is niet gebeurd en de leeuw is nu dood. Ik heb je door mijn geschreeuw tegen je en mijn koppigheid gekwetst.' Hij wist niet wat hij nog meer tegen haar moest zeggen en hij weigerde haar de waarheid te vertellen. 'Laten we naar huis gaan, Daruka.'

Ze legde haar hoofd tegen zijn borst. 'Ik houd van je. Het spijt mij dat ik doorging over die pillen.'

Hij drukte haar bevende lichaam tegen zich aan. 'Ik houd ook van jou.' En voor het eerst dacht hij dat hij misschien echt van haar hield.

✿

Paul keek neer op de landingsstrip naast Warkou. Hij had gistermiddag en vandaag naar mooie huizen in Nairobi gekeken. Hij kon zich een mooi huis voor zijn gezin permitteren, maar kon er niet toe komen zich aan zo'n luxe over te geven. Het klopte niet om veel geld uit te geven voor een huis en meubels en het huren van personeel terwijl zijn volk leed aan ziektes en verhongerde. Toen hij en Larson trouwden, hadden ze afgesproken eenvoudig te leven, zodat ze meer aan anderen konden geven. Als ze zouden besluiten in Nairobi te gaan wonen, zouden ze iets moeten vinden dat in hun behoeften voorzag zonder dat het handen vol geld kostte – en een gevoel van schuld op zou leveren.

Toen Paul eenmaal wist dat hij tegen de wind in vloog, vloog hij over het dorp – een gewoonte die hij zich eigen had gemaakt sinds hij met Larson was getrouwd om haar duidelijk te maken dat hij weer thuis was. Na nog een rondje boven Warkou trok hij de controlelijst voor landen uit de linkerbovenhoek van de cockpit. Hij mocht dan wel in een derdewereldland leven en opstijgen van en landen op een onverharde baan, maar hij hield zich aan de veiligheidsvoorschriften.

Toen de wielen de grond raakten, spoot de modder alle kanten op. Als het niet iedere dag zou regenen, waardoor de modder van het vliegtuig werd weggespoeld, zou hij overwegen een wasstraat voor het toestel te bouwen. Hij grinnikte. Het ene moment had hij bezwaren gehad tegen luxueuze huizen en het volgende moment zat hij aan een wasstraat voor een vliegtuig te denken.

Kinderen die hij kende en die wisten dat hij eten voor hen had, renden naar hem toe om hem te begroeten. De geur van verse ananassen had de hele vlucht naar huis zijn smaakpapillen gestreeld, maar ze waren voor de kinderen – samen met een doos müslirepen. Larson zou haar chocola en sterke koffie krijgen en een bijzondere traktatie die hij in een koelbox voor haar had meegebracht.

Paul klom uit de cockpit en sneed een ananas aan stukjes om ieder kind iets te geven. Pas morgen zou hij de müslirepen uitdelen.

'Dankuwel,' riepen de kinderen om hem heen.

'Je hoeft mij niet te bedanken. Alleen God de eer.' Paul pakte een klein meisje op.

'Amen,' zei een jongen.

Paul lachte. Hij vond het heerlijk om zo'n hartelijke ontvangst te krijgen. Hoe zouden hij en Larson hier weg kunnen gaan? Maar dat moest.

'En wat heb je voor ons meegebracht?' Larson kwam met Thomas op haar arm naar hem toe lopen.

Paul zette het meisje weer op de grond en omhelsde zijn vrouw en zoon. 'Zou je ook zo blij zijn mij weer te zien als ik niets voor je meebracht?'

Haar onweerstaanbare glimlach was meer dan een welkom – een glimlach die haar liefde en alles wat ze samen hadden doorgemaakt tot uitdrukking bracht. Ze deelden een tijdloze verbintenis waarvan veel echtparen zelfs het bestaan niet kenden; een verbintenis die verder ging dan de momenten waarop ze nauwelijks aan de dood ontsnapt waren of samen naar afgelegen dorpen gereisd waren om de armen te helpen. Als hij vandaag zou sterven, zou hij rust vinden in de blijdschap over dit geschenk dat God hem had gegeven.

'Nou, dokter Farid, als ik nu eens niets voor je bij mij had?'

Ze haalde haar schouders even op als een meisje dat gaat pruilen.

'Dan zou ik teleurgesteld zijn, maar ik zou er wel overheen komen. Wat heb je voor Thomas meegebracht?'

Hij grinnikte. 'Kleren, luiers, melkpoeder, flesjes, een wiegje dat we zelf in elkaar moeten zetten. Volgens de handleiding moet dat heel eenvoudig zijn.'

'Wij?' Ze giechelde. 'Ik werk met medische apparatuur, niet met sleutels en schroevendraaiers.'

'Om precies te zijn, ik heb twee wiegjes gekocht.'

'Heb je de winkels van Nairobi leeg gekocht?'

Hij kneep zijn ogen een beetje dicht. 'Hoe wist je dat? Het vliegtuig zit helemaal vol. Kleertjes, slabben en een klein dingetje dat eruit ziet als een speen.'

'Een fopspeen.'

'Ja, dat is het. Je moet zelf maar eens kijken. En ik heb ook een kinderzitje voor in de Hummer gekocht.'

Ze drukte een kus op zijn lippen. 'Bedankt.' Ze liep om het vliegtuig heen en keek naar binnen. 'En noem je dit een eenvoudig leven, meneer Farid? We kunnen wel een babyzaak beginnen.'

'Ik heb niet alles gekocht. En ik heb ook iets bijzonders voor mijn vrouw meegebracht.'

'O ja?' Haar ogen twinkelden ondeugend.

'Niet alleen koffie, maar ook pure, witte en melkchocola. Om aan al je wensen tegemoet te komen.'

Ze lachte opnieuw. 'Je weet wel hoe je mij moet paaien, hè?'

'En ik heb nog iets. Ik heb ijs voor je gekocht, je favoriete smaak met stukjes chocola en nootjes. Ik moest het speciaal bestellen.'

Net als de kinderen die hen aanstaarden, wiebelde ze met haar schouders. 'Hmm, dat klinkt verrukkelijk.' Ze klopte op haar buik. 'Hoor je dat, schat. We worden getrakteerd.'

Hij pakte Thomas van haar over. 'Ik heb je gemist. Ik mis je altijd als we niet samen zijn.' Hij keek haar onderzoekend aan en voegde eraan toe: 'Waar we ook wonen, we moeten altijd samen blijven.'

Ze kreeg tranen in haar ogen, wat de laatste tijd dikwijls gebeurde. 'Dat ben ik met je eens, maar waar?'

'Ik heb in Nairobi rondgekeken. We zouden daar kunnen gaan wonen als de stad je bevalt.'

Ze knikte. 'Maar het zal moeilijk zijn om Warkou te verlaten. En ik zou mij nog steeds zorgen blijven maken dat je een ontmoeting met Nizam zou regelen. Beloof mij dat je dat niet zult doen, Paul. Alsjeblieft. Er is geen enkele reden om hem of een ander familielid nog ooit te ontmoeten.'

'Maar stel dat de Heilige Geest hem daartoe aanzet. Dat heeft Hij ook mij gedaan.'

'Ben je zo snel vergeten wat er de afgelopen weken is gebeurd?'

Hij schudde zijn hoofd. 'Helemaal niet. Maar ik hoop nog steeds dat God mij duidelijk zal maken wat ik moet doen.'

'We praten er later nog wel over. Maar met alles te ontkennen, los je niets op.'

'Dat weet ik, maar we moeten nu niet alleen maar aan onszelf denken. God heeft andere plannen.'

'Die heeft Hij inderdaad.' Ze klopte weer op haar buik. 'Hij groeit.'

'Zij groeit. Dat weet ik zeker.' Hij wilde nog meer zeggen maar zijn telefoon zoemde.

'Hallo, broer. Is dit een goed moment om met je te praten?'

Paul trok een wenkbrauw op naar Larson, alsof zijn broer zojuist hun gesprek had gehoord. 'Nizam.' Larson pakte Thomas weer van hem aan en hij liep weg.

'Ik hoor kinderen.'

'Ja. Ik loop nu van hen weg. Hoe is het met je?'

'Ik heb met je vriend, Tom Messinger in Californië gepraat. Heb jij hem mijn nummer gegeven?'

'Ja. Alle nummers die jij en Muti gebruikt hebben om mij te bellen. Ik heb hem gevraagd contact met je op te nemen als je slaapt.'

'O. Hij vroeg of ik vragen over jouw Jezus had.'

Paul probeerde boosheid of frustratie in Nizams stem te ontdekken, maar zijn broer sprak alsof er anderen meeluisterden. Paul voelde zich achterdochtig worden. 'En had je die?'

'Ja, maar ik zei hem ook dat ik liever met jou praatte. Hij zei dat jullie dezelfde antwoorden zouden geven. Misschien in andere bewoordingen maar met dezelfde betekenis.'

'Dat is juist.'

'Ik heb een Arabische Bijbel.'

Als Nizam de waarheid sprak, zou hij alleen al door het bezit ervan gedood kunnen worden. 'Lees je erin?'

'Ja, broer. Toen ik hem vandaag doorbladerde, vond ik in het deel van het Nieuwe Testament een man die ook Paulus heette. Ik heb het meeste over die Paulus gelezen. Ik begrijp nu waarom je die naam hebt aangenomen.'

Lieve God, raak het hart van mijn broer aan. 'Ik bid God dat Hij door wat je leest tot je spreekt.'

'Misschien dat ik er wat meer begrip door krijg. Maar deze leer over jouw God is godslasterlijk voor Allah. Ik ben bang dat ik al tot de hel veroordeeld ben.'

'Waarom lees je dan nog verder?'

'Als ik tot Allah bid, stel ik mij diezelfde vraag. Soms denk ik dat ik alleen maar op het paradijs kan hopen als ik mij helemaal aan de zaak van de islam wijd.'

'Ik weet zeker dat al-Quaida je dan een missie op zou dragen.'

Nizam grinnikte, een zenuwachtig geluid dat op iets anders wees, maar Paul wilde er niet over speculeren wat het was.

'Ik ben bang dat ik er nog niet klaar voor ben om te sterven,' zei Nizam.

'En je zult er niet klaar voor zijn om dit leven te verlaten totdat je de zekerheid hebt van de ware God en het geloof dat Zijn Zoon voor jouw zonden aan het kruis gestorven is.'

'Allah heeft geen zoon. Dat is godslasterlijk, broer.'

'Je zult die dingen zelf moeten bepalen.' Paul slikte moeilijk. O, wilde Nizam maar echt naar de antwoorden zoeken in plaats van Paul in de val te laten lopen. 'Wat mijzelf betreft, ik dien de Heere God.'

'Je klinkt erg overtuigd, maar stel dat je het mis hebt.'

'Ik heb het niet mis en dat is juist de bron van mijn echte blijdschap. Ga je ermee door in de Bijbel te lezen?'

'Mogelijk. Ik wil je ontmoeten, Abdullah.'

'Paul. Abdullah is gestorven toen ik christen werd.'

Nizam grinnikte weer. 'Ik wil met je praten over deze dingen. Zoals ik al eerder zei, ik wil je waar dan ook ontmoeten. Wil je mij nog steeds in Californië ontmoeten?'

Paul vond het moeilijk om daar antwoord op te geven. Hij wierp een blik op Larson die bij de kinderen stond. Mocht hij het risico nemen om haar als weduwe achter te laten om de gelegenheid te hebben Nizam te overtuigen? Wie diende Paul? Door zijn broer af te wijzen, zette hij zijn vertrouwen in Gods bescherming aan de kant. Hoewel hij zich soms afvroeg of de Nijl zich rood zou kleuren met het bloed van de onschuldigen voordat de Schepper van hemel en aarde een eind zou maken aan de zinloze moordpartijen.

'Nizam, bel mij over een paar dagen terug. Ik moet dit met mijn vrouw bespreken. Als ik er rekening mee houd dat je misschien een val voor mij probeert op te zetten, staat er veel op het spel.'

'Dit is geen val. Ik begrijp niet waarom ik deze weg ga die mijn dood zou kunnen betekenen. Maar ik moet de antwoorden vinden. Ik bel je over een paar dagen.'

Paul belde af. Hij hield de telefoon in zijn hand en staarde ernaar alsof God tegen hem zou gaan spreken. *Nizam. Wil je echt God leren kennen? Of wil je mij net als de anderen alleen maar doden?*

21

HET was vijf dagen geleden dat Nizam Paul had gebeld en iedere keer als de telefoon van haar man ging, was Larson bang dat het haar zwager zou zijn. Ze wilde graag geloven dat hij meer over het christendom wilde weten en dat hij oprecht was. Maar ze vertrouwde geen enkel lid van een familie die publiekelijk verteld had dat ze Paul wilde doden. Ze had gehoord dat er een prijs op zijn hoofd stond en ze wist wat haar man kon verwachten in de martelkamers. Paul had een onvergeeflijke overtreding begaan door zich van de islam af te keren en nu was hij een ongelovige die de doodstraf verdiende.

Larson had voldoende informatie ingewonnen over de godsdienst van zijn familie om te begrijpen dat de extremistische groepering liegen voor de zaak van Allah goedkeurde. Voor haar vertegenwoordigde Nizam een vorm van terrorisme die erger was dan de meest bedrieglijke mannen. Maar God riep Zijn kinderen op om lief te hebben – om zichzelf over te geven zoals Hij Zichzelf vrijwillig had overgegeven.

Ze zat er vreselijk mee: het was niet alleen een onopgeloste situatie maar ook een hartverscheurend dilemma. Ze kon Paul er niet van weerhouden God gehoorzaam te zijn, ook al zou hem dat het leven kosten. En de mogelijke opoffering van haar man boezemde haar nog de grootste angst in.

'Besteed meer tijd aan gebed en bijbellezen,' had ze tegen hem gezegd voordat Sarah vanmorgen in de kliniek was verschenen. 'Hij wil dat je de juiste antwoorden hebt.'

'Ik hoor alleen maar stilte.' Het gefluit van vogels buiten onderstreepte zijn woorden.

'Kennen we het antwoord al en besteden we er geen aandacht aan?'

Zijn eigen vraag raakte haar diep, want ze vreesde al wat er gedaan moest worden.

'Dit is de moeilijkste keus in mijn leven.' Hij stond op uit zijn stoel bij de computer. 'Ik heb allerlei mensen over de hele wereld gevraagd voor mij te bidden.'

Larson nam haar man op en bestudeerde iedere lijn en buiging van zijn gezicht. 'Wat zou Jezus in deze situatie doen? Wat zou de apostel Paulus doen?'

'Hij zou om leiding bidden.'

'Wat we samen gedaan hebben. Ik vraag mij af of God in stilte Zijn engelen opdracht heeft gegeven een beschermde weg naar Nizam te banen.'

Paul knikte. 'Ik ben niet bang om te sterven, maar ik maak mij zorgen over jou en ons kleine gezin.'

'We moeten vertrouwen, Paul. Als God het wil dat je tegen je broer getuigt, heb je geen keus. Maar mijn liefde voor jou zegt iets anders. Ik wil je nog vele jaren naast mij hebben, niet dat er in een of ander boek over martelaars over je geschreven wordt, zoals over Jim Elliot en Nate Saint.'

Zijn niet-begrijpende blik deed haar glimlachen. 'Zij gaven aan het eind van de jaren vijftig hun leven voor Christus in Zuid-Amerika. Later werden degenen die hen doodden christenen.'

'Het had dus een doel.'

Ze slikte en knipperde met haar ogen. 'Nu heb je je antwoord.'

Hij trok haar tegen zich aan. Ze zag in zijn ogen zijn liefde voor haar. Maar in die ogen was nog meer zijn liefde voor God te zien. 'Ik houd van je, Larson. Ik zal voorzichtig zijn.'

✳

Ben wierp een blik op David die op de militaire buitenpost tegenover hem zat. De jongen luisterde naar het geprat van de soldaten. Sommigen zaten op te scheppen over vuurgevechten in het verleden, anderen praatten over de toekomst. David stelde een paar vragen en bestudeerde iedere man. Hij had de kenmerken van leiderschap en een goed verstand. Vanavond zou Ben de activiteiten van de dag met hem bespreken en hem de gelegenheid geven zijn gedachten onder woorden te brengen.

Na het incident met Daruka en de leeuw had hij geaarzeld om David met zich mee te nemen. Ze zou zich verloren voelen zonder hun zoon en zich zorgen maken over hun beider veiligheid. Hij dacht na over de aard van mannen en vrouwen. Mannen waren meestal degenen die manmoedig voorwaarts gingen om hun huis te beschermen en te zorgen voor degenen van wie ze hielden, terwijl vrouwen thuis moesten wachten – en zich zorgen maakten. De rol van de man was makkelijker.

Bens leven was altijd vervuld geweest van zelfvertrouwen en zeker-heid, tot de kanker toesloeg. Hij had erover gedacht om Daruka te vertellen hoe hij ervoor stond. Dan zou ze in ieder geval begrijpen waarom hij de pillen slikte en waarom hij zo'n pijn in zijn rug had. Maar ze zou zich door zijn naderende dood ellendig voelen en dat wilde hij niet. Ze zou dan ongetwijfeld beseffen dat hij met haar getrouwd was om hun zoon en Ben wilde haar niet nog meer kwetsen dan hij al gedaan had.

'Vader, bedankt dat u mij meegenomen hebt.'

Hij kreeg er nooit genoeg van om zo te worden aangesproken door zijn zoon. 'Ik wilde je laten zien hoe mijn leven eruitziet als het betrekkelijk veilig is.'

'Ik hoop dat de nieuwe regering geen eind zal maken aan de we-deropbouw van het zuiden.'

Ben knikte. 'Voordat vice-president Garang gedood werd, werd ik uitgenodigd om met een aantal mensen samen te werken die dat wilden gaan doen.'

'Wie heeft de plaats van de vice-president ingenomen?'

'Een man die Salva Kiir Mayardit heet, een militair. We zullen moeten afwachten wat voor man het is. Hij steunt de afscheidingsbeweging van het zuiden en dat staat mij wel aan.'

'Ik denk dat u de man moet zijn die de wederopbouw leidt. U bent kolonel en hebt uw opleiding in de Verenigde Staten gekregen.'

Ben lachte om de verklaring van zijn zoon. 'Ik denk dat mijn reputatie als een humeurig man mijn kwalificaties in de schaduw stelt.'

David haalde zijn schouders op. 'Dan moet de regering u niet boos maken.'

Ben gaf hem een klap op zijn schouder. 'Ik denk dat jij een veel betere leider zult worden.' Hij stond op en vertrok zijn gezicht van pijn.

'Vader, waar hebt u pijn?'

'Och, ik word gewoon een dagje ouder. Dat krijg je als je voortdurend in het veld aan het vechten bent.'

'Ik zal voor u bidden.'

Mijn vrouw heeft hem christelijk opgevoed. Ben hoopte dat de jongen het geloof uiteindelijk niet als een zwakte zou gaan zien. 'Ik heb nog iets te doen en ik denk dat je maar beter niet mee kunt gaan.' Hij glimlachte. 'Ik ben zo weer terug.'

Ben liep naar de tent waarin Muti werd vastgehouden tot Ben en Okuk kwaad genoeg zouden zijn om hem te doden. De Arabier weigerde om ook maar enige informatie te geven en had zich ermee verzoend dat hij zou sterven. Martelingen hadden weinig resultaat opgeleverd. Het idee was bij Ben opgekomen om met hem te onderhandelen over macht en hij wilde Muti vandaag op een andere manier benaderen.

Het begon weer hard te regenen en de druppels spoelden de modder van Bens laarzen. Hij zette de gedachte dat zijn naderende dood zijn trots en zelfrespect op zo'n zelfde manier wegspoelde van zich af. Toen Ben voor de bewaker stond, zag hij de regen van de klep van de pet van de man druppen. De bewaker salueerde en vertrok geen spier.

'Leeft de gevangene nog?' vroeg Ben.

'Ja, meneer. Hij praat.'

'Heeft hij vandaag iets te eten gekregen?'

'Nee, meneer. Alleen een kopje water.'

'We zullen eens zien of hij de dag doorkomt. Is commandant Okuk bij hem geweest?'

'Ja, meneer. Twee keer.'

Ben stapte de tent binnen. Muti was verdwenen.

✳

Paul verstelde de riem van zijn rugzak en versnelde zijn pas om bisschop Malou in te halen. Ze waren op weg naar de truck van de bisschop, een roestig voertuig met kogelgaten die ergens tijdens de Vietnamoorlog van de lopende band moest zijn gekomen.

Bisschop Malou bezat een krachtig voorkomen. Larson zei dikwijls dat ze Gods aanwezigheid in de bisschop kon voelen. Paul dacht er net zo over. In Zuid-Soedan werd de bisschop zeer gerespecteerd, maar de man woonde hier in de provincie Bahr al-Ghazal en hier lag zijn hart.

Ten slotte haalde Paul de lange, slanke man in. 'Als mijn benen langer waren, zou ik dit probleem niet hebben.'

Bisschop Malou gooide zijn gerafelde tas achter in de truck. 'Als je benen langer waren, zouden we deze truck sneller geladen hebben.'

Paul lachte, tilde een zak rijst op en liet hem naast de andere zakken en dozen met etenswaren glijden. 'En als ik een andere truck voor je mocht kopen, zouden we samen veel sneller op de plaats van bestemming komen.'

Ze leunden aan weerskanten tegen de laadbak van de truck aan en de zon brandde in de vochtige hitte op hen neer. Van beiden drupte het zweet in hun shirts.

'Hoever zijn we op weg voordat je mij vertelt wat je dwarszit?' vroeg de bisschop.

'Waarom denk je dat mij iets dwarszit?' Paul haalde twee flessen water uit zijn rugzak en gooide hem er een toe.

De bisschop ving hem op en draaide de dop eraf. 'Dat voel ik. Man, je moet nu toch weten dat ik een zesde zintuig heb.'

'Je wilt vast niet horen hoe ik jouw zesde zintuig noem.'

'Maar ik heb wel gelijk, dus laten we op weg gaan zodat we kunnen praten.'

Toen ze een kwartier over de hobbelige, smalle weg gereden hadden, keek bisschop Malou hem aan. 'Ik ben klaar met bidden en nu mag je mij om advies vragen.'

Paul grinnikte. 'Ik merk dat nederigheid niet een van je deugden is.'

'Ik werk eraan.' Ze reden door een kuil en de bisschop concentreerde zich weer op de weg. 'Gaat het over Larson en de baby of over je broer?'

'Met Larson en mij gaat het goed. Meer dan goed. We bidden God waar Hij wil dat we gaan wonen en ons gezin opvoeden – hier of ergens anders. Het probleem is Nizam. Ik heb besloten hem te ontmoeten. Larson is het ermee eens. Mijn broer had een week geleden al moeten bellen om mijn antwoord te horen, maar tot nu toe heeft hij niet gebeld.'

'Ben je bang dat er iets met hem gebeurd is?'

Paul gaf een ruk aan een losse riem van zijn rugzak. 'Hoe langer het duurt, hoe meer ik aan mijn beslissing ga twijfelen. Als hij van plan is moslim te blijven, dan zal ik voor hem op mijn hoede moeten zijn, wat ik overigens gewend ben. Iemand heeft hem het nummer van mijn satelliettelefoon gegeven en ik ben er nog niet achter wie dat is geweest. Als mijn broer echt persoonlijk met mij wil praten om meer te leren over het christendom, dan moet ik de ontmoeting doorzetten. Hoe dan ook, het zou mijn dood kunnen zijn, zodat Larson onze kinderen dan alleen op moet voeden.'

'Onze gezinnen baren ons altijd zorgen. Maar uiteindelijk gaat het om onze prioriteiten en God is onze eerste prioriteit. Zoals ik het zie, doet het er niet toe wat we doen als God ons naar huis roept.

Waar ik echt bang voor ben, is dat ik Zijn wil niet doe.'

'Ik ben tot diezelfde conclusie gekomen, maar ik word er gek van om te moeten blijven wachten op Nizams telefoontje.'

Bisschop Malou keek hem met een uitgestreken gezicht aan.

'Oké, ik ben toch al gek.' Paul zag hoe een groepje gazellen langs de weg opkeek toen ze dichterbij kwamen. 'Ik hoop dat mijn broer zijn veiligheid niet in gevaar gebracht heeft.'

'Wat de uitkomst ook zal zijn, God weet ervan.'

'Ik wil dat Nizam mij laat weten wat hij van plan is, zodat ik plannen voor de toekomst kan maken,' zei Paul, benieuwd naar de reactie van de bisschop.

Bisschop Malou schudde zijn hoofd en grinnikte. 'De toekomst, zeg je. We weten niet eens wat de volgende dag ons zal brengen.'

Maar Paul had het gevoel dat er een verrader in zijn directe omgeving was die ernaar streefde zijn plannen voor de komende dagen in de war te gooien. Hij wilde niets liever dan erachter komen wie zijn telefoonnummer aan Nizam had gegeven. En als zijn broer daar achter kon komen, wie was er dan nog meer die hem en Larson op de hielen zat?

'Ik wil je een verhaal vertellen.'

'Ga je gang. Dan heb ik iets anders om aan te denken.'

'Een jongeman was op de vlucht voor een groepje Janjaweed te paard. De jongeman rende naar een dorpje, maar er was daar geen plaats waar hij zich schuil kon houden. De enige persoon die hij zag, was een oude man die graan aan het malen was. Naast hem lag een grote hoop graan.

"De Janjaweed zit achter mij aan," zei de jongeman. "Waar kan ik mij verstoppen?"

De oude man wees naar de hoop graan. "Hieronder." De jongeman had geen andere keus dan onder de hoop graan te kruipen. Even later reed de Janjaweed het dorp binnen.

De leider begroette de oude man beleefd. "Hebt u een jongeman gezien die op de vlucht is?"

De oude man knikte. "Ja, die heb ik gezien."

"Waar is hij heengegaan?"

De oude man wees naar de hoop graan. "Hij zit daaronder."

De leider van de Janjaweed lachte en de anderen die bij hem waren, deden dat ook. "Oude man, we zijn niet stom." Kort daarop reed de Janjaweed, die dacht dat de oude man gek was, weer weg.

De jongeman kroop onder de hoop graan uit. Hij beefde zo erg dat hij nauwelijks kon praten. "Waarom vertelde u hun dat ik mij daaronder schuilhield?"

De oude man glimlachte. "Jongen, weet je niet dat de waarheid je vrij zal maken?'"

De rij patiënten die nog op Larson stond te wachten, verhinderde dat ze een dutje kon gaan doen, maar dat was de meeste dagen het geval. Ze wilde voortdurend slapen, en als ze niet wilde gaan liggen, zat ze te wiebelen omdat ze moest plassen.

Hormonen verstoorden haar lichaamsfuncties aanzienlijk.

Larson wierp een blik op de klok. Het ziekenhuis moet nu de resultaten van het bloedonderzoek van Thomas hebben. De dokter zou de informatie per e-mail doorsturen, maar wanneer had ze de tijd om haar e-mail te controleren? Sarah had haar handen vol aan een huilende baby van wie de moeder twee weken op pad was geweest om bij de kliniek te komen. Zoals in de meeste gevallen als een moeder met een ziek kind naar de kliniek kwam, kon Larson weinig meer doen dan het ongemak van het kleintje wat verlichten en met de moeder bidden. Alles wees erop dat het kind niet lang meer zou leven. Koorts en diarree sloopten het lichaampje en uitdroging eiste zijn tol.

Een man halverwege de rij trok haar aandacht. Hij hield zijn linkerarm tegen zijn buik alsof die gebroken was – of een pistool verborg. Larson hield met alles rekening. Er was de afgelopen tijd per slot van rekening van alles gebeurd.

'Sarah, kun je even hier komen, alsjeblieft?'

De oude vrouw nam de huilende baby met zich mee. Larson draaide zich naar haar om en fluisterde: 'Ga met het kind naar buiten en zoek een van de bewakers op. Laat hem naar mij toekomen met een of andere klacht die mijn aandacht nodig heeft. Er staat daar een man te wachten die er een beetje verdacht uitziet, die met zijn arm op zijn buik. Ik wil niet voor verrassingen komen te staan. Blijf een poosje buiten zodat alles heel gewoon lijkt.'

'Santino zou er moeten zijn. Hij zou ons beschermen.' Sarah draaide zich om en liep naar de deur.

Een zwaar gebouwde soldaat stapte de kliniek binnen. 'Het spijt mij dat ik u moet storen, dokter Farid, maar ik heb erge buikpijn.'

'Dat kunnen we niet hebben.' Ze wees naar de rij. 'Ga daar maar ergens staan, maar niet achter aan de rij. Onze soldaten moeten zich weer zo gauw mogelijk in orde voelen.'

De soldaat ging naast de man staan die zijn arm vasthield. Larson zuchtte diep en richtte haar aandacht weer op de patiënt voor haar. *Het is mijn taak om te genezen. Het is zijn taak om het mogelijk te maken dat ik dat kan doen.*

Kort daarop kwam Sarah de kliniek weer binnen. De baby huilde niet meer. Larson keek lang genoeg naar het kind om vast te kunnen stellen dat het kind of bewusteloos of gestorven was.

'Sarah, laat mij de baby eens zien.'

De oude vrouw keek naar Larson en schudde haar hoofd. Er waren dagen waarop Larson haar werk haatte. Ze stuurde Sarah naar de moeder toe om haar te troosten en de begrafenis te regelen. Op de begraafplaats van Warkou waren al veel te veel mensen begraven.

Tussen alle gesprekken in het Dinka, andere stamdialecten en Arabisch door hoorde ze de soldaat met de man naast hem praten. Alles scheen in orde te zijn. Even later constateerde ze dat de man inderdaad een gebroken arm had, maar hij had ook een mes bij zich. De soldaat pakte het van hem af tot ze de arm gezet had.

De dag eindigde laat en ze had nog steeds geen kans gezien om naar haar computer te gaan om de uitslag van Thomas' bloedonderzoek te controleren. Lang na zonsondergang gaf ze Thomas de fles en bekeek intussen haar e-mail. Het bericht van de dokter in Nairobi stond in haar inbox. Ze kuste Thomas op zijn wang en hoopte vurig dat hij gezond mocht zijn. Ze werd overvallen door een sluier van droefheid toen ze terugdacht aan het lot van de moeder van de baby eerder die dag.

Ten slotte klikte Larson het bericht aan. In een oogopslag zag ze wat het ziekenhuis had vastgesteld. Alle gegevens over Thomas' bloed vielen in het normale patroon. Geen hiv, geen enkele aanwijzing voor ernstige afwijkingen. Hij was een goede, gezonde baby en ze zou er alles aan doen om dat zo te houden.

22

Ben liep woedend door het kamp naar Muti te zoeken. Hij en commandant Okuk doorzochten iedere tent en bestudeerden sporen met voetafdrukken. Hun gevangene was ontsnapt door een scheur in de achterkant van de tent die duidelijk met een mes was gemaakt. Maar wie was de medeplichtige? Ben ondervroeg iedere soldaat met een doodsbedreiging in iedere ademtocht. Bewakers hadden hun plicht gedaan en niemand had in of om het kamp iets verdachts gezien. Ben nam zelfs de moeite om de bezittingen van iedere soldaat door te nemen op zoek naar geld dat op verraad zou kunnen duiden.

Er bestond dus nog een mol, en deze keer bevond die zich onder zijn eigen mannen. Zijn soldaten hadden jarenlang onder hem gediend en het Neushoornbataljon stond als een van de beste bekend. Hij had hen hard getraind en ze hadden hun thuisland goed verdedigd. Als hij eraan terugdacht hoe iedere man gevochten had, kon Ben geen enkele man beschuldigen of iets op hem aanmerken.

Toen al hun pogingen geen enkel resultaat opleverden, liepen de twee mannen terug naar Bens tent.

'Okuk, denk eens goed na. Heb je helemaal niets gezien of gehoord dat ons een aanwijzing zou kunnen geven voor wat er gebeurd is?' Ben had een pijnstiller nodig, maar Okuk en David zaten bij hem in de tent en hij wilde hun vragen over wat hij precies innam niet horen.

'Nee, meneer. Toen ik Muti eerder zag, zei hij niets dat erop zou kunnen wijzen dat hij bevrijd zou kunnen worden. Hij zei in feite helemaal niets. Hij was zo zwak dat ik mij nauwelijks kan voorstellen dat hij de kracht had om de tent uit te kruipen.'

'Tenzij hij alleen maar net deed of hij zo zwak was om ons voor de gek te houden. En nu hebben we ons inderdaad voor de gek laten houden, want hij is verdwenen. Als ik de man vind die hem heeft helpen ontsnappen, breek ik hem eigenhandig de nek.' Hij wilde nog meer zeggen, maar David was erbij. Een zijdelingse blik liet een stoïcijnse uitdrukking op het gezicht van zijn zoon zien. Ben slikte zijn andere woorden in en raakte Davids arm even aan. 'Ik laat je terugbrengen naar je moeder. Muti is in staat om een heel leger op ons af te sturen.'

'Vader, ik wil bij u blijven.' Zijn stem beefde. 'Jongens die nog jonger zijn dan ik vechten ook.'

'Als je vijf of zes jaar ouder was, zou ik je een geweer geven. Maar je bent te jong en je moeder zou het mij nooit vergeven.' Ben schudde zijn hoofd. 'En ik zou het ook mijzelf nooit vergeven als ik je in gevaar zou brengen. Je bent gauw genoeg volwassen.' Ben richtte zich tot Okuk. 'Jij bent de enige man die ik mijn zoon toevertrouw. Neem een van de trucks en breng hem bij zijn moeder. Ik wilde wel dat Santino hier was, dan zou ik hem in jouw plaats sturen.'

Commandant Okuk stond op van zijn stoel. 'Ik vertrek meteen. Net als u denk ik dat Muti ons heel gauw zal aanvallen.'

Ben stond op en David volgde met tegenzin zijn voorbeeld.

'Komt u weer gauw bij ons terug?' vroeg David.

'Ja, zodra de situatie hier is opgelost.' *Ik zou je eigenlijk zelf moeten terugbrengen maar dat is onmogelijk. Ben omhelsde zijn zoon.* 'Ik houd van je. Zorg goed voor je moeder voor mij.'

Hij wist nooit of dit de laatste keer zou zijn dat hij David zag. Een vader kon niet trotser zijn op een zoon dan wat Ben voelde voor de jongen die naast hem stond. Iedere keer als hij bij zijn zoon was of aan hem dacht, begreep Ben waarom mannen die een gezin hadden ten strijde trokken en hun leven opofferden. Hij zou voor David alles doen. Sinds hij met Daruka was getrouwd en een relatie met zijn zoon had gekregen, had Ben zich voorgenomen goede en edele dingen te doen zo lang hij leefde.

Ben keek Okuk en David na toen ze vertrokken. Hij wilde eigenlijk niets liever dan zijn zoon terugroepen. Het was een vreemde mengeling van beminnelijkheid en harde realiteit. Hij wilde iets wat hij niet terug kon krijgen: tijd en de gelegenheid om het verleden terug te winnen.

Kanker. In stilte vervloekte hij de ziekte die het leven uit hem zoog. Hij wilde niet sterven in het bijzijn van Daruka en David. Als er een God was, wilde hij Hem smeken zijn gezin het beeld van een zieke man in een gebroken lichaam te besparen.

Terug in zijn tent slikte hij haastig een pil en greep toen zijn telefoon.

'Paul, ik heb slecht nieuws voor je.'

'Nieuwe gevechten?'

'Erger. Iemand heeft Muti laten ontsnappen.'

'Hoe is dat gebeurd?'

Pauls kritische reactie krenkte Bens trots en dat stond hem niet aan.

'Als ik wist hoe hij ontsnapt was, zou ik de jakhals hebben.'

'Sorry. Ik had niet de bedoeling om je mannen ervan te betichten dat ze hun plicht niet hebben gedaan. Wat is er precies gebeurd?'

'Ze hebben een gat in de tent gesneden en hij is er aan de achterkant uit gekropen.'

'Je zult hem wel weer vinden.'

'Luister, Paul. Ik bel je omdat ik mij zorgen over jou en Larson maak.'

'Dat waardeer ik. Santino gaat vandaag weer terug naar Warkou. Maar als hij er nog niet is, moet ze het dorp verlaten.'

'Ben je niet bij haar?'

'Nee. Ik ben bij bisschop Malou en we gaan zo meteen weer terug naar Warkou. Maar het duurt nog zo'n zes uur voordat we daar weer zijn. Ik zal haar meteen bellen.'

'Oké. Ik denk niet dat Muti zich lang schuil zal houden. Wees voorzichtig. Zeg haar dat ze in de Hummer gaat zitten en dat ze zich schuil moet houden totdat Santino er weer is.' Ben liet de telefoon in zijn broekzak glijden. Plotseling betekenden vrienden meer voor hem dan ooit tevoren.

De gedachte dat Larson iets zou overkomen, bracht hem van zijn stuk. Zoals altijd dacht hij veel te vaak aan haar. Op zijn bruiloft met Daruka had hij oogcontact met Larson vermeden omdat hij bang was dat ze de waarheid in zijn ogen zou zien. Wie probeerde hij eigenlijk voor de gek te houden? Maar voor het eerst wilde hij meer van Daruka dan van Larson houden. Misschien zou het gebeuren voordat hij stierf.

Hij draaide zich om en liep het kamp weer in. Onder zijn soldaten had zich een soort vuur verspreid – een vuur van achterdocht en wantrouwen. En hoewel de vlammen ervan ook op hem af sprongen, betekende overleven dat je de man naast je, die een geweer bij zich had, vertrouwde. Vertrouwen was belangrijker dan het kaliber van het wapen of het aantal mannen dat voor of tegen je was. Zonder vertrouwen stierf de man en de zaak.

Ben zou de hele verdere dag besteden aan het ondervragen van iedere man. Hij zou de mol vinden en hem voor het oog van al zijn soldaten executeren.

'Jullie allemaal behalve de bewakers voor mijn tent.' Ben probeerde met zijn stem en aanwezigheid indruk op de mannen om hem heen te maken. 'Ieder op zijn beurt. We gaan dit nog een keer doornemen. Niemand gaat weg. Niemand gaat een gesprek aan met een ander tenzij we worden aangevallen. Houd er rekening mee dat Muti ons zal gaan aanvallen.'

Paul had de neiging zijn telefoon weg te gooien. Waarom nam Larson niet op? Hij had nu vier keer haar nummer gebeld zonder dat ze opnam. Ze hechtte er niet zo veel waarde aan om telefonisch bereikbaar te zijn als hij. Soms was dat frustrerend. Nu was het angstaanjagend.

Hij hoorde bisschop Malou de dorpsbewoners uitleggen wat het betekende om een leven te leiden dat een afspiegeling van Jezus was. Om niet op mensen maar op God te vertrouwen die Zijn schepping regeerde met een volmaakt plan.

Dat is wat ik momenteel mis. Erop vertrouwen dat Muti niet achter Larson aangaat terwijl er niemand is om haar te beschermen. Paul moest erop vertrouwen dat God zijn gezin zou beschermen.

Toen de dienst voorbij was, kwam bisschop Malou naar Paul toe. 'Ik zie de bezorgdheid op je gezicht, mijn vriend. En ik zag je telefoneren. Zijn er moeilijkheden?'

'Kolonel Alier heeft mij zojuist verteld dat Muti is ontsnapt.' Paul zette de vrees dat de truck van de bisschop niet wilde starten van zich af. 'Ik ben bang voor Larson en ze neemt de telefoon niet op. Ik had niet weg moeten gaan voordat Santino weer terug was.'

'We rijden onmiddellijk terug naar Warkou. Maar laten we eerst bidden.'

Paul wilde liever onderweg bidden.

'Mijn vriend, de vijand die je belaagt is niet te groot voor God.'

Paul werd boos. 'God verwacht van mij dat ik voor mijn gezin zorg. En gezien...'

Er kwam een klein gezin naar hen toe voor Paul zijn zin af kon maken – en dat was maar goed ook, want het waren boze woorden die Paul had willen zeggen.

'Bisschop Malou, mijn gezin wil graag gedoopt worden voor u vertrekt.'

De bisschop stak zijn hand naar hem uit. 'Tijdens mijn laatste bezoek ben je christen geworden.'

'Ja, meneer. En nu willen we ons in gehoorzaamheid laten dopen.'

Paul schraapte zijn keel. 'Bisschop Malou moet nu vertrekken. Hij kan jullie de volgende keer dat hij hier is wel dopen.'

De bisschop glimlachte en bleef naar de man kijken. 'Ik wil jou en je gezin vandaag graag dopen.'

'We moeten nu vertrekken.' Als ze niet in de gammele truck van de bisschop hiernaartoe waren gekomen, zou Paul zonder de bisschop vertrokken zijn.

De bisschop wierp even een snelle blik op Paul. Aan alles was te merken dat hij gespannen was. 'Eerst het werk van de Heere. Daarna gaan we weg.'

Paul balde zijn vuisten en knikte. Als hij zijn mond open zou doen, zou hij dingen zeggen waarvoor hij zich later zou moeten verontschuldigen. Hij liep naar de truck en haalde de telefoon weer uit zijn zak.

Larson. Zodra hij gebeld had, nam ze de telefoon op.

'Alles goed met je? Ik probeer je voortdurend te bellen.'

'Ja, toen Thomas sliep, ben ik een dutje gaan doen. Wat is er, Paul?'

'Muti is uit het kamp van Ben ontsnapt.'

'Hoe dan?'

'Dat weet Ben ook niet. Hij is net zo boos als ik. Wie weet wat Muti nu zal gaan doen?'

'Santino kan ieder moment hier zijn.'

'Maar ik zou je moeten beschermen. Dat is mijn taak.'

'Je hoeft niet zo boos te zijn.'

Paul haalde diep adem. 'Het spijt me.' Hij wreef een keer over zijn gezicht alsof hij daarmee zijn boosheid kon verjagen. 'We vertrekken hier over een uur. Bisschop Malou moet eerst nog een gezinnetje dopen.'

'Het gaat daar dus goed.'

Hij kon zich niet meer herinneren wanneer hij zich over zoveel dingen tegelijk zorgen had gemaakt. Had God hem vergeten? 'Ehh... ja. Veel mensen hebben besloten christen te worden.'

'Geweldig. Paul, ik houd van je. Je kunt niet overal tegelijk zijn om de problemen van de wereld op te lossen. Je kunt alleen maar zijn op de plaats waar God je op een gegeven moment wil hebben.'

'Dat kun jij makkelijk zeggen. Jij staat niet in mijn schoenen.'

'Wat zeg je?'

'Alsjeblieft, Larson. Neem Thomas mee en rijd van het dorp weg tot Santino of ik weer thuis zijn. Of nog beter, ga naar het kamp van Ben. Je kunt daar binnen twee uur zijn. Zeg tegen niemand waar je heen gaat.'

'Ik heb mijn geweer en mijn pistool. Ik denk niet dat het nodig is.'

'Ik zei dat je daar weg moet.'

'Oké.' Hij hoorde haar in beweging komen. Bracht ze Thomas nu terug naar zijn bedje? 'Ik bel je zodra ik uit het dorp ben.'

'Je moet doorrijden. Muti is een gevaarlijk man. Hij heeft je al eens ontvoerd en misschien probeert hij het opnieuw. Larson, ik moet weten dat je veilig bent.'

Larson voelde plotseling iets van paniek opkomen. Ze sloeg met haar ene hand een dekentje om Thomas heen en hield met haar andere hand een pistool en een tas met melkpoeder vast. Toen ze het portier van de Hummer openrukte, liet ze haar sleuteltjes vallen. Ze beefde, bukte zich en raapte ze weer op. Thomas begon te huilen.

'Stil maar, liefje. We gaan een eindje rijden.' Ze maakte de riempjes van het autozitje vast en kuste hem op zijn voorhoofd. Op de achterbank lagen schone kleren voor hen en een heel pak luiers.

Help mij, Heere. Ik ben bang.

Even later reed ze over de modderige weg die naar het kamp van Ben leidde het dorp uit.

Ze was de afgelopen dagen twee keer aan de dood ontsnapt. Ze was zwanger, herstelde van een kogelwond en nu was een van haar ontvoerders ontsnapt. Paul was bang om haar en zijn liefde voor haar kwam tot uiting in allerlei emoties.

Thomas begon harder te huilen. Ze pakte een flesje en hield het hem voor terwijl ze verder reed. Ze hoopte dat ze voorlopig niet hoefde te schakelen. Het gehuil maakte plaats voor zuigende geluidjes. Ze liet het flesje tegen de zijkant van de auto steunen en toetste Pauls nummer in.

'Ik ben op weg.'

'Mooi. Zal ik Ben vragen om iemand naar je toe te sturen?'

'Nee, ik red me wel. Hij zal wel tekort aan manschappen hebben, denk ik.' Larson staarde naar het gezicht van haar zoontje. *Wat kan ik afgezien van bidden doen?*

'Oké. Houd mij op de hoogte. Je mag onder geen beding stoppen.'

'Dat zal ik niet doen. Ik houd nu Thomas' flesje in de gaten zodat het niet uit zijn mond valt, ik praat met jou en ik rijd.'

'Wat een vrouw! Sorry dat ik tegen je schreeuwde.'

Ze knipperde een traan weg. Die akelige hormonen. 'Geeft niet, hoor. Ik houd van je. Ik zal je ieder half uur bellen tot ik in het kamp van Ben aankom.'

Ze belde af en liet de telefoon naast zich op de zitting vallen. Toen de waarheid plotseling tot haar doordrong, was ze bang dat ze misselijk zou worden. Als Paul niet voorzichtiger werd, zou hij gedood kunnen worden. Omdat hij zich zorgen om haar maakte, besteedde hij te weinig aandacht aan zijn eigen veiligheid en zou een van zijn vele vijanden hem gemakkelijk te pakken kunnen nemen. Larson wilde niet het bloed van haar man aan haar handen hebben. Wat kon ze doen? Maatregelen nemen om Soedan te verlaten en hem het pas later vertellen? Maar dan zou ze haar geliefde man moeten verlaten en zouden ze hun toezegging aan Soedan niet nakomen. Zou hij begrijpen dat ze het alleen maar zou doen om te voorkomen dat hem iets overkwam?

23

Paul liep over het paadje naar de oever van de rivier waar bisschop Malou tot zijn middel in het water stond om het gezinnetje te dopen. Er had zich een hele menigte verzameld en hun gezang klonk op tussen de boomtoppen. Tot Pauls ontzetting hield de bisschop zoals altijd een preek bij een doopdienst. Misschien zouden er nog meer mensen zijn die zich wilden laten dopen en zouden ze pas tegen de avond naar Warkou kunnen terugkeren. Paul fronste zijn voorhoofd en voelde zijn frustratie groeien. Te oordelen naar het aantal mensen dat naar het gebied toe stroomde, was er ook nog een ander dorp van de gebeurtenis op de hoogte gesteld. Dat betekende dat er nog meer mensen de beslissing zouden nemen om zich te laten dopen.

Hij zou blij moeten zijn – opgewonden dat zoveel mensen gelovig waren geworden. Maar in plaats daarvan ergerde hij zich alleen maar. Waar was zijn blijdschap gebleven?

Hij keek uit over het troebele water, op zoek naar slangen en krokodillen. Ongeveer een jaar geleden had een krokodil bisschop Malou midden in een doopdienst aangevallen. Als een van de mannen toen geen waarschuwing had geschreeuwd, zou hij nu dood zijn. Sinds die tijd hield Paul het troebele rivierwater, waarin de dood rondwaarde, altijd goed in de gaten.

Paul haalde diep adem. Een jonge vrouw strompelde langs hem heen. Ze had een vergevorderd stadium van guineaworm en had een stok bij zich om de worm erom heen te winden als hij uit haar been zou kruipen. Hij hoopte dat ze niet van plan was om met dat ontstoken been in het vuile water te stappen. Ze had de parasiet in dat vuile water, waarin de bisschop nu aan het dopen was, opgelopen. Paul zou Larson hiernaartoe moeten brengen om antibiotica en medicijnen uit te delen tegen de ziekte. Als deze vrouw de parasiet had, zouden er ongetwijfeld meer zijn.

Het vervelende was dat de vrouw het weer zou kunnen krijgen en als haar en andere vrouwen niet geleerd werd om uit het vuile water te blijven, zou het probleem gewoon blijven bestaan. Hij vroeg zich af hoe de mensen met al die ziekten om hen heen konden overleven. En hieraan wilden hij en Larson nu juist iets doen. Ze hadden zich voorgenomen om de mensen op alle mogelijke manieren te helpen. Moesten ze Zuid-Soedan dan verlaten als de situatie verslechterde? Hij dacht van wel. Hij had het zich ook voorgenomen. Maar toen hij alle ellende om zich heen zag, was hij er niet meer zo zeker van.

Larson. Hij had haar schandelijk behandeld maar hij had in ieder geval zijn verontschuldiging aangeboden. Ze zou hem over een paar minuten bellen. De Hummer was een pantsertank; ze zou veilig zijn tot ze in het kamp van Ben aankwam. Hij zuchtte. Tegenover bisschop Malou had hij zich ook misdragen. Wat was er mis met hem? Terwijl hij de geestelijke en lichamelijke noden van deze mensen om zich heen zag, besefte hij dat angst zijn hart in beslag genomen had – angst voor de veiligheid van Larson en zijn gezinnetje, angst voor hun gezondheid en een geweldige angst dat hij niet in staat was hen daarvoor te beschermen.

Bisschop Malou zwaaide vanuit het water. 'Er zijn nog een paar mensen die zich willen laten dopen.'

Paul knikte en probeerde de ergernis en teleurstelling die weer in hem opkwamen van zich af te zetten. 'Ik zal Larson bellen en zeggen dat we wat later vertrekken.' Hij dwong zich tot een glimlach. Maar hij kon niet garanderen dat hij bij welke nieuw provocatie dan ook niet in woede zou uitbarsten. Er was iets wat wortel geschoten had in zijn hart, iets wat hem niet aanstond.

Hij verliet de groep bij de rivieroever en liep terug naar de truck. Hij wilde wat privacy als hij met Larson praatte. Hij moest aannemen dat alles met haar en de kleine Thomas in orde was. Hij kreeg plotseling de ingeving de truck te starten. De motor had eerder op de dag al een keer gehaperd en hij dacht dat de accu vrijwel leeg was. Als er wat aan gesleuteld moest worden, kon hij dat beter nu doen dan later zijn humeur verliezen. Vreemd. Eerder was hij nooit zo opvliegend geweest, maar nu leek het wel een zweer die steeds groter werd en de infectie verder verspreidde.

Paul stak het sleuteltje in het contact. Niets. De motor kwam zelfs niet in beweging. Larson had de gewoonte gehad om wat cola over de accupolen te gieten van de oude auto waarin ze rondgereden had voordat ze de Hummer kreeg. Ze had er de opmerking bij gemaakt dat je dan kon nagaan wat het drankje voor uitwerking op de maagwand had. Sinds die tijd had hij voor dit doel altijd een blikje cola bij zich. Hij deed het gammele portier open en sloeg het zo hard dicht dat hij achterom keek om te zien of het niet door de lucht vloog. Hij opende de motorkap, goot wat van de bruisende bruine vloeistof over de accupolen en wachtte. Met de kap nog steeds omhoog startte hij de motor opnieuw. Niets. Hij sloeg met zijn vuist op het stuur. Wat nu? Kon het nog erger?

Heere, wat gebeurt hier? Alles wat ik aanraak, stort in elkaar.

Er volgde slechts een diepe stilte. Paul wreef over zijn gezicht en probeerde te luisteren naar Gods stem. Maar hij hoorde alleen het gezoem van insecten. Hij balde zijn vuisten en probeerde zijn woede te beheersen. Hij moest de storm van woede die door zijn ziel raasde tot bedaren brengen voordat die hem in zijn greep zou krijgen. Hij wist dat hij het gevaar liep zich nog verder van God te verwijderen, maar Paul was boos op Hem. Waarom waren de mensen die God dienden degenen op wie gejaagd werd? Wat was het doel van dit alles? Hij sloot zijn ogen en probeerde te bidden. Hij verachtte zijn getormenteerde ziel en verlangde naar de vrede die alleen God kan geven.

Zijn telefoon ging en Paul wist instinctmatig dat het Larson was. Hoewel ze hadden afgesproken dat zij hem zou bellen, had hij haar moeten bellen voordat hij met die lege accu aan de gang was gegaan.

'Hei, sorry dat ik de laatste tijd zo kortaangebonden ben.' Hij haalde een keer diep adem en hoopte dat zijn stem klonk als die van de bezorgde echtgenoot die alles onder controle heeft.

'Dat geeft niet. Ik begrijp dat je de laatste tijd erg onder druk staat.'

'Jij nog meer.' Paul deed zijn ogen dicht en in gedachten zag hij haar in de Hummer zitten. 'Slaapt Thomas?'

'Ja. Denk je laat thuis te komen of laat je je door bisschop Malou afzetten in het kamp van het Neushoornbataljon?'

'Dat weet ik nog niet. De accu is leeg.'

'Achter de bank staat toch een nieuwe? Ik dacht dat ik een accu zag staan toen jij en de bisschop de truck laadden.'

'Ik zal even kijken.' Hij trok het piepende portier weer open en keek achter de stoel. Zodra zijn vingers de vierkante bak aanraakten, liet hij een vreugdekreet horen. 'Geweldig. Zodra de bisschop klaar is, gaan we op weg.'

'Ik heb een voorstel waardoor je leven misschien een beetje makkelijker wordt.'

'Wat dan?'

'Ik ben de bron van al je spanning. Ik kan naar Nairobi verhuizen en heen en weer vliegen naar Warkou en de andere plaatsen waar medische hulp nodig is. Je kunt niet werken als je je voortdurend zorgen over mij en Thomas moet maken. Toen je Santino naar Nairobi gevlogen hebt, heb je daar toch geschikte woonruimte gevonden? Ik denk dat het tijd wordt dat we gaan verhuizen.'

Haar aanbod bood hem een beetje troost, maar de verslagenheid in haar stem verontrustte hem. 'Ik maak mij zorgen over jou. Maar het lijkt wel of het ene probleem naar het andere leidt. Wonen in Kenya en hier werken zou een aanpassing voor ons beiden betekenen.'

'Maar ik ben ertoe bereid. Het gevaar wordt niet minder. Mijn zwangerschap brengt nog een paar andere problemen met zich mee. Op deze manier kun je wat meer rust nemen en zullen we allemaal veilig zijn. Santino blijft nog maar een klein poosje bij ons.'

Paul keek om zich heen naar het schitterende paradijs met zijn weelderig groene vegetatie en de geluiden van de natuur. Het vormde allemaal een sterke tegenstelling met de regering die zich niets van de bevolking aantrok – een regering die wilde dat hij gedood zou worden. 'Laten we als ik weer thuis ben een reisje naar Nairobi gaan regelen. We kunnen daar naar een nieuw huis gaan zoeken.'

'Goed. Over ongeveer een uur kom ik in het kamp aan. Ik zal goed beschermd worden.'

Hij haalde zijn vingers door zijn haar. 'Ik wilde twee uur geleden al vertrekken. Maar zo lang er mensen zijn die naar de boodschap van bisschop Malou willen luisteren en het smerige water van de rivier in waden om gedoopt te worden, wil hij hier blijven.'

'Zo moet het ook, Paul.'

'Habibi, ik...'

'Je bent je blijdschap kwijt.' Ze huilde zachtjes. 'Ik zie het. Ik voel het. We hebben de laatste tijd verschrikkelijke dingen meegemaakt, maar dat is niet Gods schuld.'

'Hij had ons kunnen beschermen.' Zodra hij de woorden eruit gegooid had, had hij er spijt van.

'We zijn hier niet voor een picknick. We zijn hier om te helpen. Waar we ook in de wereld zijn, er zullen altijd mensen zijn die ons om ons geloof belachelijk zullen maken of vervolgen.'

'Hoeveel mensen zullen er op die plaatsen zijn die ons willen doden?' Paul staarde neer op de gescheurde stoelzitting. Hij pakte een losse draad en trok die er nog verder uit. Zou hij het wagen haar te vertellen dat hij erover dacht om terug te keren naar Californië en zijn geld aan verschillende organisaties te geven die de Soedanezen hielpen? In Californië zouden ze allemaal veilig zijn. 'Ik ben moe, Larson. Moe en gefrustreerd. Ik heb het gevoel dat ik maar een klein zetje nodig heb om in woede uit te barsten.'

Toen Larson nog een half uur rijden van het Neushoornbataljon verwijderd was, belde ze Ben.

'Waar zit je?' vroeg hij ongeduldig.

'Ten westen van je kamp. Over een half uurtje ben ik bij je.'

'Heb je geen problemen gehad?'

'Nee. En nu ik weet dat ik mijzelf niet tegen Muti hoef te verdedigen, voel ik mij veel beter.'

'Als ik hem vind, zou hij wensen dat hij dood was.'

Ze gaf geen antwoord. Als Ben in zo'n stemming was viel er toch niet redelijk met hem te praten. Ook al was ze het met hem eens.

Binnen een half uur reed Larson het kamp binnen. Harde mannen met geweren in de hand stonden op om haar te begroeten in de schemering van de avond. Onder hen was Ben. Hij liep naar de Hummer toe en trok het portier open. Ze zag de vertrouwde trek van liefde en spijt op zijn gezicht.

'Het spijt mij dat ik je lastig moet vallen,' zei ze. 'Heb je nog iets over Muti gehoord?'

'Nee. Okuk probeert hem met een paar mannen op te sporen. Ik weet niet of dit wel zo'n veilige plaats voor je is. Ik verwacht dat hij ons met een bende zal aanvallen. Maar beter hier dan in Warkou, waar niemand anders is die een geweer kan vasthouden.' Hij tuurde over haar heen naar de andere kant van de Hummer. 'Ik zal Thomas pakken. Moet ik dat hele ding waar hij in ligt eruit halen?'

Ze lachte om de spanning wat te breken – de spanning die sprak van de vele jaren waarin ze niet gesproken had over zijn liefde voor haar. 'Ik zal het zitje even losmaken. Hij slaapt erin.'

'Je kunt in mijn tent blijven tot Paul er is.'

Ze voelde er weinig voor omdat alleen met hem zijn haar zenuwachtig maakte. En ongetwijfeld zou ook hij zenuwachtig zijn. Toen ze in de tent waren, stak hij een olielamp aan en zette hij Thomas in het zitje in een hoek van de tent. De baby had zich uitstekend gedragen en was door alles heen blijven slapen. De geelgouden schaduwen op het tentdoek herinnerden haar aan de vele avonden

dat ze met Ben gepraat had voordat Paul in beeld gekomen was.
'Ik kan koffie maken,' zei ze. 'Ik zie dat je een goed vuur hebt.' Net
zoals het vroeger was.

'En dan kunnen we weer discussiëren over de gevechtstactiek bij
de bestrijding van de GOS.'

Ze lachte. 'Of over het vooruitzicht van de vrede in de naaste
toekomst.'

'Of over het confisqueren van wat graan van je omdat ik dat nodig
heb voor mijn mannen.'

'En ik zou kunnen dreigen om je aan flarden te schieten als je mijn
dorpsgenoten honger zou laten lijden.'

Ze deed wat koffie in een oude percolator die eruitzag alsof hij
nooit gewassen werd en hij hing die buiten boven het vuur. De
seconden tikten voorbij. Ze voelde dat hij naar haar keek en kon
zijn gedachten wel raden.

'Het zou nooit gewerkt hebben, Ben.'

'Heb je het ooit een kans gegeven?'

'Als ik mijzelf ertoe had kunnen dwingen van je te houden, had ik
dat gedaan.' Ze draaide zich naar hem om. Ze hadden lang geleden
al moeten praten.

'Ik dacht vroeger dat het probleem het rassenverschil was.' Hij
grinnikte, maar het geluid knetterde in de lucht in plaats van haar
aan het lachen te maken. 'Maar je hebt laten zien dat het dat niet
was.'

'Ik weet niet wat ik zeggen moet. We zijn nu beiden getrouwd, Ben,
en ik kan je wel vertellen dat Daruka heel veel van je houdt.'

'Ze is een goede vrouw. Een goede moeder voor een geweldige
zoon.'

'Geef haar de kans om je gelukkig te maken.'

'Ik doe mijn best.'

Ze deed een stap in zijn richting en sloeg toen haar armen om haar
schouders heen. In het verleden zou ze hem uit vriendschap een
omhelzing gegeven hebben, maar die dagen waren voorbij.

'Ik respecteer Paul en jou te veel om jullie iets in de weg te leggen. Maar dat betekent niet dat het verlangen verdwenen is.'

'Dat weet ik.' Larson keek in zijn donkere ogen en ze huiverde toen ze het intense verlangen daar in zag.

'Ik had dit allemaal moeten zeggen voordat jullie trouwden, maar ik bleef hopen dat je van gedachten zou veranderen. Ik denk dat je echt van hem houdt.'

'Dat doe ik.'

'Ik zal altijd van je blijven houden, Larson. Mijn gevoelens voor jou zullen nooit veranderen. Beloof mij dat ik je, als je ooit iets nodig hebt, mag helpen.'

❁

Paul en bisschop Malou konden pas de volgende ochtend naar Warkou vertrekken. Er was een storm opgestoken met veel onweer en regen die als een verblindend gordijn naar beneden viel. Paul werd innerlijk verscheurd; door een barstende hoofdpijn en het gebulder van de storm had hij de hele nacht vrijwel geen oog dichtgedaan. Allerlei vragen over zijn en Larsons leven spookten door zijn hoofd. Hij probeerde te bidden maar kon de woorden niet vinden. Hij las een aantal psalmen en probeerde de Bijbel als een gebed te gebruiken, maar hij kon zich niet concentreren. Larson had zijn bescherming nodig en hij was er niet om haar die te bieden. Ze was zijn verantwoordelijkheid, niet die van Ben.

Wat zou hij doen als hij Larson en Thomas dood zou aantreffen? Hij zou zonder er verder bij na te denken de trekker op zijn eigen hoofd overhalen. Er waren momenten waarop hij dacht dat hij zelfs niet kon ademen zonder haar.

God, waar bent U in dit alles? Vroeger wist ik precies wat ik moest doen. Ik begreep mijn werk voor U en ik wist het verschil tussen goed en kwaad. Alles wat ik nu zie, is grijs. Ik voel mij ellendig, maar dat weet U al. Wanneer komt er een eind aan mijn twijfels en weet ik weer

233

wat mij te doen staat?

De truck hobbelde verder over de weg en Paul en bisschop Malou stootten met hun hoofd soms tegen het dak van de cabine. Pauls stemming werd door al het gehos niet beter en zijn gebrek aan slaap liet zich gelden.

'Laat mij maar rijden.' Paul sloeg zijn Bijbel dicht. Hij kon zich toch niet concentreren.

'Later misschien. Ik ben nog niet moe. Paul, hoe kan ik voor je bidden?'

Hij slaakte een diepe zucht. 'Als ik daar het antwoord op wist, zou ik zelf wel kunnen bidden.'

'Praat met me. Ik weet dat Muti's ontsnapping je dwarszit, maar daarvóór zat je ook al in de put.'

'Je herinnert mij aan je vader. Ik mis Abraham erg. Hij keek diep in mijn verachtelijke ziel en hield toch van mij.'

De bisschop glimlachte. 'Mijn vader was iemand die dicht bij de Heere leefde.'

Paul knikte. 'Om eerlijk te zijn, ik heb het gevoel dat ik een geestelijke dokter nodig heb. Ik vind het verschrikkelijk wat Larson allemaal moet doormaken. De afgelopen maand is ze twee keer bijna gedood door iemand, wie dat ook mag zijn, die mij probeert te doden. Ze stemt ermee in om het land te verlaten en heen en weer te reizen om haar praktijk uit te oefenen. Maar is dat wat God wil? En om het allemaal nog erger te maken, een van mijn broers beweert dat hij belangstelling voor het christendom heeft. Hij wil mij ontmoeten, maar is zijn verzoek een valstrik of een door God gegeven gelegenheid? En ik heb het gevoel dat ik meer moet doen voor de bevolking in Darfur.' Hij haalde een keer diep adem. 'Ik weet niet hoe ik vader moet zijn. God weet wat mijn plannen zijn.' Hij wreef in zijn ogen. 'Ik lijk net een verwend kind dat zijn zin niet krijgt.'

'Nee, je bent een man die zijn eigen leven niet kan regelen. God is je geestelijke dokter. Hij...'

'Je verspilt je adem. God luistert niet naar mij of Hij antwoordt niet. Alles is stil, net zoals de lucht betrekt en alles vreemd stil wordt voordat de bliksem flitst en de donder rolt.'

'Wat wil je dan dat Hij zeggen zal?' De zachte stem van bisschop Malou herinnerde hem opnieuw aan Abraham – zozeer dat hij huiverde al was het dan ook erg warm.

Paul haalde zijn schouders op. 'Ik wil dat Hij mij de juiste richting wijst. Dat Hij mij laat zien wat goed en verkeerd is. Larson zegt dat ik altijd alles zwart of wit zie – grijs desoriënteert mij. En ik denk dat ze gelijk heeft. Maar moet ik dan in Soedan blijven wonen en mijn gezin in gevaar brengen? En boven alles wil ik dat God mij aanraakt met Zijn Geest. Ik heb mij nog nooit zo ver van Hem weg gevoeld.'

De stilte tussen hem en bisschop Malou was op een vreemde manier oorverdovend. Hij had zijn hart uitgestort als een kind dat betrapt is bij het stelen van snoep en nu werd hij door schuld verteerd.

'Het enige wat ik kan zeggen, is dat de Bijbel alle antwoorden op je problemen heeft. Ik aarzel om je zo'n afgezaagd antwoord te geven omdat zo veel mensen dat ook zeggen. Maar ze hebben er geen idee van hoe ze moeten helpen en ik weet niet of ik dat wel kan. Maar ik zal bidden dat je vrede mag krijgen en antwoorden op je vragen. Ik zal in de Bijbel de passages opzoeken die je naar mijn mening kunnen helpen.' Hij keek Paul even aan. 'Wil je weten wat ik nu zie?'

'Dat weet ik niet helemaal zeker. Je bent net zo rechtstreeks als je vader.'

Bisschop Malou lachte. 'Dat beschouw ik als een compliment.'

Paul likte langs zijn lippen. 'Ik zal waarschijnlijk boos worden, maar ga je gang.'

'Ik zie een man die zijn best doet om godvruchtig te leven, maar zijn verleden blijft hem achtervolgen. Hij wil alles doen en als hij dan iets doet wat niet helemaal goed is, is hij helemaal van de kaart. Op dit moment vind je je leven waardeloos omdat het in een richting gaat die je ongelukkig maakt. Maar God heeft alles onder controle. Vertrouw op Hem.'

Paul keek bedenkelijk. 'Wil je zeggen dat ik probeer God te manipuleren?'

'Dat weet ik niet. Wil je dat?'

De implicatie van de vraag van de bisschop ergerde hem. 'Ik kan niet verwachten dat God Zich op een bijzondere manier voor Paul Farid zal inzetten.'

'Waarom niet? Omdat je eens was wie je was?'

Paul balde zijn vuisten en staarde uit het open raampje. Het landschap schoof langs hem heen. Vogels vlogen de bewolkte lucht in. Een giraf knabbelde aan de bladeren van een boomtop en staarde naar de indringers. Links van hen graasden een paar zebra's en wat komische wrattenzwijnen en een enkele impala. Voor hen uit op de weg pikten een paar gieren in een karkas of zoiets.

Wie was hij eigenlijk? Waarom dacht hij dat hij het recht had om de mensen te helpen die hij eens had vervolgd? Wat gaf hem het recht om te verwachten dat God zijn vragen zou beantwoorden?

24

LARSON verwachtte Paul en bisschop Malou lang voor de middag terug. Haar man had haar de afgelopen twee uur niet gebeld en de herinnering aan hun gesprekken van gisteren achtervolgde haar. Ze wilde hem zien en hem in de ogen kijken. De spiegels der ziel. Paul moest ervan af om te denken dat hij de wereld moest redden. Ze had de woede wel gemerkt die aan hem knaagde als een parasiet en die zo groot werd dat zijn geloof er onder leed. In de vroege uren van de morgen – toen ze eigenlijk had moeten slapen omdat Ben haar de tent gegeven had – dacht ze aan Paul en hoeveel ze van hem hield. Hoe kon ze hem laten zien dat Jezus met spot en achtervolging te maken had gehad omdat Hij degenen die verloren en gekwetst waren, had liefgehad? Zij en Paul konden niet minder verwachten. Ze wilde hem vertellen wat ze op haar hart had, maar ze was bang, bang om in Soedan te blijven en bang om eruit weg te gaan.

Larson hoorde eerst het geluid, het geronk van een truck zonder uitlaat. Ze stond haastig op vanachter het tafeltje in Bens tent.

'Papa is er,' zei ze tegen Thomas terwijl ze hem uit zijn zitje optilde. Het regende op dit moment even niet. Misschien zou ze een regenboog zien, een teken van God dat zij en haar man misschien vrede zouden vinden in hun ziel.

Ze zocht zijn ogen, de donkere poelen van liefde en leed – de donkere poelen waarin gekweldheid te zien was. Als Ben en zijn mannen niet hadden toegekeken, zou ze naar Paul toe gerend zijn als een schoolmeisje dat de troost van de armen van haar man nodig had. Maar in plaats daarvan begon haar hart sneller te kloppen en liep ze langzaam naar hem toe.

Hij glimlachte en nam haar in zijn armen. Ze keek hem in de ogen en zag daar wat ze het meest vreesde.

'Laten we naar huis gaan, habibi,' zei hij. 'Soms heb ik het gevoel dat ik je nooit meer zal zien.'

❦

Twee dagen later kwam Ben tot een beslissing. Hij moest weer naar de dokter in Nairobi. Hij was van plan geweest een afspraak met hem te maken toen hij in augustus met Daruka en David in Nairobi was geweest, maar door de dood van John Garang was daar niets van gekomen. Door de agressiviteit van de kanker was de pijn toegenomen en de medicijnen hielpen nauwelijks meer. Misschien zou Larson hem kunnen helpen, maar dan zou hij haar de waarheid moeten vertellen. Het laatste wat hij wilde, was medelijden, en zeker niet nu hij haar een paar avonden geleden had toegegeven dat hij van haar hield. Als hij de tijd die hem nog restte met zo'n pijn moest leven wilde hij liever nu sterven.

Hij vond het leven steeds moeilijker worden. Daruka stelde geen vragen meer over zijn afnemende gezondheid, zelfs niet als hij niet kon eten of als hij zijn gezicht vertrok van pijn. Ze moest er met David over gepraat hebben, want hij praatte er ook niet over. Ben had zijn vrouw en zoon de afgelopen drie dagen niet gezien. De ontsnapping van Muti had al zijn vrije tijd opgeslokt en de man was nog steeds voortvluchtig.

Voor het aanbreken van de dag verbeet hij zijn pijn en strompelde hij zijn tent uit om met commandant Okuk te gaan praten. Als Ben zijn gezin op zou gaan zoeken en naar Nairobi zou gaan, moest de man het bevel overnemen. Alle sporen van Muti waren verdwenen, maar dat betekende niet dat ook maar iemand in het Neushoornbataljon het zoeken naar hem zou staken.

Ben moest de leiders van het land iets vertellen over zijn afwezigheid. Maar eerst moest hij Paul de waarheid vertellen. Het idee dat hij de man die hij eens had gehaat zou moeten vertellen dat hij kanker had, krenkte zijn koppige trots, maar er zat niets anders op. De tijd verstreek en door de hevige pijn verzwakte hij met het uur.

Nadat Ben Okuk geïnstrueerd had, pakte hij een van de trucks en ging op weg naar Yar. Nu zijn leven ten einde liep, wilde hij nog een dag bij zijn gezin doorbrengen. Zijn gezin. Alles wat die twee woorden vertegenwoordigden klonk hem als muziek in de oren, hoe kort zijn tijd ook nog was. Hij zou hen nu spoedig over zijn ziekte moeten informeren, maar eerst wilde hij de dokter spreken. Misschien was er nieuw medicijn ontdekt waardoor deze kwelling zou verdwijnen.

Toen de zon in het oosten opkwam, besloot hij het telefoongesprek met Paul niet langer uit te stellen. Hij haalde een keer diep adem en verzamelde moed om datgene wat hij niet veranderen kon, te erkennen.

'Goedemorgen. Hoe gaat het daar in Warkou?'

Paul grinnikte. 'Ik hoop dat dit betekent dat je Muti gevonden hebt.'

'Nog niet. Maar we hebben een paar aanwijzingen van een van de mollen in Yar.'

'Iets wat ik ook dien te weten?'

'Dat weet ik niet. Twee van mijn mannen bewaken de gevangenen in het dorp. Als ik er ben, wil ik ze zelf eens aan de tand voelen. Een van hen heeft een gezin en ik ben van plan ze goed onder druk te zetten.'

'Je weet hoe ik erover denk om familieleden te doden om informatie los te krijgen.'

'Het is oorlog, beste vriend. Stel je voor dat ze van plan zijn Larson opnieuw te ontvoeren.' Toen Paul geen antwoord gaf, veranderde Ben het gespreksonderwerp. 'Doet Santino zijn werk goed?'

'Ik denk dat Larson hem samen met Thomas wil adopteren. Hij is een prima kerel.'

'Dat ben ik met je eens.' Ben grinnikte. 'Stel je voor, zeg. Jij en ik zijn het ergens over eens.'

'Dat is inderdaad een wonder, beste vriend. Als Santino van plan was wat langer te blijven, zou ik hem vragen een onderzoek voor mij in te stellen. Ik zou wel eens willen weten wie Nizam en Muti mijn telefoonnummer gegeven heeft. Ik ben daar boos over, ongerust.'

'Ik vraag mij af of een van mijn mannen ons verraden heeft. Maar wie de verrader ook is, hij weet zich goed schuil te houden. Ik zie ernaar uit om hem gelijktijdig met Muti de keel door te snijden. Heb je nog iets van je broer gehoord?'

'Nee. Ik heb geen idee van wat hij van plan is.'

Ben overwoog even om van de werkelijke reden waarom hij belde af te zien, maar besloot toen om zijn trots opzij te zetten. 'Ik wil je een gunst vragen.'

'Zoals je weet zal ik alles voor je doen wat mogelijk is.'

'Ten eerste wil ik je woord erop dat je niets van wat ik je ga zeggen tegen Larson zegt.'

'Ik houd er niet van om dingen voor haar achter te houden.'

'Daar is een goede reden voor.'

'Oké. Wat wil je?'

'Een ritje naar het ziekenhuis in Nairobi. Toen ik daar voor die schotwond was, hebben de dokters nog iets ontdekt.' Ben aarzelde even. 'Kanker. In mijn rug. Ze geven mij nog zo'n zes maanden.'

Paul hijgde.

Ben haatte het. 'Zeg iets, wil je?'

'Het spijt mij verschr...'

'Nee,' riep Ben. 'Dat wil ik allemaal niet horen. Ik moet naar die dokter toe. De pijnstillers helpen niet meer.'

'Wanneer wil je gaan?

'Ik ben nu op weg naar Daruka en David en daarna kom ik naar Warkou. Laten we zeggen over twee dagen.'

'Weten ze het?'

'Nee. Alleen jij weet het nu.'

'Oké. Ik zal het voor mij houden. Maar je zult het ze vroeg of laat toch een keer moeten vertellen. Larson en ik waren ook van plan om naar Nairobi te gaan, maar ik verzin wel iets om dat een paar dagen uit te stellen.'

'Dat waardeer ik.'

'Hebben de dokters een bepaalde behandeling aangeraden?'

'Ja, een chemokuur en bestraling. Maar daar bedank ik voor. We praten wel verder als ik jouw kant op kom. En denk eraan, als je waarde aan onze vriendschap hecht, zeg je er tegen niemand iets over.'

'Dat begrijp ik.'

Ben legde de telefoon naast zich neer. Had hij Paul te veel informatie gegeven? Zijn vriend moest de last al dragen dat zijn familie hem probeerde te doden.

Larson staarde naar het lege scherm van de computer in de hoop dat de woorden zouden komen om een e-mail naar haar ouders te sturen. Paul was met zijn telefoon naar buiten gelopen en naar wat ze van het gesprek hoorde, vermoedde ze dat het Ben was. Ze had Bens bekentenis van een paar avonden terug nog niet verwerkt en ze wist nog steeds niet goed hoe ze het Paul moest vertellen. Ze had er even aan gedacht om het voor haarzelf te houden, maar dat was verkeerd. Ze voelde zich schuldig alsof ze Paul ontrouw was geweest.

Ik heb niets verkeerds gedaan. Ik heb alleen maar geluisterd naar wat Ben zei.

Santino was kort nadat ze weer teruggekomen waren, aangekomen en Paul had meer dan twee uur met hem gepraat over Muti's ontsnapping.

Ze had hun eten en koffie gebracht en had geprobeerd te luisteren, maar ze had te veel slaap gehad.

'Wat is er?' Santino sorteerde de binnengekomen post van FTW en stopte die in een la voor Paul. 'U huilt.'

Ze was zich niet bewust geweest van haar tranen. Maar ze waren er en gleden over haar wangen en lippen. Ze likte het zilte vocht weg en pakte een papieren zakdoekje, een van de weinige schatten van de beschaving die ze in haar kliniek had.

'Slecht nieuws?' vroeg Santino.

'Ik voel mij prima.' Ze snoot haar neus. 'Ik huil anders nooit. Daar heb ik geen tijd voor.'

'Heeft Paul problemen?'

'Die zal hij krijgen als ik het leven niet gemakkelijker voor hem maak.'

'Kan ik misschien helpen?' Santino kwam naar haar bureautje en boog zich naar haar toe.

Ze keek naar hem op. 'Ik ben een vrouw. Ik ben moe en ik maak mij zorgen over Paul, over Muti's ontsnapping en over nog een heleboel andere dingen waar ik niet over praten kan. Paul maakt zich zo veel zorgen over mijn veiligheid dat ik bang ben dat hij niet de noodzakelijke voorzorgsmaatregelen neemt om zichzelf te beschermen.'

'Hij houdt van u en wil zich ervan verzekeren dat u veilig bent.'

Ze knikte. 'Door mij staat hij heel erg onder druk. Ik ben bang voor hem.' Ze glimlachte zwakjes. 'Ik bang voor mijzelf.'

Hij glimlachte. 'Maar ik ben uw lijfwacht, weet u nog? En vandaag zijn we er alle twee om u te beschermen. Laat die Muti maar eens iets proberen. Ik schiet die vent vol gaten.'

'Denk je dat ik maar beter uit Soedan kan vertrekken?'

'Helemaal niet. U bent hier nodig. Zonder u zullen veel mensen lijden en sterven.'

Misschien had Santino gelijk. 'Wanneer vertrek je naar school?'

'Over een paar weken, maar ik weet zeker dat kolonel Alier u net zo veel soldaten zal geven als u nodig hebt. En bovendien wordt Muti wel gevonden voordat hij problemen kan veroorzaken.'

'Ik wilde wel dat ik daar ook zo zeker van was.'

'Vertrouw mij, dr. Farid. Tegen de tijd dat ik naar school vertrek, zijn alle problemen opgelost. Het vredesverdrag wordt uitgevoerd en de leiders van Zuid-Soedan werken samen met de regering.'

'Ik vertrouw op God.' Ze haalde een keer diep adem. Door alle emoties kreeg ze kramp in haar maag.

'Dat weet ik, net als Paul, tante Sarah en vele anderen.' Zijn stem was zacht en zorgzaam. 'Dus vertrouw op uw God voor uw veiligheid en voor degenen van wie u houdt.'

Ze keek hem bedachtzaam aan. 'Je zult een grote aanwinst voor Soedan zijn. Ik weet niet in wie jij gelooft, maar ik bid God dat Hij spoedig je hart zal aanraken.'

Hij lachte. 'Hoe zou ik mij kunnen verzetten nu jullie allemaal voor mij bidden?'

Larson knikte en knipperde haar tranen weg. Een jonge moeder met twee kinderen kwam de kliniek binnen. Larson moest aan het werk en tobben over haar echtgenoot hoorde daar niet bij. Maar ze wilde wel zijn armen om haar heen en ze wilde dat hun wereld bevrijd zou worden van de mensen die hem wilden doden.

Was dat verkeerd?

Lang na zonsondergang zat Larson die avond met Paul buiten voor hun hut met een toorts tussen hen in. De muskieten waren erger dan anders, maar Paul en zij hadden zich besproeid met een insectenwerend middel. Ze wilde er niet aan denken wat dat goedje met hun longen kon doen.

Ze praatten niet. Niet dat ze dacht dat het uitwisselen van woorden het enige communicatiemiddel was. Paul voelde zich ellendig. Ze voelde het en ze wist geen oplossing.

'We hebben in de Verenigde Staten een uitdrukking die vanavond op ons van toepassing is,' zei ze.

Hij glimlachte zonder haar aan te kijken. 'Welke uitdrukking?'

'Gaan we praten over de olifant in de woonkamer of negeren we hem?'

'Ik kan het beest er niet uit dragen. Hij is te zwaar.'

Ze zocht naar woorden. Wat hij niet zei betekende meer dan wat hij wel zei. 'Maar we kunnen er ook niet mee doorgaan om net te doen of hij er niet is.'

Hij staarde in het donker en zuchtte diep. 'Wat moet ik dan zeggen?'

'Paul, je bent gedeprimeerd en ik weet niet hoe ik je moet helpen. Ons leven is de laatste tijd niet gemakkelijk geweest. Ik wil verhuizen naar waar je ook maar heen wilt. Dat meende ik echt.'

'Over een paar dagen vlieg ik met Ben naar Nairobi.'

'Kunnen Thomas en ik niet met je mee, of heb je daar werk te doen?' Hij was dicht genoeg bij om hem aan te raken, maar ze aarzelde.

'Ben moet daar een paar mensen spreken. Hij weet niet precies hoe lang het zal duren.' Hij draaide zich naar haar om. 'Ik houd van je. Ik wil alles doen om jou en Thomas te beschermen.'

Haar ogen werden vochtig. 'En ik houd ook van jou. Ik wil je zien lachen en plezier zien hebben in het leven, maar het enige wat ik kan doen, is bidden.'

'Mijn opvoeding staat mij in de weg bij hoe ik als christen zou moeten denken en handelen. Mijn Arabische cultuur is niet iets wat ik zomaar even van mij af kan gooien.'

'Ik vraag je ook niet om je hele cultuur opzij te zetten. Je zou trots moeten zijn op wie je bent.'

'Niet op alles, Larson. Ik word in verwarring gebracht door mijn gevoelens ten aanzien van mijn familie in Khartoem. Diep vanbinnen hoor ik een stemmetje dat mij zegt dat ik het verdien te sterven omdat ik mijn familie in de steek gelaten heb. En dan besef ik dat het de stem van de boze en niet die van God is. Ik heb er geen idee van wat Nizam of Muti van plan zijn of wat ze willen bereiken. Ik heb altijd gedacht dat ik slim was, maar hier kom ik niet uit. Als Muti met Nizam samenwerkt, waarom komt mijn broer hier dan niet naartoe om het uit te vechten? Of zijn dat twee dingen die niets met elkaar te maken hebben? Soms krijg ik het gevoel dat ik het missende stukje in een puzzel ben. En met al onze problemen moet ik er voortdurend aan denken dat God mij straft omdat ik eens in Allah geloofde. Om de een of andere reden heeft God mij verlaten. Waarom zwijgt Hij anders?'

Ze pakte zijn hand. 'Ik hoop dat je weet dat deze lelijke gedachten leugens zijn.'

'Het ene moment geloof ik dat en het andere weer niet. Het ene moment wil ik naar Khartoem gaan, bij mijn vader aankloppen en iedereen in huis over het Evangelie vertellen, en het volgende moment wil ik mij verstoppen omdat ik bang ben om te sterven.'

'We zijn allemaal bang om te sterven door de handen van degenen die ons dood willen.'

'Maar ik ben een christen. Ik moet mijn nek toch voor Hem durven uitsteken?'

'Je moet daartoe wel bereid zijn, maar dat betekent nog niet dat je op blote voeten in een slangenkuil moet stappen.'

Hij boog zich naar haar toe en kuste haar op de wang. 'We zijn dus weer terug bij het martelaarssyndroom?'

'Mogelijk. Maar je weet het antwoord daarop.'

Samen luisterden ze naar de insecten en staarden de nacht in die zo zwart was als de angst die hen achtervolgde.

'En Nizam?' vroeg Larson. 'Wat wil je met hem gaan doen?'

Hij kneep in haar hand. 'Ik houd van mijn broer.'

'Ik vraag je alleen maar om hem dan te ontmoeten op een plaats waar je veilig zult zijn.'

'Begrijp je dat ik dit doen moet?'

'Ja, hoewel ik mij herinner dat ik je gesmeekt heb het niet te doen.'

Ze aarzelde. 'Ik heb een verzoek. Wil je, als je in Nairobi bent, de tijd nemen om een huis voor ons te gaan zoeken?'

'Dat kan ik doen en dan vliegen we weer terug om samen het beste huis uit te kiezen – als dat is waar God ons heen leidt.' Hij stond op van zijn stoel en trok haar overeind. 'En jij hebt een dokter nodig voor onze baby.'

En onze kinderen hebben een vader nodig.

25

LAAT in de middag reed Ben het dorp Yar binnen. Hij was moe en had pijn en wilde niets liever dan op een stromatras kruipen en gaan slapen. Maar hij moest zijn rol spelen – die van echtgenoot en vader. Hoelang zou hij dat nog vol kunnen houden? Zijn kleren hingen om zijn lijf alsof hij een uitgeteerde vluchteling uit een of ander zendingsblaadje was en van zijn eens zo grote eetlust was nauwelijks nog iets over. Hij merkte dat Okuk hem opnam alsof hij een persoonlijk onderhoud met Bens dokter had gehad. En ook Daruka en David. Het verschil moest hen wel opvallen. Misschien kon hij het hun maar beter vertellen, dan was hij er af. Maar hij kon het niet. Dat was het toegeven van een nederlaag en kolonel Ben Alier deinsde nooit terug voor een gevecht. Ook niet als hij wist dat hij weinig kans van slagen had.

Hij opende het portier van de truck maar kon de kracht niet opbrengen om uit te stappen. Hij bleef even zitten en haalde een paar keer diep adem voordat hij op weg ging naar Daruka en David. Voordat hij naar bed ging, moest hij eerst de gevangenen bezoeken. Er kwam een slanke gestalte naar hem toe. Daruka. Hij verdiende haar niet. Er schoot een verschroeiende pijn door zijn rug die hem even verlamde. *Laat mij met rust. Nu niet. Ze heeft mij nodig.*

Ben glimlachte om zijn eigen openbaring. Hij gaf om Daruka. Hij was haar held en hij wilde haar niet teleurstellen. Hij slikte moeizaam.

'Je kunt niet stiekem naar mij toe komen.' Ze lachte. 'Ik hoorde het portier al rammelen toen je nog in het andere dorp was.'

'Dat doe ik zodat je eten voor mij klaarhebt.'

Ze lachte opnieuw en sloeg haar armen om zijn nek. 'Ik heb je gemist.'

'Wat heb je dan van mij gemist?'

Ze ging op haar tenen staan en kuste hem vluchtig. 'Alles natuurlijk.'

'Je bent een gekke vrouw.' Hij kuste haar en ze proefde zoet. Voordat hij kanker had, zou hij haar opgetild en in de hut gedragen hebben. Maar die dagen waren alleen nog maar herinneringen. Zou ze hem vergeven als hij er niet meer was?

'David wil je ongetwijfeld graag zien.' Ze streelde zijn wang.

'Waar is hij?'

'Bij zijn geiten. Hij herinnert mij aan mijn vader met zijn koeien.'

'Met die koeien heeft hij je moeder gekocht en laat ik je eraan herinneren dat jij mij honderd koeien gekost hebt.'

'En mijn vader is je zeer dankbaar. Hij heeft meer koeien dan wie ook in de veekraal. Maar ik ben het waard.'

Ja, dat ben je zeker. 'Ik zou twee keer zo veel betaald hebben.' Hij meende het. 'Ik ga David zoeken. Zit hij ergens aan de oostkant van het dorp?'

Ze knikte. 'Ik zal inmiddels eten voor je klaarmaken.'

De wandeling door het hoge gras herinnerde Ben aan de keer dat hij David was gaan zoeken om hem ervan te overtuigen dat trouwen met zijn moeder een goed idee was. Ben had toen tegen zijn zoon gelogen en hij had tegen iedereen die bij de trouwerij aanwezig was geweest gelogen toen hij zijn beloften had afgelegd, maar zijn hart was sinds die tijd zachter geworden. Bij het verstrijken van de tijd begon Daruka steeds meer voor hem te betekenen.

Misschien zou het leven hier in het Zuiden weer normaal worden. Hij hield de nieuwe regering in de gaten voor tekenen van verraad – Arabische moslims waren zo betrouwbaar als een nest slangen. Hij was sceptisch en verzette zich tegen samenwerking met de nieuwe Regering van Nationale Eenheid, of GNU, maar niettemin was er nu sprake van een zekere vrede voor zijn volk. Zoals te verwachten was, braken er hier en daar nog gevechten uit, maar niet meer zoals eerst. Zolang de nieuwe naam nog vreemd klonk, zou hij Khartoem blijven aanduiden als de GOS. Het concept om Zuid-Soedan over zes jaar te laten stemmen of ze zich wilden afscheiden, klonk optimistisch maar er zou nog heel veel werk gedaan moeten worden voor de stemming gehouden kon worden. Zelfbestuur voor zijn volk bood een breekbaar optimisme en dan was er ook nog de kwestie dat het zuiden voor zijn olie betaald zou moeten worden overeenkomstig zijn bevolking. Niet iedereen aan beide zijden was het eens met het vredesverdrag. Niettemin koos Ben ervoor het vredesverdrag te respecteren tot iemand anders dat brak – of tot iemand van wie hij hield of respecteerde in moeilijkheden kwam. Hij was te lang krijgsheer geweest om rustig te blijven zitten om te zien wat er zou gaan gebeuren.

Al zijn aspiraties waren in rook opgegaan toen John Garang bij het helikopterongeluk was omgekomen. En de onzekere toekomst hing als de stank van koeienmest om hem heen.

Als zijn mannen Muti en de persoon die hem informatie gegeven had en hem had helpen ontsnappen, eenmaal gevonden hadden, zou het bataljon zich kunnen ontspannen. Maar was Muti een risicofactor voor de veiligheid van het zuiden of een persoonlijke wraakactie tussen Paul en zijn familie?

Ben hoorde de stemmen van boze mannen. Hij bukte zich in het hoge gras en liep naar de geluiden toe. Terwijl de pijn in zijn rug hem bijna verblindde, sloten zijn vingers zich om het pistool. Langzaam trok hij het pistool uit zijn riem en luisterde opnieuw.

'Deze geiten zijn van ons. Je hebt ze van ons gestolen,' zei een man.

'Nee, dat heb ik niet gedaan. Mijn oom heeft ze aan mij gegeven als betaling voor werk dat ik voor hem gedaan heb.'

David. Ben had dit soort mannen eerder gezien – ze stalen wat niet van hen was en doodden iedereen die hen daarbij in de weg stond. Zijn zoon zou geen slachtoffer worden.

Door het hoge gras sloop hij dichterbij tot hij twee mannen op de open plek zag staan. Een van hen had Davids armen op zijn rug getrokken en de andere stond voor hem.

'We hebben er genoeg van.' De man die voor David stond, duwde hem op zijn knieën en drukte de loop van een geweer tegen zijn hoofd.

'Mijn vader zal jullie opsporen en doden.' Davids stem klonk verrassend zeker. Was zijn zoon niet bang om te sterven?

'Wij zullen hem opsporen en hem net als jou doden.'

Ben ging rechtop staan en vuurde een aantal keren. Bloed spoot uit de borst van de mannen en ze vielen. David viel met zijn gezicht in het gras. Ben rende met bonzend hart naar hem toe. Met zijn zoon moest alles goed zijn. Dat moest.

'David? David, is alles goed met je?'

Zijn zoon rolde op zijn rug. Hij beefde. 'Ja, vader. Ik bad dat u zou komen.'

De jongen kroop bevend weg van de mannen en Ben hielp hem overeind. Tranen gleden over Bens wangen, de eerste sinds jaren. Hij overtuigde zich ervan dat de mannen dood waren en trok toen zijn zoon in zijn armen. Bloed drupte uit Davids mond en op zijn linkerwang waren wat kneuzingen te zien.

'Ik heb die geiten niet gestolen.' David trok zich los uit Bens omarming. 'Oom Reuben heeft ze mij gegeven als betaling voor wat werk dat ik voor hem gedaan heb.'

'Dat weet ik, jongen. Er lopen heel wat mannen zoals deze hier rond. Ze verdienen het niet om te leven. Waren er nog meer?'

'Nee, meneer.' David staarde naar de dode mannen en schudde zijn hoofd. 'Als u er niet was geweest, zouden ze mij ongetwijfeld gedood hebben. God heeft u gestuurd.'

'Ongetwijfeld heeft Hij dat gedaan.' Het idee dat God hem gebruikt had om David te redden, was een grapje. Zijn zoon zou er spoedig genoeg achter komen dat God niet bestond, maar Ben was niet van plan om hem nu wijzer te maken. 'Laten we je geiten verzamelen en naar huis gaan.'

David riep al zijn geiten bij hun naam en dreef ze toen terug naar Yar. Hij liep naast Ben.

'David, ik zal je een geweer geven en je laten zien hoe je het moet gebruiken en schoon houden. Er zijn twee dingen die een man moet leren. Je beschermt de mensen van wie je houdt en je vecht voor wat van jou is.'

'Ik zal het onthouden. Ik heb al eerder gevechten gezien. Gezien dat mensen gedood werden. Dat vrouwen en meisjes verkracht werden. Ik wil soldaat worden, maar moeder zei dat ze zou sterven aan een gebroken hart als ik haar zou verlaten.' David haalde zijn schouders op. 'En daarom ben ik bij haar gebleven. Wat heb je aan vrede als mannen zoals deze proberen je kwaad te doen?'

'In ieder land zijn er mannen en vrouwen die alleen maar aan zichzelf denken. Ze worden gedreven door egoïsme en verkeerde motieven. Dat kun je maar beter nu leren. Op deze wereld is het nergens volmaakt. Je moet voorzichtig zijn met wie je vertrouwt.' Ben dacht aan de man of de mannen onder zijn soldaten die gemene zaak met Muti gemaakt hadden. 'Verzeker je ervan dat de mannen die je vertrouwt je loyaliteit waard zijn.'

David liep een eindje zwijgend verder. 'Ik mis u als u er niet bent. Ik ben blij dat u mijn vader bent en ik heb spijt van de dingen die ik tegen u gezegd heb toen u nog niet met mijn moeder getrouwd was. Ik weet nu dat u van haar en mij houdt.'

Op dat moment haatte Ben alles wat hij gedaan had om zijn vrouw en zoon te bedriegen. En hij verachtte zijn waardeloze ziel nog meer. Als hij in God zou geloven, zou hij bidden dat ze nooit achter de waarheid zouden komen.

Na de aanval op David scheen Ben de woede niet van zich af te kunnen schudden. Hij wilde eigenlijk niets liever dan de keel doorsnijden van de twee gevangenen die hem, naar hij dacht, aan Muti verraden hadden. Hij had zijn mannen opdracht gegeven de gevangenen en hun families buiten Yar te brengen. De dorpsbewoners zouden er wel achter komen wat er met de gevangenen gebeurd was, maar ze hoefden niet te luisteren naar hun gegil als ze gemarteld werden.

Ben liet Daruka en David achter en liep naar de tent waarin de twee gevangen gehouden werden. Eerst wilde hij een man ondervragen die vier kinderen had die hij alleen moest opvoeden.

'Waarom bespioneerde je mijn mannen en gaf je informatie aan Muti door?'

De man beefde zo hevig dat hij een paar keer moest slikken voordat hij kon praten. Hij wierp een blik op zijn jonge kinderen. 'Hij beloofde mij geld, maar ik heb het nooit gekregen.'

'Heb je hem geholpen om uit mijn kamp te ontsnappen?'

'Nee. Nee, meneer. Dat heb ik niet gedaan. Het enige wat ik gedaan heb, was hem vertellen wanneer u in het dorp was.'

Ben wees naar zijn kinderen. Ze waren bang en huilden. De oudste jongen leek een jaar of tien. 'Je liegt tegen mij. Ik wil antwoorden en ik dood je kinderen een voor een, te beginnen bij de oudste.'

Tranen stroomden over het gezicht van de man. 'Alstublieft. Ik weet niets. Dood mij, maar laat mijn kinderen leven.'

'Wat heb je Muti nog meer verteld?'

De ogen van de man werden groter. 'Ik kende hem niet lang genoeg om hem meer te vertellen dan ik u al zei. Hij kwam naar mij toe na de eerste keer dat u in het dorp kwam, een paar weken geleden.'

Ben betwijfelde of de man kon lezen en schrijven. 'Hoe moest je hem dat vertellen?'

'Ik moest een merkteken op een boom buiten het dorp bij de rivier achterlaten. Hij nam mij mee naar de boom om er zeker van te zijn dat ik de goede zou nemen. Ik kan u laten zien waar die is.'

Ben geloofde hem wel, maar hij moest zekerheid hebben. 'Je wist dat Muti iemand uit het noorden was en toch heb je je volk voor geld verkocht.'

'Ik weet dat het verkeerd was. Ik dacht er niet over na. Ik wilde alleen maar geld om mijn kinderen eten te kunnen geven.'

'Ben je een moslim?'

'Ik ben een christen. En ik had op God moeten vertrouwen dat Hij voor ons zou zorgen, maar mijn kinderen hadden honger.'

Ben wist al dat de man arm was. Zijn mannen hadden bij zijn bezittingen niets aangetroffen dat enige waarde had.

'Alstublieft, kolonel Alier, laat mijn kinderen gaan.'

Ben beval dat de oudste jongen bij hem gebracht moest worden. 'Waar is het geld dat Muti je vader gegeven heeft?'

'Ik heb geen geld gezien.' De armen en benen van de jongen zagen eruit als stokjes.

'Wanneer heb je voor het laatst gegeten?' Ben wierp een blik op de andere drie kinderen en zag dat ze eveneens broodmager waren.

'Twee dagen geleden,' zei de jongen. 'Uw vrouw heeft ons wat brood gegeven.'

Ben wierp een blik op de gevangene. Nog niet zo lang geleden zou hij de man gedood hebben voor wat hij had gedaan. Maar David... de hongerige kinderen... kanker... 'Breng die kinderen terug naar het dorp en zorg ervoor dat iemand hun wat te eten geeft.'

'Dankuwel.' De tranen stroomden de man over de wangen. 'Dood mij nu. Ik ben bereid te sterven.'

Ben nam hem op. Meelijwekkend. 'Als je kinderen te eten hebben gekregen, zoek je iemand op die voor hen kan zorgen. En dan vertrek je uit Yar en kom je hier nooit meer terug.'

De man knikte maar zei niets.

'Breng nu de andere gevangene naar mij toe.' De arrogante blik van de tweede man stond Ben niet aan. 'Waar is zijn familie?'

Een van de soldaten stapte naar voren. 'Hij heeft geen familie, meneer.'

Ben nam de man nogmaals op. 'Wat heeft Muti jou gevraagd om te doen?'

'Om Allah te dienen.'

Een van de soldaten gaf de man met zijn geweerkolf een stomp in zijn maag.

'Ik vroeg je: wat heeft Muti jou gevraagd om te doen?'

'Ik heb je niets te vertellen. Doe maar met mij wat je wilt.'

Ben lachte. 'Je lijkt wel dapper, maar we krijgen je heus wel aan het praten.' Hij keerde zich om naar de soldaat die de leiding had bij de bewaking van de gevangenen. 'Maak een flink vuur. Ik kom over een poosje weer terug om deze man te ondervragen. Als hij niet meewerkt, doden we hem.'

De gevangene zei niets, maar misschien zou hij van gedachten veranderen.

⁂

Paul stond voor de kliniek in Warkou en zwaaide naar Ben die uit zijn truck stapte. Hij zag er nog magerder uit dan de vorige keer en zijn gezicht was ingevallen en bleek. De man was het toppunt van koppigheid. Waarom vond Ben het zo belangrijk om zijn ziekte geheim te houden? Hij begreep toch wel dat zijn vrienden hem zouden willen helpen? Nu begreep Paul waarom dr. Khamati zo ontwijkend was geweest. Ben had de dokter waarschijnlijk gezegd zijn ziekte geheim te houden. En waarom was Ben getrouwd als hij wist dat hij zou sterven? Paul was niet van plan hem dat te vragen. Soms kon je iemand maar beter niet naar zijn motieven vragen.

Zodra het toestel in de lucht was, wierp Paul een blik op zijn vriend.

'Moet ik je nu of later vragen waarom je je ziekte geheim wilt houden?'

'Later. Nu ben ik van plan te gaan slapen.'

'Vergeet het maar. Ik wil je helpen, Ben. Er bestaan tegenwoordig allerlei behandelingen tegen kanker.'

Ben leunde achterover. 'Die kan ik mij niet veroorloven.'

'Nu maak je mij echt kwaad genoeg om deze kist aan de grond te zetten en het met je uit te vechten.'

Ben lachte. 'Ik zou je binnen dertig seconden gevloerd hebben, met een hand op mijn rug.'

253

'Ongetwijfeld. Maar ik ga met je mee naar de dokter en dan gaan we het over je behandeling hebben – de beste die er is.'

'Die behandelingen zullen mijn dood zijn.'

'Ik dacht dat jij een oude vechtmachine was.'

'Ja, maar ik ben niet stom.'

'Luister eens, als ik je waar dan ook in de wereld naar toe moet vliegen, dan doe ik dat.'

'Waarom?'

'Waarom niet?'

Ben vloekte, zijn normale manier van doen buiten zijn domein van krijgsheer. 'Ik herinner mij dat ik je bijna een keer gewurgd heb.'

'Kinderspel.'

'Drie jaar geleden was dat geen kinderspel.'

Paul werd weer ernstig. Alle demonen die hem plaagden schenen tegelijk aan de oppervlakte te komen. 'Kijk eens naar wat ik allemaal gedaan heb voordat wij elkaar ontmoet hebben. We zijn vrienden en ik wil – nee, ik moet al het mogelijke doen om je te helpen. Larson zou het mij nooit vergeven als ik er niet alles aan gedaan had om het je gemakkelijker te maken of je een behandeling te laten ondergaan waardoor je kunt genezen.'

'En hoe dacht je dat mij terug te laten betalen?'

'Door al het mogelijke te doen om Zuid-Soedan te helpen – of door mij voor mijn familie te beschermen en ervoor te zorgen dat mijn vrouw geen weduwe wordt.'

'Je weet wel hoe je mij moet raken, hè?'

'Goed. Dat is dan geregeld. Ik neem aan dat de dokters wat onderzoeken willen doen. Ik heb ook nog een paar dingen te doen dus dat komt goed uit.'

'Als ik te lang weg blijf, zullen Daruka en David zich zorgen gaan maken.'

'Hoelang ben je van plan dit voor hen geheim te houden?'

Ben grinnikte. 'Als jij een behandeling weet te vinden, dan zullen ze er nooit achter komen.'

'Kijk, dat noem ik nou optimisme.'

'Ga je kijken of je Larson en de baby naar Nairobi kunt laten verhuizen?' Bens vraag klonk zo zacht dat Paul dacht dat de man in slaap sukkelde. Maar zijn bedroefde gezicht sprak boekdelen.

'Nu Muti en mijn familie achter mij aan zitten, is dat denk ik het beste wat ik kan doen. We hebben nog geen definitieve beslissing genomen, maar we zijn van plan om huisvesting in Nairobi te gaan zoeken.'

'Ik kan het je niet kwalijk nemen. Larson en je kinderen moeten veilig zijn.'

Ben sprak haar naam met eerbied uit. Paul voelde groot medelijden met hem. Zijn vriend was stervende. Hij was verliefd op een getrouwde vrouw en ze was zwanger. Terwijl hij vocht voor de vrijheid van Soedan had hij te weinig oog gehad voor zijn eigen belangen. En het ergste van alles was nog dat Ben geen relatie met God wilde. Wat kon Paul voor de man naast hem nog meer doen dan alleen maar bidden voor zijn ziel?

26

Voor je vertrekt, moeten we een feestje geven.' Larson gaf Santino een fles water. In tegenstelling tot haar en Paul dronk hij geen koffie. 'We nodigen het hele dorp en de mannen van het Neushoornbataljon uit. 'We kunnen een voetbalwedstrijd en misschien een honkbalwedstrijd organiseren.'

Santino lachte. 'Allemaal voor mij? Waar heb ik dat aan verdiend?'

Larson zwaaide haar vinger voor zijn gezicht heen en weer. 'Je gaat naar de universiteit zodat je een leider met een goede opleiding van Zuid-Soedan kunt worden. Je bent Sarah's neef. Je bent mijn lijfwacht. En we houden allemaal van je.'

'Oké. Een feestje. Maar onder één voorwaarde.'

'En die is?' Larson keek hem sceptisch aan.

'Ik wil bij alles helpen, zelfs bij het koken.'

Sarah lachte. 'Zelfs mijn Santino mag niet bij het koken helpen. Dat is uitsluitend vrouwenwerk.'

Larson was het wel niet eens met Sarah's opmerking, maar soms waren culturele verschillen moeilijk te veranderen. 'Oké, Santino, jij kunt de wedstrijden organiseren. Paul en ik zullen wat prijzen beschikbaar stellen. En Sarah en ik regelen het eten wel.'

'Nou, ik zou zo'n feestje erg leuk vinden.' Santino nam een grote slok water. 'Het is vandaag erg rustig geweest in de kliniek. Morgen zal het waarschijnlijk weer een drukke dag worden.' Hij keek naar Larsons bord. 'Wat is dat?'

'Macaroni met kaas en hete saus. Ik lustte het niet zo erg totdat ik zwanger werd. Wil je het proberen?'

Santino schudde zijn hoofd en schepte met zijn vingers wat maïspap op. 'Nee, dankuwel. Ik houd mij maar aan de ugali. Wat is dat: hete saus?'

'Precies wat het zegt. Hier, probeer het eens. Aangezien je van gekruid eten houdt, zul je het best lekker vinden.' Ze pakte een zoute cracker, sprenkelde er wat Tabascosaus op en gaf hem aan Santino.

Santino stak de hele cracker in zijn mond. Nog voor hij had kunnen ademhalen, greep hij de fles water. 'Nu begrijp ik het. Hete saus. Ik wilde wel dat ik eerder begrepen had wat u bedoelde.'

Ze lachte. 'Paul denkt er ook zo over.'

'Ik denk dat ik maar beter vrijgezel kan blijven.'

'In ieder geval tot je je studie af hebt,' zei Sarah. 'Ik heb wel gezien hoe je naar de meisjes kijkt.'

'Ernaar kijken is niet hetzelfde als ermee trouwen.' Santino pakte nog een cracker, zonder hete saus deze keer, en stak die in zijn mond.

'En je zou de bruidsschat niet kunnen betalen,' zei Sarah.

Larsons telefoon ging en ze pakte hem snel op zonder naar de naam van de beller op het schermpje te kijken. Ze verwachtte een telefoontje van Paul. Hij was nu al vier dagen weg – Ben had het een en ander in Nairobi te doen. Ze hoopte dat Ben de SPLA zou verlaten en in de politiek zou gaan.

'Goedemorgen, dr. Farid.'

Ze huiverde even. Het accent maakte haar aan het schrikken. 'Met wie spreek ik?'

'Nizam Farid. Uw zwager.'

'Hoe komt u aan mijn telefoonnummer?'

Hij grinnikte, een lachje dat diep uit zijn keel kwam en haar achterdochtig maakte. 'Daar heb ik mijn manieren voor.'

Ze haalde een keer diep adem om haar zenuwen de baas te worden. 'Wat kan ik voor u doen?'

'Ik wil een afspraak met mijn broer maken, maar hij is daar niet zo happig op. Abdullah gelooft niet dat mijn belangstelling voor het christendom oprecht is.'

'Ik weet dat u telefonisch contact met elkaar hebt.' Ze probeerde het bonzen van haar hart te beheersen. 'Hij zal zelf moeten beslissen of hij u wil ontmoeten.'

'En daar heb ik uw hulp bij nodig.'

'Moet ik u helpen? Ik denk niet dat ik iets voor u kan doen, zeker niet nu u Muti achter mij aangestuurd hebt en mijn man door hem laat achtervolgen.'

'Daar weet ik allemaal niets van. Als u in gevaar was, spijt mij dat oprecht.'

Ze had geen enkele reden om hem te geloven, maar ze wilde er niet met hem over gaan discussiëren. 'Wat wilt u dat ik zal doen?'

'Mijn broer vertellen dat ik gebeld heb en dat ik meer van hem over Jezus wil horen. Ik ben in de Bijbel gaan lezen en begrijp nu beter waarom hij christen geworden is.'

Larson begon wat minder wantrouwig te worden. 'Zou je christen willen worden?'

'Ik denk het wel, maar er met mijn broer over praten is erg belangrijk voor mij. Dat zul je wel begrijpen. We hebben dezelfde opvoeding gekregen. Als ik beslis om christen te worden, zal mijn familie ook mij willen doden. Ik zou uit vrees voor mijn leven het land moeten verlaten.'

'Paul zou je kunnen helpen.'

'Ik zou graag zijn advies inwinnen.' Hij grinnikte opnieuw, maar het klonk deze keer minder dreigend. 'Ik heb er zelfs al over nagedacht welke naam ik zou kiezen als ik gedoopt word.'

Larson glimlachte en probeerde zich voor te stellen hoe Nizam eruitzag en of hij overeenkomsten had met Paul. Hij meende ongetwijfeld wat hij zei. 'En welke naam vind je aantrekkelijk?'

'Barnabas.'

'Dat betekent "Zoon der vertroosting".'

'Ja, mooi, hè? Denk je dat mijn broer blij zal zijn?'

'Daar ben ik zeker van. Ik zal hem vertellen dat je gebeld hebt. Heb je een nummer waarop hij je terug kan bellen?'

'O nee. Veel te gevaarlijk. Ik bel hem over een paar dagen wel. Dan

kunnen wij ook eens kennismaken, niet?'
'Onze ontmoeting hangt van Paul af.' Ze aarzelde even. Ze wilde Nizam graag geloven maar moest ook voorzichtig blijven. 'Ik zal voor je bidden.'
'Dankjewel.'
Na de beëindiging van het gesprek bleef Larson lange tijd naar de telefoon staren. Nu kon ze Pauls dilemma helemaal begrijpen, want nu zat ze met hetzelfde probleem.

❋

'En , wat is de uitslag?' Paul draaide zich om van het raam in het ziekenhuis van Nairobi.
'De dokter wil dat ik nog een week blijf.' Ben spuwde de woorden uit alsof ze giftig waren. 'Alsof ik nog niet genoeg aan mijn hoofd heb. Ik krijg het gevoel alsof ze mijn bloed op de open markt verkopen.'
'Misschien doen ze dat wel.' Paul trok een wenkbrauw op.
'Erg grappig. Daruka zal nog gaan denken dat ik haar verlaten heb.'
'Als ik weer terug ben, zal ik Santino naar haar toe sturen om te zeggen dat je nog het een en ander te doen had.'
'Je moet ook Okuk bellen. Maar vertel hem niet waar ik ben. Ik moet contact opnemen met de SPLA om ze te vertellen dat ik een medisch onderzoek onderga. Meer hoeven ze voorlopig niet te weten, en ik zal ze vragen de informatie voor zich te houden. Je hebt mijn satelliettelefoon, hè?'
'Ja meneer.' Paul kon zijn glimlach niet verbergen. Hij legde Bens telefoon op het nachtkastje.
Ben fronste zijn voorhoofd. 'Wat is er zo leuk?'
'Jij. Je zit daar in je ziekenhuiskleren bevelen te schreeuwen alsof je in het veld bent.'
'Kleren maken de man niet.'

Paul lachte. 'Oké, ik zal je bevelen uitvoeren en over een week kom ik terug om je op te halen. En nu even ernstig, heeft de dokter nog iets gezegd waaruit je hoop kunt putten?'

Ben haalde zijn schouders op. 'Misschien is er een behandeling. Dat vertelt hij mij natuurlijk om mij hier te houden.'

'Het is waarschijnlijk voor het eerst sinds jaren dat je goed te eten krijgt.'

'Ja. Het eten dat ze hier opdienen herinnert mij aan de smakeloze stijfsel die ze in de vluchtelingenkampen uitdelen.'

'Als je hier weer weg mag, trakteer ik jou en Daruka op een diner met biefstuk.'

Zijn gezicht betrok. 'Mijn vrouw is nog nooit uit haar dorp weg geweest. Kun je je voorstellen hoe ze zal kijken als ze voor het eerst Nairobi zal zien?'

'Ik kan haar meenemen als ik je kom ophalen. Je zoon ook.'

'Ik wil nog niet dat ze het weten. Als de situatie verandert praten we er wel verder over.'

'Om hier in Nairobi te blijven voor behandeling?'

'Ja. Of als de diagnose slechter is.'

Paul knikte. 'Ik bid voor je genezing. Hoe is het met de pijn?'

'Wat ze dan ook in het infuus gestopt mogen hebben, het heeft goed geholpen. Ik denk dat het morfine is. Ik slaap weer goed en ik ben blij dat ik een privé-kamer heb.' Ben gebaarde om zich heen.

'Ik heb nooit geweten dat je zo veel pijn had. Geweldig dat de medicijnen zo goed werken. Ik vlieg vandaag naar huis. En ik heb een paar huizen gevonden waar Larson naar moet komen kijken.'

'Ik heb de indruk dat je niet erg enthousiast bent om hier te komen wonen.'

'Als we verhuizen, wil ik er zeker van zijn dat God dat wil.'

'Op dat gebied ben jij een betere autoriteit dan ik. Als ik gelovig zou zijn, zou ik zeggen dat jij en Larson een directe verbinding met God hebben. Heb je wel eens aan Juba gedacht?'

'Ja, het is wel bij mij opgekomen. Ik denk dat er de komende maanden veel vluchtelingen naar terug zullen keren. Ze zullen medische zorg nodig hebben, maar er zullen ongetwijfeld heel wat hulporganisaties neerstrijken die daarvoor kunnen zorgen.' Paul aarzelde even. 'Ik doe er gewoonlijk niet zo lang over om een beslissing te nemen, maar op dit punt weet ik nog steeds niet wat ik doen moet. Ik weet alleen dat ik mijn gezin uit die slangenkuil van Warkou moet halen.'

'Als Juba de hoofdstad van het zuiden wordt, zal dat een grote modernisatie met zich meebrengen.'

Paul schudde Bens hand waarin het infuus zat. 'Ik zal er met Larson over praten. Tot over een week dan maar. Rust goed uit en neem je medicijnen in.'

'Er zal weinig anders op zitten.'

✳

Na nog een paar dagen in het ziekenhuis was Ben in staat om zijn ziekenhuishemd in de vuilnisbak te gooien en te vertrekken. Maar dr. Khamati had hem wat hoop gegeven – net genoeg om te voorkomen dat Ben het ziekenhuis uit marcheerde.

'De proeven geven de noodzakelijke informatie om een goed behandelplan te maken,' had dr. Khamati gezegd.

'Ik heb nog steeds de vraag die ik al eerder gesteld heb. Hoelang kunt u mijn leven verlengen?'

'Misschien vijf jaar.'

'Kwaliteit?'

'Daar ben ik niet helemaal zeker van. We hebben u andere pijnstillers gegeven en het lijkt erop dat die minder bijverschijnselen hebben.'

'En hoe staat het met de verspreiding van de kanker naar andere lichaamsdelen?'

'Ik wil niet tegen u liegen. Dat is natuurlijk altijd mogelijk.'

In zijn gedachten herhaalde het gesprek zich keer op keer. Voor vijf jaar langer leven moest hij de chemo, de bestraling en wat de dokters dan ook nog verder wilden proberen, verdragen. David zou dan zeventien zijn en Daruka... nou ja, Ben zou haar erop voor kunnen bereiden. Ze wilde graag nog een kind en de vele keren dat hij bij haar was geweest, maakte hem zenuwachtig. Daruka had al een kind zonder hem opgevoed en hij wilde haar niet achterlaten om nog eens alleen een kind op te voeden. Hij hoopte dat zijn lichamelijke toestand en de medicijnen die hij daarvoor kreeg, hem steriel zouden maken. De dokter zou de antwoorden op die vraag ook wel weten.

'Kolonel Alier?'

Ben keek op en zag in de deuropening een Arabische man staan, gekleed in een donker zijden kostuum met das. Hij zag er niet uit als een dokter. Zoals eerder was Ben niet onder zijn eigen naam in het ziekenhuis ingeschreven en had hij een kamer op de VIP-afdeling gekregen. 'U zult zich vergissen, meneer. U kunt zich maar beter melden bij de administratie.'

De man glimlachte. 'Mijn naam is Nizam Farid. Volgens mij kent u mijn broer.'

'Ik heb geen idee over wie u het hebt.'

Nizam trok een stoel bij en ging naast Bens bed zitten. Ben herkende dezelfde gelaatstrekken en doordringende ogen als van Paul. 'Volgens mij liegt u.'

'Het kan mij niet schelen wat u gelooft.' Ben pakte een krant op, vouwde hem open en deed net of hij die ging lezen. De krant lag over het belletje heen waarmee hij de verpleegster kon roepen. 'Ik zou graag willen dat u een boodschap voor hem overbrengt.' Ben drukte op de bel. 'U hebt vijf minuten om te vertrekken.'

'Kolonel, mijn bedoelingen zijn eerzaam.' Nizam glimlachte.

Ben vertrouwde een hongerige hyena meer dan de man.

'Hebt u hulp nodig, meneer?' vroeg een verpleegster.

Ben verfoeide de vrouw. Ze had hem al eerder verzorgd en scheen alle antwoorden te weten, maar vandaag zag ze er aantrekkelijk uit. 'Ja, laat iemand van de beveiliging deze man mijn kamer uit brengen.'

Nizam stond op. 'Dat hoeft niet. Ik vertrek al. Het lijkt erop dat mijn broer rare vrienden heeft. U kunt hem vertellen dat ik uitkijk naar een ontmoeting en een gesprek met hem.' Hij knikte. 'Ik was toevallig in de stad en dacht dat ik hem misschien hier bij u zou kunnen aantreffen. Hij heeft een heel aardige vrouw.'

Larson? Is hij haar wezen opzoeken? Nadat Nizam vertrokken was, belde Ben de beveiliging en vertelde hun dat hun bewakers gefaald hadden. Hij voegde er nog een paar van zijn eigen woorden aan toe om hun ondoelmatigheid te beschrijven. Nizam kende nu zijn kamernummer.

Wat wilde die man? Hoe kon hij voorkomen dat hij terug zou komen? Als hij Paul echt wilde hebben, zou hij hem in Warkou kunnen vinden. Door zijn zorg om Larson werd Ben nog nijdiger. Ze moest zo gauw mogelijk Soedan uit.

Nizam had Paul meer dan eens gebeld, steeds weer onder het voorwendsel dat hij meer over het christendom wilde weten. De man leek even betrouwbaar als de noordelijke regering. Het bezoek dat hij vandaag had afgelegd leek zinloos, tenzij Nizam daarmee had willen aantonen dat hij iedereen kon opsporen als hij dat wilde.

Ben had hem over Muti moeten vragen. Hij trok de la van het nachtkastje open en haalde er van onder zijn persoonlijke spulletjes zijn satelliettelefoon uit. Hij moest zijn vriend bellen.

'Paul, ben je alleen?'

'Ja, alleen Thomas is bij mij. Hebben ze je eerder ontslagen?'

'Nee, dit is iets anders. Ik kreeg vanmorgen bezoek. Nizam.'

'Dat meen je niet. Wat wilde hij? Hoe heeft hij je kunnen vinden? Nou ja, laat maar zitten. Hij heeft zijn methoden.'

'Ik had hem hier langer vast moeten houden, maar in plaats daarvan heb ik de beveiliging geroepen. Ik heb ontkend wie ik ben en dat ik jou zou kennen. Maar ik vraag mij wel af waarom hij eigenlijk kwam. En hij noemde Larson.'

'Hij heeft haar gebeld toen ik de laatste keer in Nairobi was. Wat zei hij over haar?'

'Hij zei dat hij haar aardig vond. Ik heb geen idee waar dit allemaal om gaat, maar ik heb er geen goed gevoel over. Is Santino nog steeds bij jullie?'

'Ja. Denk je dat Okuk nog een paar van zijn mannen kan missen?'

'Ik zal hem zeggen een paar van zijn beste mannen te sturen. Sinds het vredesverdrag hebben ze toch niet zo veel meer te doen.'

'Volgens Larson was Nizam erg aardig bij dat telefoongesprek.'

'Ja, dat was de slang tegenover Eva ook,' zei Ben. 'Iemand geeft alles wat je doet door, alsof het een of ander kat-en-muisspelletje is. Onze mol heeft niet alleen toegang tot jouw telefoon, maar ook tot die van Larson en hij kent al jouw verrichtingen. Van de mol in Yar heb ik begrepen dat hij aan Muti rapporteerde en aan nog iemand anders, maar hij stierf voordat ik meer uit hem kon krijgen.'

'Wie zou het kunnen zijn, Ben? Ik vraag mij af of ze afluisterapparatuur gebruiken.'

'Je moet alles eens goed nakijken.'

'Dat heb ik al gedaan. Ik denk dat ik Nizam zelf eens moet gaan bellen om hem een paar vragen te stellen. Misschien neemt hij op vanaf een van de vele nummers waarvan hij belt.'

27

Pᴀᴜʟ nam zijn e-mail van die morgen door. De laatste tijd ont-
ving hij voornamelijk spam. Erg frustrerend, ook al had hij dan
een spambox. Hij nam zijn inbox door en vond het bericht dat
hij wilde hebben. FTW had een korte aanstelling voor hem. Een
zendingsorganisatie in Juba had verzocht voedsel, schoolboeken en
Arabische Bijbels naar afgelegen dorpen te vliegen. Een gemakkelijk
tochtje, maar er zouden wel een paar dagen mee gemoeid zijn en
hij wilde eigenlijk niet voor langere tijd van Larson weg.
'Regel het maar en ga gewoon.'
Toen Paul zich omdraaide, zag hij dat Larson over zijn schouder
stond mee te kijken. 'Bespioneer jij mij soms?'
'Ik hoorde je kreunen en besloot toen zelf maar even te kijken
waarom je dat deed. Je kunt mij niet altijd beschermen en er zijn
hier nu twee soldaten en Santino om mij te beschermen.' Ze boog
zich naar hem toe en kuste zijn wang. 'Jij moet jouw werk en ik
het mijne doen.'
Hij bestudeerde het scherm. 'Als ik vanmiddag vertrek, kan ik in
Nairobi alles inladen, Ben oppikken nadat ik alles in Juba gebracht
heb, en weer naar huis vliegen. Maar dat betekent wel dat we het
zoeken van een huis even uit moeten stellen.'
'Een paar dagen langer maakt weinig verschil.' Ze glimlachte.
'Bovendien ben ik bezig met het organiseren van een afscheidsfeestje voor Santino. Door mijn werk in de kliniek, Thomas en het
organiseren van dat feestje heb ik toch geen tijd om naar Nairobi
te vliegen.'
'Vindt dat feestje plaats na Bens terugkomst?'
Ze knikte. 'Ik hoop dat Daruka en David ook kunnen komen.'
'Ja, ik ook. Ik zal kijken of ik ze zover kan krijgen. Weet je zeker

dat het ook niet ons afscheidsfeestje zal zijn?'

Haar gezicht betrok. 'Mogelijk. Al onze vrienden zullen er zijn. Ik heb commandant Okuk gevraagd...'

'Die man veracht mij.'

'Dat zou hij niet doen als hij de tijd nam om je beter te leren kennen. Maar hij mag Santino graag. Ik denk dat het feestje Sarah nog meer goed zal doen dan haar neef. Ze is de laatste tijd een beetje gedeprimeerd en dat zal wel te maken hebben met het vertrek van Santino.'

'Heb je haar gevraagd of ze met ons meegaat als we naar Nairobi verhuizen?'

'Ja. Ik heb gezegd dat Santino haar dan vaak kan bezoeken en dat ze mij met de baby's kan helpen. Ze schijnt het wel leuk te vinden.'

'Goed. Ben vroeg mij ook eens aan Juba te denken.'

'O ja?' Larson sloeg haar armen over elkaar en liep naar de deur van de kliniek. De schotwond in haar schouder was snel genezen – een wonder voor een vrouw die erop stond alles zelf te willen doen. 'Dat is nog niet zo'n gek idee. Met het hoofdkwartier van de zuidelijke regering daar zouden we er veilig zijn.' Ze keek naar hem op. 'Er zullen daar ongetwijfeld veel hulporganisaties neerstrijken. Maar ik vind het best en laat het aan jou over.'

Paul lachte en stond op van zijn stoel. 'Je begint de laatste tijd steeds toegeeflijker te worden. Waar is mijn eigenwijze vrouw gebleven?'

'Ik heb mijn momenten... hoe zal ik het zeggen, waarop mijn hormonen opspelen. Echt, ik houd heel veel van je. Ik zou ons leven samen voor niets onder Gods hemel in willen ruilen. Toen ik dacht dat Muti... aan dit alles een eind zou kunnen maken, begon ik mijn twijfels te krijgen over onze roeping hier. Maar ik wil niet dat wat dan ook maar ons van elkaar zal verwijderen.'

Hij liep naar de deuropening. Het zonlicht stroomde door de boomtoppen als het licht dat zij in zijn leven bracht. Hij pakte Larsons hand en bracht haar naar buiten. 'Er is geen gedicht geschreven dat genoeg zegt over mijn liefde voor jou. Er is geen diamant groot genoeg die mijn toewijding aan jou symboliseert. Er is geen bloem aan deze kant van de hemel die geuriger of lieflijker is. Ons leven is een reis die we samen maken naar God toe. Er is niemand met wie ik de weg liever zou willen bewandelen dan met jou.'

Tranen vulden haar ogen. 'Wat een prachtig gedicht. Van wie is het?'

'Het is geen gedicht. Het is het lied van mijn hart voor jou.'

Ze leunde tegen zijn schouder. 'Ik kijk uit naar het avontuur van ons leven samen. Geloof mij, waar je ook wilt wonen, ik zal mij er niet tegen verzetten.'

'Je hebt te veel vertrouwen in mij.'

'Helemaal niet. Ik heb vertrouwen in de God Die je leidt.'

Hij kuste haar voorhoofd. O, kon hij maar vertrouwen zoals hij eerder had gedaan. 'We lijken wel kinderen die grote dromen hebben over morgen.'

'Zijn die aspiraties zo zinloos? Volgende zomer zullen we twee baby's hebben en ik ben erg enthousiast. Ik laat mij veel te veel negatief beïnvloeden door onze omstandigheden en dan vraag ik mij af wat ik hier eigenlijk doe, waar mijn werk eigenlijk goed voor is. Ik heb mijn dromen nodig om de ene voet voor de andere te blijven zetten. Ik hoop dat de nieuwe regering in Juba en de mannen die ook dromen over een betere toekomst, stappen zetten voor een beter Soedan.'

'Dat hoop ik ook en ik zou wel willen dat ik de antwoorden kende.'

⚜

Larson veegde het zweet van haar gezicht. Ze zou de generator aan kunnen zetten om de ventilator te laten draaien maar ze had er een hekel aan om die alleen maar voor haarzelf te gebruiken. Het was verstandiger als ze die kon gebruiken om een patiënt wat verkoeling te geven. Maar sinds ze zwanger was, handelde ze niet altijd zo verstandig. Er was geen enkele patiënt die haar aandacht nodig had. Het was ver over de middag en de hitte scheen het leven uit haar weg te zuigen. Ze draaide zich om en zette de ventilator aan.

Santino die over een stapel patiëntendossiers gebogen zat, glimlachte. 'Mist u uw man?'

'Altijd. Over een paar dagen komt hij thuis en hij belt vaak. Maar dat maakt zijn afwezigheid natuurlijk niet goed.'

'Brengt hij kolonel Alier met zich mee?'

'Ehh... ja. Ik heb je geloof ik niet verteld dat Ben momenteel in Nairobi zit. Ik denk dat hij daar een onderhoud heeft met de leiders van het zuiden.'

'Dat klinkt veiliger dan wat hij de afgelopen twintig jaar heeft gedaan.'

'Dat ben ik met je eens. En nu hij een vrouw en zoon heeft, wordt het tijd dat hij eens tot rust komt.' Ze stofte de kast af waarin haar kostbare medicijnen zaten. 'Hoe gaat het met je werk?'

Hij slaakte een diepe zucht. 'Ik probeer een reden te vinden voor al dit papierwerk.'

Ze lachte. 'Mijn perfectionisme schrijft mij voor dat ik bij moet houden wat ik doe.'

'En moeten anderen daar dan onder lijden?'

Ze haalde twee flessen water uit de koelkast die door de generator van stroom werd voorzien. 'Toen je bij de SPLA zat, moest je lijden. Dit werk is een peulenschilletje.'

'Een peulenschilletje?'

'Makkelijk werk.' Ze gaf hem een fles water.

'Jullie gebruiken soms rare uitdrukkingen.'

Ze draaide de dop van de fles en nam een grote slok water. 'Hoe denk je dat ik mij voel als de enige blanke onder een zee van zwarte gezichten?'

'En bovendien nog een christen.' Hij zat op de vloer van de kliniek en spreidde de dossiers om zich heen uit. 'Hoe moet ik die ordenen?'

'Je moet ze op alfabetische volgorde leggen op achternaam, tenzij je alleen maar een voornaam hebt. Maak een afzonderlijk dossier voor degenen die alleen maar geregistreerd staan op de datum waarop ze zorg ontvangen.' Ze wees naar de dossierkast. 'Op de dossiers daar staan wel etiketten, maar ze staan niet op de juiste volgorde.'

Hij kreunde. 'De universiteit zal makkelijker zijn dan dit – dat zal een peulenschilletje zijn. En ik weet zeker dat ik bij mijn baantje in het Hilton mijn gezichtsvermogen minder zal hoeven inspannen dan hier. Ik kan uw schrift nauwelijks lezen. Het lijkt helemaal niet op het Engels dat ik heb geleerd.'

'Wat een klachten. Hé, ik heb een vraag voor je.'

Hij keek naar haar op en ze wist zeker dat hij iedere aanleiding om met zijn werk te stoppen, zou aangrijpen.

'Waarom vind je het vreemd dat ik een christen ben? Als gevolg van de oorlog is bijna 25 procent van het zuiden christen geworden.'

'Ik hoorde dat u geen christen was toen u hier kwam.'

'Ik moest ongetwijfeld nog veel leren over Wie God is, maar ik ben nu een gelovige. En hoe staat het met jou? Je zei mij dat je mij nog eens zou uitleggen wat jouw geloof is.'

'Mijn godsdienst is vergelijkbaar met die van u.'

'Is het een stamgodsdienst?'

'Ik denk dat jullie dat zo noemen, ja. Maar wij geloven ook in een hiernamaals. Het verschil is de manier om daar te komen.'

Larson bestudeerde zijn gezicht. 'Waarom wil je mij je geloof niet uitleggen?'

'Omdat u gelooft dat je de wereld moet vertellen over het christendom en ik wil het zelf leren begrijpen zonder de hulp van anderen.'

Hij glimlachte als een kleine jongen naar haar. 'Ik geloof echt in God en ik houd mij aan mijn geloof.'

'Meer kan ik niet vragen, denk ik.'

Santino wees naar de dossiers die om hem heen verspreid lagen. 'Maar u kunt mij wel vragen het onmogelijke te doen.'

'Oké, ik zal je helpen tot Thomas wakker wordt of tot er een patiënt komt.' Ze nam nog een slok water. 'Als een professor je in de toekomst vraagt een scriptie te schrijven, zou je willen dat je wat administratief werk voor mij zou kunnen doen.'

Ze deed de dossierkast open. 'Laten we hiermee beginnen.'

Er viel een schaduw door de deur en er kwam een man binnen die een klein meisje droeg. Een snelle blik leerde Larson dat het kind op de grens van de dood zweefde.

'Alstublieft, dokter, mijn dochter is erg ziek.'

Larson pakte het kind van hem over en merkte dat het hoge koorts had. 'Woon je dicht bij het bos?'

'Ja. Anderen zijn ook ziek. De meesten worden weer beter, maar mijn dochter niet. Kunt u haar een medicijn geven en haar weer beter maken?' De man zelf had ook koorts.

'Waar klaagde ze over voordat ze zo ziek werd?'

'Eerst zei ze dat haar hoofd zeer deed en toen haar rug. Ze is erg warm en soms lijkt het of ze het erg koud heeft.'

Gele koorts. 'En hoe voelt u zichzelf?'

De gestalte van de lange man deed haar aan een broze tak denken. 'Niet zo goed. Ik heb drie dagen gelopen om hier te komen.'

Larson wierp een behoedzame blik op Santino. 'Wil je wat eten en drinken voor deze man halen. Daarna zal ik hem onderzoeken en een bloedmonster nemen.' Ze pakte de hand van de man. 'Hoe heet u?'

'Matthew Bol en mijn dochter heet Lydia.' Zijn knieën knikten en Santino greep hem vast om zijn middel voordat hij zou vallen.

'Ik zal mijn best doen voor Lydia. Ze is erg ziek.'

'Hebben de muskieten dit veroorzaakt?' Matthew leunde op Santino die hem naar een stoel hielp.

'Ik denk het wel. Als je dochter weer beter is, zal ik met medicijnen naar je dorp komen om de anderen te helpen.'

'Dankuwel. De meeste zieken zijn kinderen.'

De man en zijn dochter vertoonden de verschijnselen van gele koorts, maar Larson wilde er zeker van zijn. Gelukkig waren ze het regenseizoen doorgekomen zonder een uitbraak van de ziekte. Ze moest naar het dorp gaan voor er nog meer mensen ziek zouden worden. De kinderen leden meestal het ergst omdat ze bij het bos speelden waar de muskieten zich voortplantten.

⁂

Ben lag te woelen op zijn ziekenhuisbed. Waarom duurde het zo lang voor Paul hem ophaalde? Hij had hier al uren geleden moeten zijn. Ben zat hier al veel te lang opgesloten. Alles was hier erg deprimerend, maar hij had goed nieuws te horen gekregen. Dr. Khamati wilde dat hij een chemotherapie en een bepaald medicijn zou nemen dat enig succes in de behandeling van dit soort kanker had bereikt. De keerzijde was dat hij voor de behandeling iedere vier weken voor drie dagen terug zou moeten keren naar het ziekenhuis. Wat voor smoesje kon hij tegen Daruka en zijn mannen ophangen? Ben had al zo vaak gelogen dat hij bang was dat hij in zijn eigen leugens verstrikt zou raken. Het zou eigenlijk grappig zijn als het niet zo meelijwekkend klonk.

Hij wreef met zijn handen over zijn hoofd. De chemokuur, die hij in het ziekenhuis al had genomen, begon zijn haar uit te dunnen. Nog iets om aan zijn mensen uit te leggen. Larson zou waarschijnlijk maar één blik op hem hoeven te werpen om de juiste diagnose te stellen. Meteen daarop zou ze hem voor de voeten gooien dat hij niet naar haar was toe gekomen. Het was al zwaar genoeg om een vrouw te beminnen die hij niet kon krijgen. Waarom zou ze nu ook nog medelijden met hem moeten krijgen?

Ben miste zijn thuis – het open land, de wilde dieren, de vogels die hem iedere morgen wakker maakten en de eenvoud van het leven zoals zijn volk die al eeuwen kende. Hij wilde terug. En wel meteen. Waar bleef Paul nu?

Ben sloot zijn ogen. Hij droomde van een vredig dorp waar naast de tuinen – waarin geen landmijnen lagen en de bronnen niet vergif-

271

tigd waren – lachende kinderen speelden. Hij was een krijgsheer die eens had uitgezien naar het volgende gevecht, maar die er nu naar verlangde de rest van zijn dagen te slijten in het land waarvoor hij zo hard had gevochten om het vrij te houden. De naderende dood gaf een man een ander perspectief. De dokter kon dan wel een beetje hoop geven, maar waarheid was waarheid. Er zou een wonder voor nodig zijn om zijn met pijn gevulde dagen te verlengen.

'Klaar om weg te gaan?'

Bij het geluid van Pauls stem deed Ben zijn ogen weer open. 'Ja. Ik heb alles gepakt. Laten we gaan.'

'Ik heb je recepten al opgehaald en met de dokter gesproken.'

Ben keek hem dreigend aan. 'Ik heb geen vader nodig.'

'Maar je hebt wel een oppasser nodig. Je zult het wel niet leuk vinden, maar dr. Khamati staat erop dat je morgenmiddag naar hem toe gaat.'

Ben zwaaide zijn benen op de vloer. 'Weet je, jij kunt echt hoogst irritant zijn.'

'Laat mij je eraan herinneren dat er een tijd was dat jij dat ook voor mij was.'

Ben trok zijn wenkbrauwen op. 'Ik ben zo blij dat ik hier weg kan dat ik niet moeilijk over morgen zal gaan doen.'

Paul pakte de tas met Bens persoonlijke spulletjes en ze liepen samen naar de lift.

'Morgen moet het een heldere dag zijn om te vliegen.'

De liftdeur ging open en samen met twee verpleegster stapten de mannen de lift in.

'Prachtig.' Ben haalde een keer diep adem. 'Ook al stormt het, weg gaan we toch. Wat heb je Daruka over mijn afwezigheid verteld?'

'Dat je een aantal afspraken in Nairobi had. Dat heb ik ook tegen Okuk gezegd. Ik zei dat je over twee dagen in Yar zou aankomen. Nu ben ik een officiële leugenaar.'

'Ik zal haar nog iets moeten vertellen. Ik heb nu vier verschillende flesjes met pillen.' Ben keek naar de nummers van de verdiepingen die langskwamen. 'Heb je het voor jezelf gehouden?'

'Daar heb ik je mijn woord op gegeven. Maar het staat mij niet aan om iets voor Larson achter te houden. Ben, een van ons zal het haar moeten vertellen. Misschien kan zij je af en toe wel een van die behandelingen geven. Dan hoef je niet steeds terug naar Nairobi.'

'Nee.' Bens stem werd weerkaatst door de wanden van de lift en de verpleegsters schrokken. 'Dat kan ik niet. Nog niet. Misschien wel nooit.'

'Ze heeft er met mij al over gepraat dat je er zo slecht uitziet.'

'Een beetje slaapgebrek.'

De deur ging open. 'Wat ben je toch een koppige dwaas.'

'Ik ben in goed gezelschap. Wil je nu misschien de details over het bezoek van je broer weten?'

'Zeer zeker. Vijf dagen na het afscheidsfeestje van Santino komt hij naar Warkou toe. Hij zei dat hij met een vliegtuig kwam en dat hij alleen zou zijn. We hebben over Californië gepraat, maar als hij van plan is mij te doden, doet het er niet toe waar ik ben.'

'Ik zal er zijn – met het hele Neushoornbataljon.'

'Goed. Ik zorg ervoor dat Larson en Thomas hier in een hotel in Nairobi zitten. Als ik mijn ontmoeting met mijn broer doorzet, hoef ik mij geen zorgen te maken over mijn gezin.'

28

DRIE dagen nadat Matthew en Lydia Bol naar de kliniek waren gekomen besloot Larson hun afgelegen dorp te bezoeken. Het ging steeds beter met hen en Sarah kon ze hun medicijnen geven. Larson laadde het vaccin tegen gele koorts in de Hummer, samen met muskietennetten, antibiotica en allerlei andere medicijnen tegen de hoofdpijn en de koorts van de ziekte. In een andere doos nam ze medicijnen tegen malaria mee. Een hulpverleningsorganisatie in de Verenigde Staten had haar, op haar verzoek, een groot aantal muskietennetten toegestuurd om de vele ziekten die de insecten veroorzaakten, te bestrijden. Overal waar muskieten waren, braken tal van ziekten uit.

Larson reed met Santino naar het westen. Terwijl ze door het hoge gras reden, passeerden ze een kudde sierlijke gazellen. Een scheefgegroeide acaciaboom met een brede kruin scheen allen die wat verkoeling zochten van de hitte te wenken. Toen ze dichter bij de boom kwamen, zagen ze dat er op een van de takken een luipaard op de loer lag – een zeldzaam gezicht, aangezien het een nachtdier was. Larson dacht aan de kudde gazellen achter haar en begreep dat het dier op zoek was naar zijn volgende maal. Wat hield ze van dit land en zijn bewoners.

En hoe dankbaar was ze voor de airco in de Hummer.

'Hoelang duurt het nog, denkt u, voor we bij het dorp zijn?' Er klonk ongeduld in Santino's stem door. 'En hoelang denkt u daar te blijven?'

'Ik weet waar het ligt, maar de naam – als het dorp tenminste een naam heeft – kan ik mij niet meer herinneren. Het zal zo'n vijf uur duren voor we er zijn. Ik wil de zieken onderzoeken en de mensen vaccineren. En dan wil ik de vrouwen les geven.'

'Over gezondheid en hygiëne?'

'Ja. Ik heb een lesprogramma om de vrouwen duidelijk te maken hoe ze hun gezinnen gezond kunnen houden. Je kunt mij helpen door na te gaan hoe ze aan hun water komen. Als ze een waterput nodig hebben, kan ik Paul vragen contact op te nemen met Living Water om er een voor hen te boren. De organisatie komt regelmatig naar Soedan om putten te boren. Dus om antwoord op je vraag te geven, ik denk dat we daar zo'n drie dagen zullen blijven.'

Laat in de middag kwamen ze in een gebied waar ze acht hutten zag staan. Niet ver van de hutten lag een bos. Lydia Bol moest te dicht bij het bos met de insecten die de ziekten overbrachten, gekomen zijn. Larson zou eerst de kinderen behandelen.

Zij en Santino stapten uit de truck. De mensen waren wel nieuwsgierig maar bleven toch op veilige afstand staan.

'Ik ben dokter Farid en deze man is Santino Deng,' zei ze in het Dinka. 'Matthew Bol heeft zijn dochter Lydia naar mij toegebracht. Ze waren allebei ziek, maar ze zijn nu bijna weer helemaal beter. Matthew vertelde mij dat er hier nog meer mensen ziek zijn door de muskieten. Ik heb medicijnen bij mij om jullie te helpen.'

Haar verklaring wekte aanvankelijk alleen maar achterdocht op, maar toen ze Matthews naam nog een keer noemde, stapte er een vrouw naar voren die zei dat haar twee zoontjes ziek waren.

'Breng mij naar hen toe.' Larson pakte haar tas met medicijnen. 'Santino, wil jij de vaccins meenemen?'

Hij knikte en ze volgde de lange vrouw, zoals ze in de afgelopen elf jaar al zo veel moeders gevolgd was. De rest van de middag werd besteed aan het behandelen van de zieken. Heel veel kinderen waren ziek. Santino deelde voedsel uit en hielp haar bij het vaccineren. Ze zag waar de dorpsbewoners hun water haalden: een troebele rivier waar van alles in zat behalve schoon drinkwater. Het herinnerde haar eraan waarom ze in Soedan gebleven was en waarom ze eigenlijk niet wilde vertrekken.

'Vertel alle vrouwen dat ik ze morgen het een en ander zal gaan vertellen over gezondheid.' Larson telde het aantal vaccins tegen gele koorts dat ze nog had. Prachtig. Ze had meer dan voldoende. 'Zeg ze dat ik ze morgenochtend bij de rivier les zal geven.'

'Ik denk niet dat ze slim genoeg zijn om te begrijpen wat u ze duidelijk wil maken.'

Ze was verbijsterd maar zag kans om een boze opmerking binnen te houden. 'Je moet die mensen niet onderschatten. Een beetje basiskennis over gezondheid kan veel tot stand brengen. Deze vrouwen willen net zomin als ik dat hun gezin ziek wordt. Een beetje voorlichting over gezondheid en hygiëne kan een groot verschil maken.'

De volgende morgen stond Larson op de oever van de rivier met haar tas naast haar. Er zaten twaalf vrouwen van allerlei leeftijden om haar heen te luisteren. Ze had dit praatje al honderden keren gehouden en de eenvoud ervan redde mensenlevens.

'Ik ben blij dat jullie vanmorgen gekomen zijn,' begon ze. 'Ik wil jullie vertellen hoe jullie kunnen voorkomen dat je gezin ziek wordt. Mijn vriend Santino zegt dat er ongeveer een uur lopen hier vandaan goed water te krijgen is. Jullie moeten dat water in een schone kruik gaan halen. Als jullie het water naar het dorp hebben gebracht, moeten jullie het koken. De dingen in het water die jullie ziek kunnen maken, worden dan vernietigd. Als jullie moeten zorgen voor iemand die diarree heeft, moet je hem veel gekookt water laten drinken en wat te eten geven. De zieke heeft ook wat zout en suiker in dat gekookte water nodig.' Larson haalde een lepel voor een orale hydratie-oplossing uit haar rugzak. 'Dit is een hydratielepel. Met het kleine schepje meet je het zout af en met de grotere de suiker. Jullie krijgen er allemaal een. Je mag niet meer zout gebruiken dan dit kleine schepje, want anders wordt de patiënt nog zieker.'

Ze keek naar de gezichten om haar heen. Ze deden allemaal goed hun best om te begrijpen wat ze zei. Ze besefte opnieuw hoe belangrijk het was om bij deze mensen te blijven wonen en ze voorlichting te geven.

Santino zwaaide naar haar en ze zwaaide terug.

'Ik kom zodra ik de lepels heb uitgedeeld en hun vragen beantwoord heb.'

Hij fronste zijn voorhoofd. Santino moest nog leren om geduldig te zijn. Vreemd dat ze die karaktertrek nog nooit eerder bij hem had opgemerkt. Als hij zijn volk leiding wilde gaan geven, zou hij geduld moeten leren.

※

Paul taxiede over de startbaan van Wilson Airport met Ben naast zich. Het zou laat in de avond zijn als ze in Warkou zouden aankomen, maar hij zou Sarah kunnen helpen met de verzorging van de patiënten die gele koorts hadden en met Thomas. Hij vond het jammer dat Larson er niet zou zijn als hij thuiskwam, maar ze zou weer terugkomen op dezelfde dag dat hij Ben naar Yar zou brengen. Misschien was het wel goed. Ben vermeed haar liever en hoe eerder hij over zijn gevoelens voor Larson heen kwam en zich helemaal aan Daruka zou wijden, hoe beter.

Even later zweefden beide mannen door de helderblauwe lucht. Paul hield van vliegen, het gevoel van gewichtloosheid, alsof zijn toestel en de ontelbare vogels op aarde een geheim hadden. Vandaag vloog hij lager dan gewoonlijk.

'Hé, kijk eens naar rechts.' Paul wees naar een groepje olifanten.

Ben grinnikte. 'Sinds het vredesverdrag getekend is, keren de wilde dieren weer terug naar Soedan.' Hij haalde zijn schouders op. 'In een Keniaanse krant las ik dat ze weer terugkeren naar ons land wegens de droogte. Wat de reden dan ook mag zijn, het idee dat de dieren niet meer met uitsterving worden bedreigd of dat ze massaal wegtrekken, is goed.'

'Het zou goed zijn als het zuiden een paar nationale parken voor de dieren zou reserveren, zoals president Museveni in Oeganda gedaan heeft, met de mogelijkheid van grote safarikampen zoals Masai Mara in Kenia of die in Tanzania.'

'Dat gaan we ook doen. Ik zie liever toeristen ons land binnenstromen dan al die zendelingen.'

Paul lachte. 'Ik hoop vurig dat de vrede standhoudt. Het lijkt wel of ik kan voelen dat de druk afneemt.'

'Een oude vechtjas zoals ik leeft voor oorlog. Wij kennen niets anders. Maar ik hoop dat Daruka en David dat allemaal niet meer mee hoeven te maken.'

'Ben, je zou een grote aanwinst voor de regering in Juba zijn.'

'Dat heb ik al eerder gehoord, maar mijn dagen zijn geteld.'

'We zullen zien.'

Ben boog zich naar voren. 'Kijk eens naar al die gnoes. Dat moeten er minstens vijftigduizend zijn.'

Paul tuurde naar de vreemde schepsels. 'Ik zou niet graag in de weg staan als ze zo rennen.'

'Ik ook niet. Ik heb al eens een aanvaring met nijlpaarden gehad. Ze probeerden mijn boot te laten kapseizen.' Ben lachte lang en hard.

'Ik heb je lange tijd niet zo hard horen lachen.'

'Het leven was ook niet zo leuk.'

'Dat wordt nu beter. Je kunt weer ademhalen.'

'Het is een wonder dat je niet begint te preken.' Ben keek naar de gnoes. Misschien was hij jaloers op hun vrijheid.

'Dat zou ik kunnen doen, maar ik kan het je beter voorleven.'

'Ik denk dat ik een dutje ga doen.' Hij sloeg zijn armen over elkaar en staarde uit het raampje. Ben dacht ongetwijfeld dat Paul van wal zou gaan steken.

Hij kon zich niet herinneren dat Ben zo openhartig en opgewekt gepraat had. Maar hij vond het prachtig. De kanker had de man een heel ander perspectief gegeven. 'Ik zou graag Davids opleiding willen bekostigen.'

Ben zuchtte. 'Ik stel het erg op prijs wat je voor Rachel gedaan hebt, dat je voor huisvesting voor haar in Californië gezorgd hebt en dat ze naar de universiteit kon.'

'Ik zal voor haar blijven zorgen.'

'Dat bedoel ik niet. Ik ben je dankbaar voor wat je al gedaan hebt. Ik vraag je niet iets voor mij in de toekomst te doen.'

Paul kromp in elkaar. 'Graag gedaan, maar ik wil ook alles wat ik kan voor jou en je gezin in de toekomst doen.'

'Bedankt. Ik denk dat ik nu maar een poosje ga slapen.'

❦

Ben vond het vreemd dat hij Daruka en David naar Warkou mee moest nemen voor het feestje van Santino, maar voor Larson was het belangrijk dat iedereen die de jongeman kende erbij betrokken zou zijn, en daarom wilde Ben niet alleen gaan. Hij dacht dat hij het wel aankon om haar weer te zien tot hij de bomen, die als schildwachten om het dorp heen stonden, in zicht kreeg. Hij ging wat langzamer rijden. Er kwamen allerlei herinneringen aan Larson bij hem op en hij verachtte zichzelf erom.

'Ik voel dat je het niet prettig vindt om hier te komen.' Daruka's gefluisterde woorden sneden hem door de ziel.

'Het spijt me.' Hij pakte haar hand. Wat kon hij anders zeggen. De vrouw naast hem ontroerde hem, maar hij was bang dat ze erachter zou komen dat hij van Larson hield of dat ze zou ontdekken dat hij kanker had voordat hij bereid was het haar te vertellen. Als David ook niet in de auto had gezeten, zou Ben misschien in de verleiding gekomen zijn om haar over zijn ziekte te vertellen.

Daruka was nog nooit buiten Yar geweest, maar ze was niet achterlijk. Ben verwonderde zich over haar inzicht en wijsheid. Hij merkte hoe snel ze het Engels oppikte en ze had zichzelf rekenen geleerd. Hij wist instinctmatig dat ze, als hij haar mee zou nemen naar een grote stad, zich snel aan zou passen. Daruka was veel te slim voor haar man. Hoewel ze nooit over de pillen praatte die hij slikte, was hij er zeker van dat ze de situatie wel doorhad.

'Zou dr. Farid vandaag tijd voor mij hebben?' vroeg Daruka.

Ben voelde een lichte paniek opkomen. 'Je zou het haar kunnen vragen. Voel je je niet goed?'

Ze glimlachte. 'Ik voel mij prima.'

Hij ontspande zich. Heel even was hij bang geweest dat Daruka de waarheid wist – al die donkere, lelijke dingen over hem. Heel vaak dacht hij dat de kanker een gevolg was van zijn verleden. Vergelding.

Heel Warkou vierde feest met Santino. De vrouwen hadden veel eten klaargemaakt dat ze op lange tafels in de kliniek hadden geplaatst. Er was een koe geslacht en gebraden en er waren grote ketels met ugali, tomaten, kool, groene bonen en veel fruit. De regen deed een poging om de voetbalwedstrijd en de spelen in het water te laten vallen, maar de mannen en de jongens speelden toch – zelfs Paul. Ben zag hoe David wedijverde met de andere jongens en hij was trots op zijn zoon.

Toen Ben om zich heen keek, zag hij dat Daruka was verdwenen. Dat ze Larson wilde spreken had hem de hele middag beziggehouden. Toen hij verder om zich heen keek, zag hij dat ook Larson er niet was. Toen de voetbalwedstrijd voorbij was, ging hij Daruka zoeken, bang voor wat ze inmiddels ontdekt zou kunnen hebben.

In een hoekje van de kliniek zag hij de twee vrouwen met elkaar praten. Hij vroeg zich af waar ze het over hadden. Toen hij dichterbij kwam, zag hij dat beide vrouwen glimlachten. Hij was er nog steeds niet gerust op.

'Kijk, daar is hij.' Larson lachte. 'We hadden het net over je.'

Daruka sloeg haar hand voor haar mond en giechelde. 'Ik moet je iets vertellen.'

'O ja? Wat dan?' Ben veinsde enthousiasme.

'We krijgen een baby. Ik dacht dat het nog te vroeg was om er zeker van te zijn maar de zwangerschapstest is positief.'

Ben dacht dat hij op een landmijn had getrapt. Dat was minder erg geweest dan de wetenschap dat hij opnieuw vader zou worden. Een kind dat hij waarschijnlijk nooit zou zien.

'Ben je er blij mee?' vroeg Daruka.

'Natuurlijk.' Hij dwong zich tot een glimlach en sloeg zijn arm om haar middel. Dat gebaar was het antwoord op al zijn onzekere reacties.

Paul slenterde naar Larson toe. Het zweet als gevolg van de voetbalwedstrijd stroomde van zijn gezicht. Hij had twee flessen water bij zich – een om uit te drinken en een om over zijn gezicht te gieten. Nadat hij zich in- en uitwendig verfrist had, kuste hij zijn vrouw op haar wang. Ben keek naar Daruka. Sommige dingen waren gewoon te pijnlijk om te dragen.

'Ben en Daruka hebben goed nieuws,' zei Larson.

'Nog een reden om feest te vieren.' Paul haalde nog een fles water uit zijn zak en gaf die aan zijn vrouw.

'We krijgen een baby,' zei Daruka.

Paul stak zijn hand naar Ben uit en glimlachte. 'Gefeliciteerd, ouwe jongen. Onze kinderen zullen minder dan een jaar van elkaar verschillen.'

Ben keek Paul aan en dwong zich opnieuw te glimlachen. 'Bedankt.'

Als ik dan nog leef.

29

LARSON lag uitgeput op de matras die ze met Paul deelde en dacht terug aan alle mooie herinneringen aan het afscheidsfeestje van Santino. Ben zag er iedere keer dat ze hem zag slechter uit. Ze kreeg een angstig vermoeden. Haar oude vriend was stervende – zijn grauwe kleur en gewichtsverlies bevestigden haar vrees. En Paul wist het waarschijnlijk. Wat hadden die twee nog meer gedaan in Nairobi? Waarom had ze niet het lef om het een van beiden gewoon te vragen? En waarom wilde Ben niet door haar geholpen worden?

Ze wilde wel dat ze in slaap zou vallen voordat Thomas wakker zou worden of dat het daglicht haar eraan herinnerde dat ze weer aan het werk moest. Toen ze een blik op Paul wierp, zag ze dat ook hij nog wakker was.

'Daruka vertelde mij dat Ben vier verschillende soorten pillen slikt.'

'O.'

'Paul Farid, zeg nu niet alleen maar "o". Je bent met hem naar Nairobi heen en weer geweest en je bent ieder gesprek over zijn gezondheid uit de weg gegaan.'

'Ik kan er niet over praten, habibi.'

'Kun je of wil je er niet over praten?'

'Ik kan er niet over praten. Ik heb hem mijn woord gegeven.'

'Ik zie hem maar af en toe, maar ik heb hem goed gadegeslagen. Aanvankelijk dacht ik dat hij alleen maar langzaam van zijn schotwond herstelde. Toen was ik bang voor een infectie en dacht ik aan hartproblemen. Maar na vandaag denk ik dat het kanker is.'

'Denk je niet dat hij het ons zou vertellen als er iets mis was?'

'Als je je volgende prik tegen gele koorts nodig hebt, zal ik een stompe naald gebruiken.'

Hij grinnikte.

'Het is niet grappig. Hij heeft je gevraagd het mij niet te vertellen en daar houd je je natuurlijk aan.' Toen hij geen antwoord gaf, bekroop haar een misselijkmakend gevoel. Het had niets te maken met haar zwangerschap. 'O, schat, dit is verschrikkelijk. Misschien...'

'Wat?'

'Weet je nog dat ik naar zijn kamp gereden ben nadat Muti was ontsnapt? Ik vertelde je dat hij bekende dat zijn gevoelens voor mij niet veranderd waren, maar dat hij mij en jou respecteerde. Nu vraag ik mij af of hij niet gewoon de losse eindjes aan elkaar aan het knopen was.'

Opnieuw stilte.

'Je hoeft geen antwoord te geven. Ik verwacht dat je je aan je woord houdt. Ik hoop alleen dat hij de beste medische verzorging krijgt die er is en dat hij niet doelbewust voor de loop van een geweer gaat staan.' Ze kroop tegen Paul aan. 'Ik zou hem kunnen helpen. Ik zou hem hier dicht bij huis kunnen behandelen. Ik hoop dat je begrijpt dat je zwijgen mijn vermoedens bevestigt.'

Hij kuste haar voorhoofd. 'Je zult morgenochtend erge slaap hebben en ik moet zodra het licht wordt weer naar Nairobi vliegen. Morgenavond ben ik weer terug. Wil je morgen met mij mee? Voor mij maakt het geen verschil, want overmorgen vlieg ik er weer heen – om jou en Thomas naar Nairobi te brengen voordat Nizam komt.'

'De tweede vlucht komt mij beter uit. Ik heb morgen te veel patiënten. Paul, ik was je ontmoeting bijna vergeten. Ik ben bang.'

'Dat begrijp ik. Wat belangrijk is, is dat je hier een heel eind vandaan bent als mijn broer hier komt. De mensen in het Mayfield House zullen goed voor je zorgen.'

'Ik bid dat ik nog een man zal hebben als dit allemaal voorbij is.'

Paul zou maar een uur nodig hebben om in Nairobi zijn zaken met de FTW af te handelen. Hij besloot om daarom een afspraak met de universiteit te maken om een aanzienlijke donatie aan Santino's studiefonds bij te dragen. De jongeman had onder Bens bevel goed gediend en hij was voor Larson een uitstekende assistent geweest. Als Santino bij Larson en Sarah in Warkou was, wist Paul dat zijn gezin in goede handen was. Nu konden hij en Larson iets terug doen door de studie van de jongeman te betalen.

Hij haalde zijn telefoon uit zijn rugzak en belde de administratie van de universiteit. 'Ik zou graag een financiële regeling willen treffen om het collegegeld te betalen voor een student die bij u ingeschreven staat.'

'Wat is de naam van de student?'

'Santino Deng. Hij is Soedanees.'

'Een ogenblikje, meneer.'

Paul wachtte in het restaurantje van het vliegveld en genoot van zijn sterke koffie en zijn sandwich. Er gingen een paar minuten voorbij, maar hij voelde zich op zijn gemak in het gebouw met airco. Er vertrokken twee vliegtuigen – Air Kenya met toeristen die op weg waren naar Masai Mara. Als dit allemaal achter de rug was, zou hij er Larson eens mee naartoe nemen voor vakantie.

'Meneer, zei u dat de naam van de student Santino Deng is?'

De stem wekte hem uit zijn dagdromen. 'Ja, hij staat ingeschreven voor de najaarscursus.'

'We hebben geen student met die naam.'

'Dat moet een vergissing zijn.' Paul dacht ingespannen na over een andere naam die Santino misschien gebruikt zou kunnen hebben.

'Ik denk het niet. Deng is een veelvoorkomende naam, maar we hebben geen enkele student met die achternaam die als voornaam Santino heeft.'

'Dankuwel.' Hij belde af en leunde tegen de muur. Santino had gezegd dat hij een baantje in het Hilton had.

Hij belde het hotel. Even later bevestigde de manager dat Santino geen werknemer was en ook nooit gesolliciteerd had.

Waarom had Santino tegen hen gelogen over zijn inschrijving aan de universiteit en zijn baantje? Wat had hij gedaan in de tijd toen Paul hem naar Nairobi had gebracht om zich te laten inschrijven en een baantje te zoeken? Santino had niet gevraagd of hij weer mee terug mocht vliegen naar Warkou... Paul had aangenomen dat een lid van de SPLA zijn vervoer geregeld had.

Paul haalde zijn telefoon weer tevoorschijn en belde Ben.

'Hé, weet jij wie Santino teruggebracht heeft nadat hij zich in Nairobi had laten inschrijven?'

'Ik nam aan dat jij teruggevlogen bent om hem op te halen.'

'Nee. Hij zei dat hij zelf wel iets zou regelen. Hoelang heeft hij onder je gediend?'

'Bijna drie jaar. Wat is er aan de hand?'

'Hij staat niet ingeschreven bij de universiteit en hij heeft geen baantje bij het Hilton. Ik probeer erachter te komen waarom hij gelogen heeft. Weet je waar hij vandaan kwam?'

'Sarah vertelde mij dat ze een neef had die wilde vechten. Dat is alles wat ik weet.'

'Is hij echt haar neef?'

'Geen idee, maar dat wil ik nu natuurlijk wel weten.'

'Ben, ik moet hier iets aan doen. Nizam is van plan om over drie dagen naar Warkou te komen en nu krijgen we dit. Kun je de twee soldaten in Warkou inlichten over de situatie? Ik vraag je nog een keer om na te gaan wat er precies aan de hand is.'

'Ik zal mijn best doen. We hebben soldaten nodig die de grens van het dorp bewaken tijdens je ontmoeting met Nizam. Dat is al over een paar dagen, dus ik zal het zelf zo snel mogelijk gaan regelen. Dat geeft mij wat overwicht op de situatie. Als Santino iets van plan is, wil ik er zelf bij zijn om hem aan te pakken.' Hij gromde. 'Dat ik daar allemaal niets van gemerkt heb, laat wel zien dat ik oud begin te worden.'

Paul keek op zijn horloge om zijn tijd om te vertrekken te controleren. 'Is het te ver gezocht als ik zeg dat Muti, Santino en Nizam wel eens zouden kunnen samenwerken?'

'Helemaal mee eens.'

'Als Nizam erachter komt dat we Santino verdenken, kan hij wel eens van gedachten veranderen.' Pauls maag trok zich samen. 'Ik moet nu Larson bellen. Ze moet daar weg tot een van ons er is. Ik breng haar en Thomas naar Nairobi tot dit allemaal voorbij is.'

'Ik ga op weg.'

Paul belde Larson. De telefoon ging zeven keer over en schakelde toen over naar de voicemail. Hij maakte zich grote zorgen. Ze kon bezig zijn met haar patiënten. Ze kon voor Thomas zorgen. Ze kon slapen. Er waren allerlei dingen die haar aandacht zouden kunnen vragen. Maar waarom had ze juist nu, nu hij haar dringend moest spreken, geen tijd om de telefoon op te nemen? Zijn achterdocht van Santino's mogelijke verraad begon vastere vormen aan te nemen.

Santino was zogenaamd in Nairobi geweest toen Muti was ontsnapt. Aangezien hij in Warkou woonde, had hij gemakkelijk toegang tot zowel Larsons als Pauls telefoon en had hij de nummers aan Nizam of aan wie de informatie ook maar wilde hebben, kunnen doorgeven. Hij zou zelfs achter de nummers hebben kunnen komen voordat hij in Warkou was komen wonen, door zich toegang te verschaffen tot Bens satelliettelefoon. Paul herinnerde zich Santino's tegenzin om over godsdienst te praten. De puzzelstukjes begonnen op hun plaats te vallen.

Zijn telefoon ging. Het was Larson.

'Alles goed met je?' Hij hoopte dat zijn stem ondanks de paniek die hij voelde opkomen kalm klonk.

'Zeker, schat. Wat is er?'

'Ben je alleen?'

'Santino en Sarah zijn bij mij. Bens mannen bewaken ergens de weg.'

'Kun je naar buiten lopen om even alleen met mij te praten?'

Hij hoorde haar voetstappen op de betonnen vloer. 'Oké, ik ben alleen.'

'Ik heb een paar dingen over Santino ontdekt die mij zorgen baren.'

Ze lachte. 'Hij is een geschenk voor ons geweest. Ik kan mij niet voorstellen dat hij ons iets zou willen doen.'

'Herhaal niet wat ik je nu ga zeggen. Je moet alleen maar luisteren.'

'Paul, je maakt mij bang.'

'Santino heeft zich nooit in laten schrijven op de universiteit en hij heeft geen baantje bij het Hilton. Hij heeft tegen ons gelogen. En hoe meer ik nadenk over de situatie met mijn broer en het feit dat iemand hem onze telefoonnummers heeft gegeven, hoe meer ik Santino verdenk.'

Ze hijgde. 'Nog meer?'

'Hij was vermoedelijk weer op weg van Nairobi toen Muti ontsnapte. En bedenk ook eens dat hij niet over zijn godsdienst wilde praten.'

'Wat moet ik doen?'

'Ben is met zijn bataljon op weg naar Warkou. Probeer er zo terloops mogelijk achter te komen of Santino echt een neef van Sarah is.'

'Daar weet ik het antwoord al op.'

'Geef jezelf niet bloot in dit gesprek. Is hij het wel of is hij het niet?'

'Hij is het niet.'

'Je moet Thomas meenemen en maken dat je wegkomt. Neem Sarah ook mee. Bel Ben en laat hem weten waar je bent. Maar laat Santino niet merken dat je van streek bent. Als je bij Bens mannen bent gekomen, moet je niet naar het dorp teruggaan tot dit allemaal voorbij is.'

'Begrepen. Wanneer ben je weer hier?'

'Tegen de avond.'

'Als ik nog meer te weten kom, zal ik het je laten weten.'

❖

Larson liep weer terug naar de kliniek. Alleen Santino en Sarah waren er. Haar hart klopte in haar keel. Paul zou niet zomaar iets zeggen. Hij dacht logisch en zijn conclusies moesten op feiten gebaseerd zijn. Santino's betrokkenheid was maar al te duidelijk. 'Santino, wat mij betreft kun je wel gaan. We hebben geen patiënten en alle werkzaamheden zijn gedaan. En we zullen er bovendien aan moeten wennen om het in het vervolg zonder jouw hulp te doen.'

Hij keek op van de krant die Paul van zijn laatste reis had meegebracht. 'Weet u zeker dat u mij niet meer nodig hebt?'

Ze schudde haar hoofd. 'Ik ben moe en ik wil graag een poosje alleen zijn met Thomas.'

Sarah zette de bezem tegen de muur. 'Ik let wel op de kliniek terwijl jij met Thomas naar de hut gaat.'

'Dankjewel, Sarah. Dat stel ik erg op prijs.'

Larson keek Santino na toen hij vertrok. Vragen. Ze had zoveel vragen dat ze niet wist welke ze het eerst op moest lossen. Ze dacht aan Santino's kritiek op de vrouwen in het dorp waar ze haar cursus over gezondheid gegeven had. Nu wist ze dat hij gelogen had over zijn toekomst in Nairobi.

Ze liep naar Thomas' bedje en glimlachte naar hem toen ze zag dat hij lag te slapen. Zo vredig. 'Sarah, hoelang ken je Santino al?'

'Zo'n tien jaar. Zijn grootmoeder was een goede vriendin van mij tot ze omkwam bij een overval van de GOS. Toen is hij bij mij komen wonen.'

'Hij woonde dus bij zijn grootmoeder?'

'Nee. Hij kwam naar mij toe om mij te vertellen dat ze dood was. En toen is hij bij mij gebleven.'

'O. Je zult hem wel erg gaan missen, denk ik.'

'Hij is een goede man, maar...' Sarah's gezicht betrok.

'Maar wat?'

'Sommige ideeën van hem begrijp ik niet.'

Larson liep naar de vrouw toe. 'Wil je erover praten?'

'Nee.' Sarah raapte een paar vuile doeken op. 'Ik zal wel op de kliniek passen. Het zal beter zijn als Santino vertrekt en naar de universiteit gaat.'

Geschrokken door Sarah's antwoord staarde Larson haar vriendin alleen maar aan. 'Is er misschien iets wat je mij moet vertellen?'

'Ik... dat kan ik niet.'

Sarah weet het. De schrik sloeg haar om het hart. 'Houd niets voor mij achter dat ik moet weten.'

De oude vrouw verstijfde, draaide zich om en verliet de kliniek.

Larson balde haar vuisten om zich te beheersen. Ze slikte de brok in haar keel weg en kreeg een waas voor haar ogen. Santino had gelogen en Sarah wist ervan en wist misschien nog wel meer. Waarom?

Ik moet Thomas uit de kliniek brengen. Adrenaline stroomde door haar aderen. Ze haalde vier flessen uit de koelkast en zette ze op het aanrecht. In de hoek bij Pauls computer stond een doos met flessen water. Ze had luiers en doekjes, poedermelk en iets te eten nodig. Wat extra kleren.

'Ga je ergens heen? Ik dacht dat je een poosje met de baby alleen wilde zijn.'

Larson draaide zich snel om en zag Sarah staan.

'Neem mij met je mee, Larson. Vertrek niet zonder mij.'

✿

Ben vroeg zich af of hij het waagde het aantal keren te tellen dat Larson in de afgelopen drie maanden in gevaar was geweest. In Nairobi zou ze in ieder geval veilig zijn. Maar hoe moest het nu met Santino? Ze moest in Kenia blijven. Genoeg was genoeg.

Sinds hij andere pijnstillers had gekregen, had hij niet zo'n last meer van het gehos in de truck, wat zijn humeur ten goede kwam. Hij had ook weer wat meer energie gekregen dus de medicijnen moesten werken.

Maar Santino? *Hoe kon ik zo stom zijn?* Met zijn charme en voorkomendheid had hij hen allemaal om de tuin geleid. Was hij veranderd of had hij hen van meet af aan bedrogen? Hij was Ben in de strijd gevolgd en had verscheidene vijandelijke soldaten gedood – waarschijnlijk zijn eigen bondgenoten. Had hij geen respect voor het leven zolang de ongelovigen ook maar vernietigd werden?

Ben sloeg met zijn vuist op het stuur. Woede op de man die hij vertrouwd had, verscheurde hem. Santino moest Muti hebben geholpen bij zijn ontsnapping. Hij schrok. Op de dag dat Muti Larson had ontvoerd, was Santino bij Ben geweest, maar de jongeman had niet geschoten op de mannen die tijdens haar bevrijding gedood waren.

Kon Santino's verraad deel uitmaken van de strategie die door Pauls familie of de regering op touw was gezet? Ben probeerde het gevoel van zich af te schudden dat ze voor de nacht voorbij zou zijn de waarheid zouden kennen – hopelijk niet ten koste van het leven van Larson en Paul.

30

Je wist het.' Larson beefde. Sarah's verraad trof haar diep.
Sarah keek haar handenwringend aan. Haar ogen vulden zich met tranen. 'Ik wilde niet geloven dat het waar was. Ik hoopte dat wat ik hoorde een vergissing was.' Ze keek in de kliniek om zich heen. 'Het spijt me verschrikkelijk. Ik denk niet dat hij mij verdenkt – ik bedoel, dat ik weet dat hij zo slecht is. Mag ik alsjeblieft met je mee?'

Larson hoorde zowel de angst als de wroeging in haar stem. In de Dinkacultuur was het een teken van lafheid om zich te verontschuldigen en ze hadden in hun taal geen woord voor alsjeblieft. Maar Sarah had het woord in het Engels gezegd. 'Goed. We praten er later wel verder over. Pak de telefoon en de sleutels. Ik kom met Thomas meteen achter je aan.'

Sarah pakte de telefoon, de sleuteltjes en een pak luiers en haastte zich naar buiten.

Wat is hier gebeurd? Mensen van wie ik hield en die ik vertrouwde hebben mij bedrogen. Larson liet Thomas' flesjes in een koeltas vallen en stopte wat kleren en vier flessen water in de tas. Ze hing de tas over haar schouder en pakte de baby op.

Ze had er genoeg van om steeds op de vlucht te moeten slaan. Dit was de laatste keer dat ze met haar baby wegvluchtte. Morgen zou ze Soedan verlaten. Zij en Paul hadden de afgelopen tijd problemen gehad – de meeste hadden te maken met hun relatie tot God – maar later zouden die dingen wel opgelost worden. Nadat dit allemaal voorbij was.

Plotseling scheurde er een explosie door de lucht die al haar gedachten verdrong. Larson hijgde en rende naar de deur. Uit de Hummer schoten steekvlammen omhoog.

'Sarah! O God, nee.'

Ze haastte zich met Thomas naar het lichaam van de vrouw die ze als haar eigen moeder liefhad. Sarah was een paar meter van de brandende Hummer door de lucht geslingerd en lag nu tegen de zijkant van een hut aan. Haar hele lichaam was met bloed bedekt. Er was een arm afgerukt en de helft van haar gezicht was verdwenen. Mensen stroomden toe en Larson hoorde gegil en geschreeuw.

Ze boog zich over de dierbare vrouw heen en drukte Thomas aan haar hart. 'Het spijt mij zo verschrikkelijk, Sarah. Ik houd van je.' Haar vriendin was door haar gestorven. *Dit was voor mij bedoeld.*

'Dr. Farid, kunt u haar helpen?' vroeg een man.

Ze schudde haar hoofd.

Dierbare, lieve Sarah. De enige vrouw die Larson beter kende dan ze zichzelf kende. De lieve vrouw die voor haar gebeden had tot ze Jezus gevonden had. De lieve vrouw die haar gezegd had dat het goed was om met Paul te trouwen en dat Ben wel iemand anders zou vinden. De lieve vrouw die Larsons hoofd had vastgehouden als ze door haar zwangerschap moest braken. De lieve vrouw die Larson urenlang in de kliniek geholpen had. De lieve vrouw die verraden was – net zoals Larson, Paul en Ben verraden waren.

O God, ik hield zo veel van haar.

Alleen de dood van haar geliefde echtgenoot of baby zou erger kunnen zijn. Ze schokte van het snikken en ze drukte haar hoofd tegen Thomas' borst aan. Ze had haar kleine zoon bijna aan Sarah willen overhandigen.

Plotseling duwde de realiteit van de situatie haar verdriet weg en nam haar gevoel om te overleven weer de overhand. Sarah had de telefoon bij zich gehad toen de Hummer explodeerde. Larson kon Paul of Ben niet bereiken. Ze was op zichzelf aangewezen.

Ze keek op en werd zich ervan bewust dat iemand haar ondersteunde.

'Ik kan niet geloven dat tante Sarah dood is.' Santino's stem beefde. 'Ik zal voor haar lichaam zorgen. Misschien kan ik bisschop Malou vinden om de begrafenis te leiden.'

Larson verstijfde. *Ik mag hem niets laten merken.*

Ze wilde niets liever dan Thomas op de grond leggen en deze man, die net deed alsof hij haar wilde troosten, de ogen uit het hoofd krabben, maar dan zou ook zij sterven. Allerlei emoties streden om de voorrang. Ze moest Santino te slim af zijn. Ze moest hem laten geloven dat Sarah zijn geheim in haar dood had meegenomen.

'Ik hield zo verschrikkelijk veel van haar.' Larson slikte de gal weg die in haar keel oprees door wat ze moest doen. Ze draaide haar hoofd om en snikte tegen Santino's moordzuchtige borst.

'Ik zal de moordenaar weten te vinden.' Hij pakte haar bij de schouders. 'Ongetwijfeld heeft Muti hierin de hand gehad.'

'Paul en Ben zullen het hem betaald zetten.'

'U moet ze bellen. U bevindt zich in een gevaarlijke situatie.'

Larson wachtte even. Moest ze hem de waarheid vertellen? 'Ik kan ze niet bellen. Sarah had de telefoon bij zich.'

Santino kreunde. 'Kom mee. Ik zal u terugbrengen naar de kliniek. Ik vraag mij af waar de andere twee mannen van kolonel Alier zijn.'

Larson was bang dat ook zij vermoord waren. Thomas begon te huilen, geen zacht gejammer deze keer, maar een luid gehuil alsof hij het gevaar voelde.

'Ik moet voor hem zorgen.'

'Ga je gang, dan zal ik het lichaam van Sarah wegbrengen. Dat zal mij helpen mijn verdriet te verwerken.'

Jij leugenaar. Jij smerige, moordzuchtige leugenaar. Ben je krankzinnig?

Krankzinnigheid zou ze hebben kunnen verdragen, maar het besef dat Santino weloverwogen te werk was gegaan, vervulde haar met afgrijzen.

Hij stak zijn handen naar Thomas uit.

'Nee, Santino. Ik draag mijn zoon zelf wel. Ik wil hem dicht bij mij hebben.'

'Dat begrijp ik.'

'Je kunt mij helpen door Sarah weg te brengen.' Ze haalde diep adem. 'Ik wil even alleen zijn.'

Hij knikte en ze liep naar de kliniek. De realiteit drong tot haar door. Santino was er wel niet in geslaagd haar te doden, maar hij was er wel in geslaagd om haar van alle hulp te scheiden. Wat zou hij vervolgens van plan zijn? Ze kon op geen enkele manier contact opnemen met Paul of Ben. Ze had geen vervoer. Alleen haar pistool in de medicijnkast.

Zodra ze in de kliniek was, legde ze Thomas in zijn bedje, duwde een speen in zijn mond en zette haar tas op de grond. Ze liep naar de la waarin de sleutels van de medicijnkast lagen. Weggestopt onder een paar schone lappen lagen ze achter in de la. Opgelucht haalde ze de sleutels eruit. Met trillende vingers maakte ze de medicijnkast open.

Haar pistool was verdwenen, evenals Pauls jachtmes.

Larson haalde een keer diep adem om het knikken van haar knieën te beheersen. *Ik mag niet in paniek raken.* In de medicijnkast lagen ook haar chirurgische instrumenten – scherpe messen die ze als wapen zou kunnen gebruiken. Ze wikkelde de instrumenten in een schone doek en stopte die in haar tas.

Thomas begon weer wild te huilen en ze pakte hem op met de fles die uit zijn mond gevallen was. Ze ging op de betonnen vloer zitten en wiegde hem heen en weer. Zou Santino een huilende baby tolereren? Hij had er eerder niets over gezegd. *Denk na. Ik moet nadenken.*

Haar grootste vrees kwam de kliniek binnen en hij boog zich naar haar toe. Hij had haar geweer over zijn schouder. Ongetwijfeld zou hij ook haar pistool en Pauls jachtmes hebben.

'Het lijkt wel of hij weet dat Sarah gestorven is.'

Larson slikte. 'Ja, Santino. Dat denk ik ook.'

'Ik moet u buiten Warkou brengen. Het is hier niet veilig. De soldaten zijn dood.'

'Waar moeten we heen?'

'Ik heb geen idee – een plaats waar Muti ons niet kan vinden.'
Santino boog zich dichter naar haar toe. 'Als de dorpelingen u
proberen te verstoppen, zal Muti hen allemaal doden. We moeten
er snel vandoor.'
Hij had gelijk. Ze had geen keus. Er waren al te veel mensen ge-
storven. Larson stond op. 'Ik heb tien minuten nodig om een paar
spullen te verzamelen.'
'Maak er vijf van. Ik zal wel helpen.'
'Dank je. Ik moet een briefje voor Paul achterlaten.'
'Alleen als u het kunt verstoppen.'
Ze knikte. Wat kon ze anders doen?

❋

Een mengsel van zorg en angst sudderde in Paul alsof een duivel in
een giftig brouwsel roerde. Hij kon niet snel genoeg naar huis vliegen, maar hij moest zich houden aan de veiligheidsvoorschriften.
Ten slotte zag hij in de verte Warkou opdoemen terwijl de schaduwen op het vertrouwde landschap vielen. In gedachten zag hij zich
Larson al vasthouden terwijl hij met onuitgesproken woorden van
zijn liefde in haar blauwe ogen keek. Hij keek ernaar uit om ook
zijn zoon weer in de armen te sluiten.
Zijn aandacht werd getrokken door een rookpluim. Hij tuurde in
de verte. Was er brand?
Paul kwam dichterbij. Van de plek waar de Hummer normaal
gesproken stond, steeg zwarte rook op. Wat was er gebeurd? Er
waren geen dorpsbewoners te zien. Zijn hart bonsde en zijn maag
trok samen. Larson zou daar moeten zijn om hem te begroeten.
Hij moest geloven dat Santino niet betrokken was bij een plan om
zijn vrouw en zoon kwaad te doen.
Aan het andere eind van het dorp stond Bens truck geparkeerd.
Hij zou ongetwijfeld weten wat er gebeurd was. Was er een vuurgevecht geweest?

Nadat hij geland was, greep Paul zijn pistool en rende naar de kliniek toe. Hij rook brandend rubber en hoorde het gejammer van mensen. Niet van Larson. Niet van Thomas. Hij voelde paniek opkomen. *O God, laten zij het niet zijn.*

'Larson, waar ben je?'

Er stapte een man uit een hut, een man die Paul goed kende. 'Larson en de baby zijn er niet.'

'Waar zijn ze, Gabriel?'

De oudere man legde een hand op Pauls schouder. 'Er was een verschrikkelijke explosie. Sarah werd gedood. Santino heeft uw vrouw en de baby meegenomen om ze in veiligheid te brengen.'

Sarah dood? 'Weet je waar ze heen zijn?'

'Nee. Hij zei dat hij dat niet kon vertellen omdat ze ons anders misschien ook zouden doden.'

Paul rende naar de kliniek. Ben wist misschien waar zijn gezin was. Hij vond zijn vriend die alleen midden in een lege kliniek stond.

'Weet je waar we Larson en Thomas kunnen vinden?' Paul probeerde de verlammende paniek te onderdrukken.

'Ik ben hier net pas aangekomen toen ik je hoorde landen. Het enige wat ik weet, is dat de Hummer geëxplodeerd is en dat Sarah dood is. Een van de dorpelingen zei dat Santino Larson en Thomas heeft meegenomen.'

'Waarom zou ze met hem meegegaan zijn?'

'Misschien had ze geen andere keus. Mijn mannen zijn dood.'

'Misschien heeft ze een briefje achtergelaten.' Paul trok de deur van de koelkast open en schoof de doosjes met medicijnen op de tweede plank opzij om een plat doosje met tyfuspillen te zoeken. Als ze een boodschap voor hem had achtergelaten, moest ze die aan de onderkant van dat doosje geplakt hebben. Hij voelde aan de randen naar een stukje papier en schreeuwde bijna toen hij het voelde. Voorzichtig trok hij het plakband los en vouwde toen het briefje open.

Paul,

Je weet inmiddels dat Sarah gedood werd bij de explosie van de Hummer. Ik weet zeker dat de bom voor mij bedoeld was. Ze had de telefoon bij zich toen de Hummer explodeerde, dus ik kan geen contact met je opnemen. Santino denkt dat de dorpelingen gevaar lopen als ik hier blijf, dus ik neem Thomas mee en vertrek met hem naar een plaats waar het volgens hem veilig is. Ik heb geen idee waar we heen gaan.

Ik houd van je.

Larson

Paul overhandigde het briefje aan Ben. Terwijl zijn vriend las, haalde Paul de sleutels van de medicijnkast uit de la. 'Het pistool en mijn jachtmes zijn verdwenen,' zei Paul. 'Ik hoop dat zij ze heeft. Het geweer lag in de Hummer.'

Ben vloekte. 'Als Santino slim genoeg was om ons al die tijd voor de gek te houden, denk je dan dat hij niet wist waar je de wapens had opgeborgen?'

Paul schudde zijn hoofd. 'Ik ben bang, Ben. Santino en Muti moeten samenwerken, wat betekent dat ook mijn broer hierbij betrokken is.'

Ben liep naar de deur. 'Ze moeten sporen achtergelaten hebben. Haal een paar zaklampen om ze te gaan zoeken. Een van de dorpelingen heeft de lichamen van mijn mannen gevonden. Dus we zijn maar met ons beiden. Ik heb nog wat munitie en twee geweren in mijn truck. Ik zal Okuk bellen om assistentie, maar ze zijn te voet. De andere truck wilde niet starten.'

'Dat is waarschijnlijk precies wat Santino ons wil laten doen.'

Ben draaide zich om en fronste zijn voorhoofd. 'Wij zijn slimmer dan hij is – of dan zijn kameraden.'

En God staat aan onze kant.

Ben wist dat hij op dit moment meer gezond verstand had dan Paul. De man dacht met zijn hart – niet met zijn hoofd. En als Ben niet oppaste zou ook hij zich door zijn emoties laten meesleuren. Hoewel het snel donker begon te worden, was het spoor van Santino en Larson makkelijk te volgen – te makkelijk.

Drie verschillende mensen waren hen te slim af geweest: Santino, Muti en zeer waarschijnlijk die slang die Nizam heette.

'We lopen in de val,' zei Paul. 'Ik voel het.'

'Ik ook. Maar we moeten nog wat dichterbij komen voordat we een andere richting nemen.'

'Heb je enig idee waar Santino hen heen kan brengen?'

Ben wilde wel dat hij dat wist. 'Nee. Ik dacht dat ik Santino kende. Hij deed alles wat hem gezegd werd. Kon goed met de andere mannen opschieten. Ik heb hem in gevaarlijke situaties zijn nek zien uitsteken. Ik voel mij vreselijk stom. De man heeft nooit enige aanleiding gegeven om hem te verdenken.'

'Ik vraag mij dan ook af of er een reden was waarom hij zich niet heeft laten inschrijven en gelogen heeft over dat baantje. Denk je dat we ons vergissen en dat hij echt probeert Larson en Thomas in veiligheid te brengen?'

'Daar kunnen we maar op een manier achter komen: door ze te vinden.'

Ben voelde de uitputting door zijn ziekte en vermoeidheid al. Maar hij zou Paul helpen Larson te vinden, ook al zou hij het met de dood moeten bekopen.

31

LARSON zat op een omgevallen boom met Thomas in haar armen. De gedachte dat er een slang naar haar toe zou kunnen kruipen was meer dan eens in haar opgekomen, maar ze had al gezelschap van een dodelijk reptiel. Ze had geen idee waar Santino haar in het donker had heengebracht, maar ze dacht dat ze in noordoostelijke richting gelopen waren. De nachtelijke geluiden om haar heen vormden een kakofonie die in haar oren klonk als roofdieren die dichterbij slopen. Maar ze was niet half zo bang voor hen als voor Santino.

'Ik ga de omgeving even verkennen.' Hij trok het geweer aan zijn schouder recht – het geweer dat hij van haar gestolen had. 'Als iemand ons gevolgd is, dan wil ik weten wie dat is. Rust intussen zo veel mogelijk uit.'

'Als je weg bent, heb ik een wapen nodig.'

'Ja, dat is zo.' Hij stak zijn hand in zijn shirt, haalde haar 9 mm eruit en legde het naast haar neer. 'Ik wilde wel dat dit allemaal niet nodig was, maar ik kon niet je leven in gevaar brengen.'

Ze wilde hem vragen waarom hij haar pistool gestolen had, maar het had weinig zin om hem boos te maken. Net als ze wilde geloven dat hij geen verrader was, gebeurde er iets anders. Op dit moment liep ze geen gevaar. Wat zijn plannen dan ook mochten zijn, ze zou er snel genoeg achter komen.

'Misschien is Paul ons wel gevolgd.' Ze keek naar hem op in de hoop iets van zijn ware karakter te zien. Waarheid was nu belangrijker dan speculatie. 'Hij zal gehoord hebben wat er gebeurd is en achter ons aan gegaan zijn.'

'Ja, dat zou kunnen, een reden te meer voor je om rust te nemen.'

Liepen haar man en Ben in een val?

'Hij zou in een vuurgevecht verwikkeld kunnen zijn. Maar we hebben verscheidene kilometers gelopen en ik heb geen geweervuur gehoord.'

Zij ook niet. Dat was goed. Of maakte zij zichzelf maar wat wijs?

'Als er hier geen wilde dieren rondliepen, zou ik het vuur doven.' Santino zuchtte. 'Ik weet niet wat erger is: rovers op twee of op vier benen.'

Kon ik je maar geloven. 'Hoe weet ik als je Paul zult vinden?' Ze wilde hem niet vertellen dat Ben waarschijnlijk bij haar man zou zijn.

'Dan roep ik wel. Als dat niet het geval is, moet je je verstoppen.'

Ze knikte en wierp een blik op de slapende Thomas. In de koeltas zaten vier volle flessen en haar chirurgische instrumenten. Ze zou niet aarzelen zichzelf en haar zoon te verdedigen.

Even later verdween Santino en ze greep de gelegenheid aan om het pistool te controleren. Leeg. Geen verrassing. Ze was moe, ziek van de zorgen en ze moest heel nodig plassen. Ze raakte haar al wat gezwollen buik aan. Haar kleren begonnen een beetje strak te zitten. Zou zij en haar gezin de volgende uren overleven?

Het vuurtje gaf een beetje licht en zorgde ervoor dat de leeuwen en hyena's niet dichterbij kwamen. Santino had een stapeltje takken naast haar neergelegd om te drogen en het vuur aan te houden. Waarom ging hij ermee door om zo zorgzaam voor haar te zijn? Vond hij het leuk om haar voor de gek te houden? Ze vroeg zich opnieuw af of hij krankzinnig was.

Paul, ik heb je nodig.

Je hebt alleen Mij nodig.

Voor het eerst sinds alles begonnen was – de Hummer die explodeerde, Sarah's dood – voelde ze een onverklaarbare vrede. Ze wiegde de slapende Thomas in haar armen. De helder gekleurde sjaal waarmee ze hem tijdens het lopen op haar rug gebonden had, was nu om zijn lichaampje gewikkeld.

Nu het donker geworden was, was het niet meer zo warm, maar de lucht om haar heen scheen haar ademhaling te smoren. Of misschien waren het haar emoties waardoor ze moeilijk lucht kon krijgen. Ze hoorde geritsel tussen de bomen en hield haar adem in. Terwijl haar vingers zich vaster om het lege pistool sloten en ze Thomas tegen haar borst aan klemde, tuurde ze in de richting van het geluid.

Het vuurtje was bijna uitgegaan maar gaf nog voldoende licht om haar te kunnen zien zitten. Maar een leeuw of een hyena hadden geen licht nodig om hun prooi te vinden.

Links van haar zag ze de gestalte van een man tevoorschijn komen.

❋

Paul aarzelde om Larson te roepen tot hij er zeker van was dat zij en Thomas alleen waren. Waarom was Santino verdwenen en had hij hen achtergelaten? Paul onderdrukte zijn angst en trapte in de val.

Ze richtte haar pistool op hem. 'Geen beweging of je bent dood.'

'Habibi, ik ben het en Ben.'

Haar arm viel slap langs haar zij. Met Thomas in haar armen stond ze op van de boomstam en liep naar hem toe. 'O Paul, ik dacht dat ik je nooit meer terug zou zien.'

Hij sloeg zijn armen om haar heen. 'Ik ben er nu. Hoe gaat het?' Hij keek haar onderzoekend aan om te zien of ze misschien gewond was.

'Met mij is alles goed en Thomas slaapt.' Ze haalde diep adem en leunde tegen hem aan. 'We moeten zo gauw mogelijk weg voordat Santino weer terug is.'

'Hij heeft ons dus verraden?'

'Ja, daar heb ik de bewijzen van. En Sarah wist het ook.'

'Is hij alleen?'

'Ik heb niemand anders gezien of gehoord.'

'Heeft hij iets gezegd over wat hij van plan is?'

'Alleen maar dat hij ons in veiligheid wil brengen. Hij heeft de mond vol over onze veiligheid en zegt voortdurend dat hij voor ons zal zorgen.'

'Ik begrijp hem niet, maar alles wijst erop dat hij een verrader is.' Ben stapte de open plek binnen. 'Ik hoop dat we het mis hebben. Maar de waarheid zal spoedig aan het licht komen. Wat er vanmiddag met de Hummer gebeurd is...'

'En met Sarah.' Ze stikte bijna in de woorden en Paul pakte haar steviger vast.

'Het spijt me, Larson.' Er klonk uitputting in Bens stem door. 'Ik heb wel over haar geklaagd maar ze was een sterke vrouw die ik respecteerde.'

'Iemand heeft erg veel moeite gedaan om de Hummer op te blazen met het idee dat ik degene zou zijn die het portier zou openen. Nu ik ontsnapt ben, betwijfel ik of ze klaar zijn met mij, met ons.'

Paul had moeite om zijn woede te beheersen. 'Laten we zou gauw mogelijk weggaan.'

'Naar huis?' vroeg ze.

'Nog niet.' Paul kuste haar voorhoofd en ze huiverde. 'Bens mannen zijn pas tegen zonsopgang hier. Ze zijn in een gevecht verwikkeld.'

Ongetwijfeld nog een afleiding ten gunste van Santino. Hij wierp een blik op zijn vriend. 'Waar gaan we heen?'

'Ongeveer een kilometer van het dorp heb ik een truck verstopt.' Ben richtte zich tot Paul. 'Je kunt haar naar Yar brengen om bij Daruka en David te blijven. Ze zal daar veilig zijn tot alles voorbij is.'

'Dat lijkt mij een goed plan.' Paul keek naar het vuurtje en zag de koeltas staan. Hij hing hem over zijn schouder.

'Ik heb een beter plan.' Santino stapte de open plek binnen met zijn geweer op hen gericht.

'Wat voor plan?' Ben liep naar de jongeman toe.

'Niet dichterbij komen, kolonel Alier. Jullie zijn omsingeld.'

Paul wierp een blik om zich heen om de situatie in te schatten. Hij voelde dat er andere mensen achter hem waren, maar dat vermoeden kon ook ingegeven zijn door zijn angst.

'Ik denk dat je liegt,' sneerde Ben. 'Daar schijn je erg goed in te zijn.'

Het kreupelhout kraakte onder de laarzen van de mannen met geweren die uit de schaduwen tevoorschijn kwamen. Beslist geen SPLA.

'Zoals ik al zei: laat je wapens vallen.' Santino zwaaide met zijn geweer. 'Ik zal niet aarzelen om wie dan ook neer te schieten – de baby eerst en dan de goede dokter.'

Paul en Ben bogen zich langzaam naar voren en legden hun wapens op de grond. Een van Santino's mannen griste het pistool van Larson weg dat nog steeds bij de boomstam lag waarop ze gezeten had.

'Is dit wat je echt wilt?' Paul stond tussen Santino en Larson in. 'Is wát je dan ook beloofd is het waard om de mensen te verraden met wie je bevriend was en die om je gaven?'

Santino lachte. 'Ik heb dit al eerder gedaan en ik zal het weer doen. En nu lopen.'

'Waar gaan we heen?' vroeg Ben.

'Terug naar Warkou, waar iemand op jullie wacht om jullie te zien.'

'Muti of Nizam?' Paul balde zijn vuisten. Weet Santino dat Bens mannen onderweg zijn naar het dorp?

'Alle twee.' Santino gebaarde met zijn geweer. 'Ik heb gedaan wat ik mij had voorgenomen te doen. Ik heb jullie alle vier te pakken gekregen om jullie uit te leveren aan Nizam. Ik ben rijk.'

Paul voelde Larson tegen zich aan beven. 'Heb jij de Hummer opgeblazen en Sarah vermoord?' vroeg ze.

'Ze stond mij in de weg. Maar je weet al dat de bom voor jou bedoeld was.'

Paul deed een stap naar voren, maar Larson hield hem tegen. 'Geef hem geen excuus om je neer te schieten,' fluisterde ze.

De klank van haar stem hielp, maar maakte geen eind aan zijn vurige wens om zijn handen om Santino's nek te slaan om hem te wurgen. Ze hadden hem vertrouwd terwijl hij bezig was met het beramen van plannen om hen te vermoorden.

'Laten we gaan,' klonk Santino's stem boven alle nachtelijke geluiden uit. 'En voor het geval dat een van jullie heldhaftige plannen mocht hebben, de baby en Larson gaan er het eerst aan om mij van jullie goede gedrag te verzekeren.'

Paul had geen reden om zijn opmerking in twijfel te trekken. Hij had al gezien waartoe Santino in staat was. Een van de mannen trok Larson van Paul los. Hij moest zich tot het uiterste inspannen om zich niet om te keren en te gaan vechten. Maar Santino had gemeend wat hij zei.

✻

Ben sleepte zich voort over het smalle pad dat naar Warkou leidde. Santino hield er de pas in. Wat hun dan ook te wachten stond, het moest voor zonsopgang gebeuren. Ze mochten niets zeggen, maar de stilte gaf hem en Paul de gelegenheid om na te denken over hoe ze uit de problemen moesten komen. Hun overweldigers moesten vertraagd worden. Maar hoe? Vertrouwde landschappen kwamen en gingen en ze kwamen steeds dichter bij het dorp.

Hij keek achterom naar Paul. Maar hij had zijn hoofd nog niet helemaal omgedraaid toen een van Santino's mannen hem tegen de grond sloeg en hem in zijn zij trapte. Hij kreunde, niet van de pijn in zijn ribben, maar van de pijn in zijn rug.

'Kijk voor je,' zei de man in het Arabisch.

'Kan ik hem helpen?' vroeg Paul.

Even later stak Paul zijn hand uit om hem overeind te trekken. Een goede vriend was moeilijk te vinden en Ben besefte dat Paul bereid was om de dood onder ogen te zien met het helpen van anderen. Hij verdiende Larson – hoe moeilijk het ook was om dat toe te geven.

Daruka en David. Plotseling wilde Ben in leven blijven ter wille

304

van zijn vrouw en zoon. In de korte tijd dat hij met Daruka was getrouwd, was er iets van liefde in hem voor haar gaan groeien. De laatste tijd had hij iets van warmte gevoeld als hij haar zag of haar stem hoorde. Zij hield van hem zoals hij was en hoewel hij zich schuldig voelde omdat hij haar liefde niet ten volle kon beantwoorden, haar even vurig liefhebben, gaf hij veel om haar. Ze had hun zoon opgevoed met hetzelfde enthousiasme en dezelfde vitaliteit voor het leven waarmee ze iedere morgen opstond en de nieuwe dag begroette. David had veel van haar goede leiding en zachtaardige manier overgenomen. Hij zag eruit als Ben maar had het karakter van zijn moeder. En nu droeg ze een ander kind.

Het verlangen om te leven vervulde Ben met de kracht om de pijn te bevechten en de jakhals die hen gevangengenomen had, te slim af te zijn. En meer nog, hij was zelfs bereid om zijn leven te geven voor de mensen van wie hij hield. De kanker won steeds meer terrein op zijn afgetelde dagen. Hij stierf liever als een held voor dingen die een doel hadden: zijn gezin, zijn vrienden, zijn land.

Kilometers van hen vandaan had het Neushoornbataljon met tegenstand te maken. Als het gevecht voorbij zou zijn, zouden ze naar Warkou gaan. Okuk leidde hen. Hij had bevel gekregen het dorp te omsingelen en zich gereed te houden voor het geval dat Pauls ontmoeting met Nizam een val zou blijken te zijn. Santino had de telefoons van Paul en Ben afgenomen en ze uit gezet zodat Okuk niet op de hoogte gebracht kon worden van de situatie. Maar Okuk was slim. Misschien snapte hij toch wel wat er aan de hand was.

Door de stemmen en het geritsel om hem heen had Ben kunnen vaststellen dat er naast Santino nog zes mannen waren. Hoewel Paul en Ben hun handen vrij hadden, hadden ze geen wapens. Als Larson niet bij hen was geweest, zou Ben voor een afleiding gezorgd hebben zodat Paul zou kunnen ontsnappen. Maar Santino had gedreigd Larson en de baby als eersten te vermoorden en hij zou zich aan zijn woord houden.

32

LARSON zag Santino veranderen in een man die ze nooit eerder gezien had. Hij gaf bevelen en kende ieder van zijn mannen bij naam. Zijn ondergeschikten volgden zijn bevelen op zonder een moment te aarzelen. Wat was er gebeurd met de jongeman die zijn verbondenheid met Zuid-Soedan had beleden en een universitaire opleiding had willen volgen? Deze vreemdeling die voor haar liep had de kliniek geschrobd en patiëntenstaten bijgehouden. Hij had zelfs Thomas gevoed en Sarah met genegenheid als een tante behandeld. Nu had hij gemoord en was bereid nog meer mensen te vermoorden. Is dit wat geld en macht met een man kunnen doen?

Zijn verraad knaagde aan haar hart en brandde in haar keel. Ze had van Santino als van een broer gehouden en ze had gedacht dat hij om haar en de anderen gaf. Ze werd zich ervan bewust dat ze erg naïef was geweest en dat maakte haar woedend. Toen ze terugdacht aan de gesprekken die ze gehad hadden, aan het gelach en de vele werkzaamheden die ze samen hadden gedaan, werd haar woede nog groter.

Santino had hen allemaal in de naam van zijn geloof bedrogen. Hoe vaak had ze hem niet gevraagd om haar zijn opvattingen uit te leggen omdat ze dacht dat hij zich nog aan de godsdienst van zijn stam hield. In plaats daarvan volgde hij moslimextremisten die hem aanmoedigden voor de zaak van Allah tegen ongelovigen te liegen. En dat had hij overtuigend gedaan.

Bij iedere stap die ze in het donker zette, werd haar woede groter, maar uit vrees voor haar geliefden hield ze zich in. Ze had Santino graag een mes in zijn zwarte hart gestoken. Voor alles wat hij gedaan had, verdiende hij een gruwelijke dood.

Ze hijgde om de haat in haar eigen gedachten. Ze had een eed afgelegd om levens te redden, niet om ze te beëindigen. En wat nog belangrijker was, ze was christen. Wie was zij om Santino te oordelen en te veroordelen?

Larson herinnerde zich dat de Bijbel vermaande om voor de vervolgers van gelovigen te bidden. Als Santino vannacht zou sterven, zou hij eeuwig ongelukkig zijn. Toen dat goed tot haar doordrong, kreeg ze medelijden met Santino en met allen die valse goden volgden. Ze kreeg tranen in haar ogen. Niet al het goede van wat ze in Santino gezien had was bedrog geweest. God kon hem nog steeds bereiken. Ja toch?

God, help mij nu. Ik ben bang, maar ik vertrouw erop dat U ons redt van deze mannen. Ik wil U niet ontmoeten met een hart vol haat en wrok. Ik kan mijzelf er niet toe brengen Santino te vergeven. Maar ik moet het toch doen.

Ze slikte en probeerde zich te beheersen. Een zwak licht voor hen uit wees erop dat ze Warkou naderden. Terwijl ze verder strompelde, zag ze dat het licht uit haar kliniek kwam. Wie was daar? Konden dat Bens mannen al zijn die hen zouden bevrijden? Ze bad dat het zo was.

Paul herkende het vertrouwde pad dat terug kronkelde naar Warkou. Zou Nizam een vliegtuig hebben waarmee ze zouden terugvliegen naar Khartoem? Bij die gedachte kreeg hij maagzuur, niet voor hemzelf maar voor de mensen van wie hij hield. Herinneringen aan de spookhuizen kwamen bij hem boven. Hij zou alles doen om te voorkomen dat Larson en Ben gemarteld zouden worden. Hij had een beetje hoop dat ze Thomas' leven zouden sparen, ook al zou dat betekenen dat hij als moslim opgevoed zou worden.

'Santino, wil je mij vertellen wat er aan de hand is. Ik zie dat we bijna in Warkou zijn.'

De man draaide zich om en lachte. 'Doet er dat wat toe? Dachten jij en je vrouw dat de regering niets zou doen terwijl jullie het zuiden hielpen? Zendelingen komen en gaan en doen in de korte tijd dat ze hier zijn een paar goede daden, maar jij bent een stank voor je familie. Nee, ik ga je niet vertellen wat jou te wachten staat.'

'Neem mij mee en laat de anderen gaan. Ik ben het toch die je wil hebben?'

'Ik heb mijn bevelen. En houd nu je mond.'

'Deze mensen zijn...'

Santino bleef staan en gaf Paul een stomp in zijn maag. Hij sloeg dubbel en struikelde om zijn evenwicht te bewaren. Santino greep hem in zijn nek en trok hem weer overeind. Larson gilde.

'Ik zei dat je je bek moest houden.' Santino verstevigde zijn greep op Pauls keel. 'Nog één woord en ik snij je vrouw en de baby de keel door.'

Paul haalde hortend adem. Hij knikte. Wat kon hij anders doen? *Heere, verlos mijn vrouw en kind. Bevrijd Ben uit de handen van deze mannen. Ik belijd U dat ik boos geweest ben op U. Alstublieft, vergeeft U mij.*

Ben nam zijn omgeving op terwijl het groepje het dorp Warkou binnen liep. De dorpsbewakers waren waarschijnlijk evenals zijn twee mannen gedood. Santino had met alles rekening gehouden. Hij moest er nu achter zien te komen wat ze verder van plan waren.

In de afgelopen maanden hadden Nizam, Muti en Santino de loop van de gebeurtenissen uitgedacht. Waarom had een van hen Paul niet gedood als hij alleen was in plaats van zo'n ingewikkeld plan te maken? Er waren tal van gelegenheden geweest dat ze hem in hun klauwen hadden. Het klopte allemaal niet en Ben kon hun motieven niet begrijpen. Maar hij wist wel dat hij zijn overweldigers bij de eerste de beste gelegenheid zou uitschakelen.

In zijn rechterlaars zat een zakmes. In het donker kon hij het er gemakkelijk uithalen, maar dan moest hij zich eerst door een van de mannen tegen de grond laten slaan. Hij had eraan moeten denken om het uit zijn laars te halen toen hij de eerste keer tegen de grond werd geslagen.

'Dit lijkt nergens op, Santino. Volgens mij heb je er geen idee van waar je eigenlijk mee bezig bent.'

De kolf van een geweer sloeg tegen de achterkant van zijn hoofd. Ben verzette zich tegen zijn duizeligheid en liet zich op de zachte grond vallen. Hij rukte het mes uit zijn laars en verborg het in de mouw van zijn shirt. Hij vocht tegen de pijn in zijn schedel en krabbelde weer overeind.

Terwijl ze verder het dorp introkken, probeerde Ben geen aandacht aan de pijn in zijn rug en in zijn hoofd te besteden. Hij voelde het mes tegen zijn arm, klaar om gebruikt te worden.

Santino's mannen duwden Paul, Larson en Ben de kliniek binnen en deden de deur achter hen dicht. Larson viel bijna met haar baby, maar Paul ving haar op. Nizam en Muti zaten op een bank in de wachtruimte. Ben herkende Nizam onmiddellijk van zijn eerdere bezoek aan het ziekenhuis.

'Santino, je hebt het geweldig gedaan.' Nizam ging staan. 'We hebben hen allemaal, net zoals je beweerde. Dat is het wachten wel waard. Door je loyaliteit aan de regering zal je een welgesteld man worden.' Hij knikte naar de bewakers. 'Boei hun handen op hun rug.' Terwijl twee mannen Bens handen achter zijn rug wrongen, ontdekten ze het mes en namen het in beslag.

Nizam grinnikte en draaide zich om naar Paul. 'Broeder, ik hoor geen hartelijke begroeting van je.'

'Waarom zeg je mij niet gewoon wat dit alles te betekenen heeft?' Pauls zachte stem klonk verbazingwekkend kalm. 'Hoe ben je eigenlijk hier gekomen?'

'Heel eenvoudig. Toen Santino ervoor zorgde dat je je vrouw ging zoeken, ben ik binnen komen vliegen. Ik heb nu wat ik wil: jou, je lieve vrouw, kolonel Alier en' – hij maakte een gebaar naar een van de gesloten deuren die toegang gaf tot de onderzoekskamer – 'Muti, breng onze andere gasten hier.'

Muti grijnsde, deed de deur open en duwde Daruka en David het vertrek binnen. Ben werd laaiend en worstelde om zijn handen los te krijgen. In het zwakke licht zag Ben geronnen bloed op het gezicht van David en een kneuzing op Daruka's wang tot boven haar oog. Ze keek hem smekend aan en voor het eerst wist hij dat hij echt van haar hield.

'Hier vermoord ik je voor.' Ben probeerde nog steeds zijn handen te bevrijden maar een van de mannen duwde zijn geweer tegen zijn borst. 'Als je mijn vrouw en zoon nog eens aanraakt, zal je ervoor boeten.'

'Hoe dan, kolonel. Het lijkt erop dat wij de wapens hebben. Ik heb jou al heel lang gezocht. Je dood zal het leger van het zuiden verlammen.' Nizam richtte zich tot Paul. 'Jij bent een dwaas en zal de dood van een dwaas sterven, maar niet voordat je je vrienden en je gezin hebt zien sterven.'

'Mijn mannen kunnen hier ieder moment zijn,' zei Ben.

'Niet voor het aanbreken van de dag en dat duurt nog een hele tijd.'

Ben staarde zijn vrouw zwijgend in de ogen en probeerde haar te laten zien dat hij van haar hield. Ze zou sterven omdat hij haar tot dit huwelijk had overgehaald. En David... zijn zoon zou een gruwzame dood sterven. Beiden zouden hun leven verliezen door zijn bedrog.

33

Paul wilde niet geloven dat Nizam in staat was het kwaad uit te voeren dat hij zich had voorgenomen. Als jongens hadden ze elkaar erg na gestaan. Hun relatie kon niet zo drastisch veranderd zijn dat Nizam nu alle redelijkheid uit het oog verloor. Maar Paul kende ook de opvattingen van de islam.

'Het gaat om mij,' zei Paul. 'Laten we in het vliegtuig stappen en vertrekken.'

'O, dat doen we ook.' Nizam liep naar Larson toe en tilde haar kin op. 'Wat een mooie vrouw. Wat jammer.'

Paul schrok hevig. 'Zij heeft niets met jou en mij te maken.'

Nizam keek hem doordringend aan. 'Tegen jou heb ik niets te zeggen.' Hij knikte naar Muti en Santino. 'Breng mevrouw Farid, de baby en het gezin van de kolonel naar Abdullah's hut. Bind ze goed vast. Ik kom zo meteen.'

Pauls hart klopte in zijn keel. 'Alsjeblieft. Ik smeek je. Doe ze niets.'

'Je zult meer doen dan smeken voordat ik met je klaar ben.' Nizam staarde naar de grond. 'Je zult naar je graf gaan terwijl je hun gegil zult horen en de stank van hun verbrande vlees zult ruiken.'

'Jij beest.' Ben probeerde opnieuw zijn boeien te verbreken. 'Hier zal je voor boeten.'

Nizam lachte. 'Nee. Jij zult boeten voor iedere dag dat je je mannen bevolen hebt tegen de regering te vechten.'

Paul slikte moeizaam. Hij moest tijd winnen. 'Nizam, de SPLA zal dit niet zonder vergelding over zijn kant laten gaan. Waarom ben je van plan een gerespecteerde officier, zijn familie en een wereldberoemde dokter te doden? Uit trots? Om godsdienstige redenen?'

'De internationale gemeenschap komt er wel overheen. We weten alle twee dat Darfur nu al hun aandacht heeft. De CNN zal er nauwelijks aandacht aan besteden.'

Het drong tot Paul door dat hij een grote dwaas was geweest. Hoe had hij zo blind kunnen zijn? Sinds Nizam hem een ontmoeting had voorgesteld, had hij geworsteld met zijn twijfels. Paul had Larson moeten dwingen Soedan te verlaten. Hij had zelf moeten vertrekken. Hij zou... Nu was hij hulpeloos en kon hij zijn broer niet tegenhouden met wat hij van plan was met hen te doen.

'Laten we erover praten.'

'We hebben genoeg gepraat,' zei Nizam. 'Breng deze twee naar buiten zodat ze toe kunnen kijken.'

Paul zette zich schrap op de betonnen vloer alsof zijn pogingen een eind zouden kunnen maken aan het onvermijdelijke, maar ze sleepten hem naar buiten. 'Doe dit niet. Het lost niets op. Je moet mij toch hebben?'

Maar Nizam liep gewoon door naar de hut. Achter hem aan liep een man met een brandende toorts.

Paul richtte zich tot Ben. Tranen gleden over het gezicht van zijn vriend. 'Als je er ooit over gedacht hebt om tot God te bidden, dan is het nu het moment.'

'God? Waar is God dan?'

'Hij is de Enige Die we hebben, Ben.'

✳

Larson was blij dat Thomas naast haar vredig lag te slapen op de vloer. Misschien zou God haar baby spoedig tot Zich nemen en zou hij niet hoeven lijden. Ze wierp een blik op haar buik: het kind dat ze in de hemel zou zien. Ze had Nizam bevel horen geven de hut in brand te steken met haar, Thomas, Daruka en David erin. Wat verschrikkelijk voor Paul en Ben. Ze werd misselijk van angst toen ze erover dacht wat dit met hen moest doen. Ze had de afgelopen weken Paul vaak buiten haar leven gesloten. Vanaf het moment dat ze erachter was gekomen dat Nizam een ontmoeting met hem wilde, was ze een muur om haar hart gaan bouwen. Nu zou ze waarschijnlijk nooit meer de gelegenheid hebben om zich te verontschuldigen. *Heere, vergeef mijn egoïsme.*

Nizam kwam de hut binnen, zijn schouders recht alsof hij iets zakelijks te regelen had. Misschien betekende hun dood ook niet veel meer voor hem. Maar ze kon niet opgeven. Zolang ze nog leefde, moest ze geloven dat ze haar niet zouden doden.

Ze staarde Nizam in zijn donkere ogen en huiverde bij de gelijkenis tussen hem en Paul. 'Vertel mij eens hoe je denkt met jezelf te kunnen leven als je eenmaal onschuldige vrouwen en kinderen hebt vermoord.'

'Ik zal mijn beloning in het paradijs ontvangen.' Hij knielde voor haar neer alsof hij echt belangstelling had voor wat ze te zeggen had. 'Dit betekent helemaal niets voor mij. Het is mijn plicht om de ongelovigen te doden.'

'En stel nu eens dat jij het mis hebt en dat Paul gelijk heeft.'

'Mohammed zegt dat hij ongelijk heeft.'

'En wat zeg jij, Nizam? Wat zegt je hart?'

Hij werd kwaad. 'Er is geen andere God dan Allah.'

'Ik denk dat je je tegen de waarheid verzet.'

Hij draaide zich om naar de man die de toorts vasthield. 'Ga weg. Ik steek de hut zelf wel in brand.'

Larson nam de man voor haar aandachtig op. Ze was bang voor zijn macht, maar iets dat sterker was dan angst, zei haar door te gaan. 'Ik weet dat je bepaalde passages van de Bijbel gelezen hebt, want je praatte over Barnabas. En ik denk dat je meer kennis van Jezus hebt dan je door je geloof over Hem geleerd hebt.'

'Denk je soms dat je met al je gepraat mij tot andere gedachten kunt brengen?' Hij ging weer staan en begon heen en weer te lopen.

Larson keek naar Daruka en David. Ze baden; ze voelde het. 'Ik denk dat je voldoende van het christendom weet om te twijfelen aan wat je nu doet.'

'Wat weet een vrouw daar nu van?'

'Je hebt vast meer in de Bijbel gelezen.'

Nizam keek haar met kille ogen aan. 'Ik las voldoende om te weten dat je het mis hebt.'

'Je las voldoende om te weten dat ik gelijk heb. Denk er eens over na. Jij en Paul zijn samen opgegroeid. Hij werd christen en gaf zijn familie en macht op om Christus te volgen. Je was nieuwsgierig genoeg om na te gaan wat hem ertoe bewoog om zich tot Christus te bekeren. Jij...'

'Genoeg.' Nizam raakte met zijn toorts het dak en de zijkanten van de hut aan.

Larson zag hoe hij in het donker verdween. Ze hoorde het vuur knetteren en in een oogwenk stond de hele hut in brand. De rook van het brandende dak vulde haar neusgaten.

Ze hoorde Daruka snikken. 'Arme Ben. Dit moet verschrikkelijk voor hem zijn.'

'Ik bid dat God vader en Paul zal troosten.' David stikte bijna in zijn woorden.

O Paul, alsjeblieft, denk eraan hoeveel ik van je houd. Ze wilde de zachte huid van haar kostbare zoon aanraken. *O God, ik voel mij zo verlaten.*

⁜

'Nizam, hoe kun je dit doen?' schreeuwde Paul in het donker. Hij klemde zijn kiezen op elkaar. Zijn lichaam verstijfde. Nizam stak zijn toorts als teken van triomf hoog in de lucht. Paul probeerde zijn boeien te verbreken maar hij werd aan beide zijden door mannen stevig vastgehouden.

Het dak vatte vlam en de vlammen rezen als demonische vingers naar de lucht omhoog.

'Nizam, ik smeek je, vermoord geen onschuldige mensen.'

Ben zei iets maar Paul kon zijn blik niet van de brandende hut afhalen. De herinnering dat hij eens de halve maan had gediend, achtervolgde hem. Nu diende hij het kruis, maar waar was God nu zijn gezin levend verbrandde?

'Dood mij nu. Laat mij sterven met mijn vrouw en kind.' Pauls woorden stegen omhoog in de nachtlucht. Hoe zou hij zonder hen verder kunnen leven? *Alstublieft Heere, het was verkeerd van mij om U niet te vertrouwen dat U voor ons zou zorgen. Is het nu te laat?*

Een paar dorpsbewoners die door het vuur wakker waren geworden, kwamen hun hutten uit, maar ze werden door Nizams mannen tegengehouden.

Paul kon nauwelijks meer praten. Hoe kon God dit toelaten? Misschien had hij het nooit begrepen. Hij was een God van liefde, niet van haat en het kwaad. Maar hoewel Paul niet begreep waarom zijn gezin en vrienden zouden gaan sterven, moest hij geloven dat God alles bestuurde – Zijn bedoelingen waren goed en rechtvaardig. 'God, ik vertrouw op U, wat er ook gebeurt,' fluisterde hij schor. 'Help ons alstublieft.'

Plotseling wierp Nizam zijn toorts weg en stapte de brandende hut binnen. Paul hield zijn adem in. Wat gebeurt er? Het enige wat hij hoorde, was het geloei van de vlammen.

Er verscheen een vrouw in de deuropening die een kind droeg. Larson! Toen kwamen een andere vrouw en David de hut uit. Ze strompelden weg van het vuur en meteen daarop stortte de hut in.

'Daruka!' Bens stem klonk boven het geloei van de vlammen uit. 'David!'

Ze waren vrij, maar hoe lang? Waar was Nizam?

In het oosten verspreidde zich de zwakke gloed van de dageraad aan de lucht. Er klonken schoten en de mannen die Paul en Ben bewaakten sloegen badend in hun bloed tegen de grond. Ben, zijn handen nog steeds op zijn rug gebonden, bukte zich en zag kans zijn mes te pakken van een van de dode mannen.

'Snij mijn touwen door.' Paul herkende zijn eigen stem niet. Hij wilde naar Larson en Thomas toe en hij beefde over zijn hele lichaam. 'Schiet op, Ben. Dan zal ik jouw touwen doorsnijden.'

Ben sneed Pauls boeien door. Zodra de touwen op de grond vielen, greep Paul het mes en sneed Bens boeien door. Hij zag Larson, Daruka en David op de grond liggen terwijl de kogels om hen heen floten. Thomas' angstige kreten klonken boven het geweervuur uit. Ze lagen zonder enige dekking op de open grond. Een verdwaalde kogel – nee, hij wilde er niet aan denken.

Zonder iets te zeggen grepen Paul en Ben de geweren van de gedode mannen en kropen naar hun gezinnen toe. Meteen daarop verstomde het geweervuur en kwamen de mannen van het Neushoornbataljon vanachter de hutten en de bomen tevoorschijn. Niet een van Bens mannen was gewond geraakt. Niet een van Nizams mannen had het overleefd.

Paul hield zijn bevende vrouw vast. Hij wilde er niet aan denken haar ooit nog los te laten. Hij wilde van alles tegen haar zeggen maar de woorden wilden niet komen. Haar haren en kleren waren geschroeid, haar wenkbrauwen en wimpers waren verdwenen. Ze stonk naar rook en ze hoestte voortdurend. Maar ze leefde. Had Paul Larson wel verteld hoe veel hij van haar hield? Misschien had de nood van zijn ziel die stille boodschap uitgezonden.

Hij wierp een blik op Ben die zijn vrouw en zoon in zijn magere armen gesloten had. De grote man huilde als een kind. Een man gaat liefde pas echt waarderen als die hem leeg dreigt achter te laten.

'We hebben veel om over te praten,' hoorde hij Ben tegen Daruka zeggen. 'Er zijn dingen die ik je moet vertellen.'

'Die ik waarschijnlijk al weet.' Ze raakte zijn wang aan. 'Weken geleden, toen je uit Nairobi terugkeerde met nog meer pillen, ben ik er al achter gekomen dat je kanker hebt.'

'Hoe dan?'

'Ik heb de flessen meegenomen naar Davids onderwijzeres en haar gevraagd waar de pillen voor waren.' Ze hoestte. 'Wees alsjeblieft niet boos.'

'Ik denk dat jij boos op mij moet zijn. Het spijt me. Ik wist niet hoe ik het je vertellen moest. De dokter heeft mij een heel klein beetje hoop gegeven, en na vandaag betekent dat heel veel voor mij. Ik heb drie redenen om verder te leven en ze hebben alles met mijn gezin te maken.'

David keek naar de restanten van de brandende hut. 'Ik denk dat ik nu een beetje weet wat de hel is en ik zal het nooit meer vergeten.'

Ben knikte. 'Misschien moet je mij ook maar eens iets over je geloof vertellen.'

Paul richtte zijn aandacht weer op Larson terwijl zich allerlei vragen aan hem opdrongen. Haar gezicht zag grauw van uitputting. Hij pakte Thomas van haar over en kuste haar op de wang. Het gehoest van de baby verontrustte Paul, maar Larson zou wel weten wat ze daar aan moest doen. Op zekere dag zou hij zijn zoon vertellen hoe God hen allemaal uit de strikken van de dood had verlost.

'Weet je wat er met Nizam gebeurd is?' fluisterde hij.

'Dat weet ik niet zeker.' Ze haalde diep adem en begon opnieuw te hoesten. 'En ik denk dat we het nooit zullen weten. Voor hij de hut in brand stak, praatte ik met hem. Ik vroeg hem over het lezen in de Bijbel. En wat zijn hart hem vertelde over God. Uit het gesprek dat we eerder hadden, wist ik dat hij de Bijbel gelezen had.' Tranen stroomden over haar gezicht en hij kuste opnieuw haar wang. 'Hij werd boos en toen stak hij de hut in brand. De vlammen... ze waren verschrikkelijk heet. Net toen we dachten dat er geen redding meer mogelijk was, kwam hij terug, sneed onze touwen door en duwde ons naar de deur. Ik vroeg hem waarom hij dat deed maar hij gaf geen antwoord. Hij was de laatste in de hut en is niet meer naar buiten gekomen.'

'Ik denk dat we nooit zullen begrijpen wat er gebeurd is.'

'Denk je dat God hem bereikt heeft?'

Paul schudde zijn hoofd. 'Ik weet het niet. Maar het doet er niet meer toe want het is voorbij.'

Ze legde haar hoofd tegen zijn borst. Een nieuwe hoestaanval bracht hem weer terug naar de werkelijkheid.

'Ben, we moeten hen naar de kliniek brengen.'

Ben bracht Daruka en David naar het betonnen gebouw. Paul tilde Thomas op zijn schouder en sloeg zijn arm om Larsons middel.

'Laten we hier weggaan. Je hebt genoeg gezien.'

'Bedoel je dat je uit Warkou wilt vertrekken?' vroeg ze.

'Niet uit Warkou. Niet uit Soedan. Toen ons een zekere dood te wachten stond, heeft God voor ons gezorgd en ik geloof dat Hij ons zal blijven beschermen. Ik wil dat dit ons thuis zal zijn tot Hij ons ergens anders heen leidt.'

Ze liepen verder naar de kliniek die nog steeds door de generator verlicht werd, maar die nu niet langer een toneel van haat en wraak was.

Ze tilde haar door vuil en tranen bevlekte gezicht naar hem op. 'Toen ik dacht dat het einde gekomen was, besefte ik dat ik mijn gevoelens verdrongen had en dat ik je nooit echt om vergeving had gevraagd voor al die keren dat mijn boosheid tussen ons in stond. Ik probeerde te denken dat ik het leven alleen wel aankon als je gedood zou worden. Maar in feite was ik doodsbang. Ik dacht dat het van moed getuigde om mijn hart voor jou gesloten te houden. Het spijt mij verschrikkelijk.'

'Mijn habibi, we dienen een machtige God. Ik was vergeten hoe machtig Hij is. Ik vertrouwde Hem niet en ik dacht dat ik ons leven zelf wel kon regelen. Ik bleef proberen Zijn gunst te verdienen en ik faalde volkomen. En ik heb veel dingen voor jou achtergehouden. Door mijn roekeloosheid werden jij en degenen die we liefhebben bijna vermoord.' Hij perste zijn lippen op elkaar. 'Bisschop Malou beschuldigde mij er eens van dat ik voor God probeerde te spelen. Dat zal ik nooit meer doen.'

'De dood waart overal rond. Zal Zuid-Soedan al die jaren van oorlog ooit te boven komen?'

'Dat hoop ik. Ik bid om de dag waarop een christen tussen het noorden en het zuiden vreedzaam heen en weer kan reizen, waarop het volk van Darfur niet langer vervolgd zal worden. Waarop buitenlanders niet langer gewaarschuwd worden ons land niet binnen te komen. Wat de vijand weigert te erkennen, is dat veel mensen tijdens de oorlog christen geworden zijn. Mensen die naar verzoening streven tussen alle stammen roepen Gods hulp in.'

'Ik wil eenheid voor ons volk,' zei Larson. 'En voor onze kinderen.'

Hij kuste haar voorhoofd. 'We hebben grote liefde voor elkaar en voor Soedan. Als God voor ons uit gaat, zal het slechts een kwestie van tijd zijn voordat er echt vrede zal bestaan. Kun je je echte, bevoegde onderwijzers voorstellen? Dat de dorpsbewoners hun tuinen weer zullen verzorgen? Dat ziekten zullen afnemen? Dat er weer schoon water is? Er is nog zo veel werk te doen, maar ik ben er klaar voor.'

'Het lijkt een droom.'

'Dromen van hoop en vrijheid houden een mens in leven.'